Vous avez la parole

A REVIEW AND REFERENCE GRAMMAR

Vous avez la parole

A REVIEW AND REFERENCE GRAMMAR

David A. Dinneen
Noémie Pagès

THE MACMILLAN COMPANY, NEW YORK
COLLIER-MACMILLAN LIMITED, LONDON

First Printing

Library of Congress catalog card number: 68–11194

The Macmillan Company, New York
Collier-Macmillan Canada, Ltd., Toronto, Ontario

Printed in the United States of America

Original sketches are by Tísner

To Eric Schoenfeld

Preface

This text has been written primarily for use in an intermediate-level college course by students who have either completed a first-year course in college or have had two or more years of French in secondary school, but it can also be used effectively in a more advanced college course. The material in each chapter is presented with the assumption that the students have previously been exposed to all the grammatical constructions included in the exercises. However, we realize that students will come with varying backgrounds and have therefore included a workbook which provides the teacher with the means of preparing students for any part of a chapter that he feels they are not yet ready for.

We do not believe you learn to speak or write French by learning rules: the student should have "learned" French grammar earlier by pattern drills and other techniques, and we trust he will continue to develop his ability to speak and to write French as he progresses through this text. Nevertheless, as the college student prepares and corrects written exercises, he will have to refer to statements of the rules that describe grammatical structures he wishes to use or that he misuses. The teacher is not always present to provide these statements, so we have included a Reference Grammar with a complete index. Of course, the teacher may at times find it necessary to enlarge upon certain points, but we feel that class time is best spent doing the oral exercises and conversing.

Although more and more students enter intermediate college courses well prepared in the spoken language, there is always a need for a thorough review of the sound system. We provide this in our Notes on Pronunciation and in the accompanying tapes. Specifically, we suggest that this text be used as follows:

REVIEW CHAPTERS

The eighteen review chapters, each one reviewing a number of grammatical constructions, constitute the core of the text. The daily lessons should be built around them, using the other parts of the text as needed. In each chapter you will find:

Review Notes: The brief review notes merely remind the student of some important facts concerning the grammatical structures considered in each chapter. If he finds that they do not strike a familiar note, he should definitely turn first to the pertinent exercises in the workbook before continuing with the chapter. He may also profit from reading the explanations in the Reference Grammar.

Notes on Pronunciation: The purpose of the pronunciation notes and accompanying examples is self-evident. The examples should be repeated rapidly in class and the instructor should then pay particular attention to these sounds while discussing the dialogue and doing the grammatical exercises.

Dialogue or Narrative: The dialogue and narrative passages contain illustrations of the constructions being reviewed in the chapter. The dialogues are not to be memorized, but the student should become thoroughly familiar with both dialogues and narratives (by studying them at home and listening to the tapes) so as to answer the questions posed by the instructor and to join in free conversation on the subject. We assume that the teacher will ask more and different questions, not only the ones we have suggested.

Questions sur le dialogue: The dialogue questions provide a test of the student's comprehension of the dialogue or narrative as well as an opportunity for him to speak in class.

Exercices oraux: Each oral exercise reviews and strengthens the student's control of one or more of the constructions indicated by the references to sections of the Reference Grammar. The student should prepare these exercises at home before they are done in class, but he should wait until after they have been done in class to work with the corresponding tape. In class, the exercises should be done rapidly and the student should be allowed a reasonable amount of freedom in his responses—that is, a correct sentence, using the grammatical construction under consideration, should usually be accepted even if it is not exactly the response the teacher expected. Most definitely, responses to *questions* should be natural and, therefore, noun phrases in the question should be replaced by pronouns in the answer unless explicitly noted otherwise. For example, *Aimez-vous le café?* should elicit, *Oui, je l'aime.* Similarly, although we do not approve of grunted *oui* or *non* replies (*at least*, *Oui, monsieur!*), we feel that a natural "partial sentence" should be accepted in preference to using class time requiring the student to form a complete sentence with "subject and predicate."

Révision des verbes irréguliers: Many teachers complain that their students at the intermediate level still do not know the forms of the important irregular verbs. The exercises for irregular verbs may not "teach" these verb forms, but they do review many forms in natural contexts, and if the teacher feels that his class is not doing the exercise with sufficient rapidity and ease, he can take steps to encourage the students to gain active control of these forms.

Exercices écrits: The first exercise (A) in each chapter is a set of questions based on the reading passage. Unless the instructor indicates otherwise, the answers should be brief, reflecting the vocabulary and constructions used in the passage. The following exercise(s), excluding the final one, are included to help the student gain firmer control over more complicated structures than those illustrated in the oral exercises. In contrast to our statement in the remarks on oral exercises, we do expect the students to compose "complete" sentences in these exercises. Finally, the last exercise is a "composition" exercise. These final exercises become progressively more difficult through the text and the student is given more and more freedom in writing his own composition. Note: We consider it very important that the student and teacher give full attention to these composition exercises and, particularly, that the student not be permitted to skim over the first few, thinking that they are too easy. We have used direct-to-indirect discourse passages because they offer a natural system for controlling the content of the composition and provide training in the use of indirect discourse, which we consider important.

All of these written exercises should be done at home in a format indicated by the instructor (double-spacing is desirable), and should be handed in. The teacher should underline errors and note the type of error in the margin, using the abbreviations in the appendix, and then return the paper to the student so that he can make the corrections. The paper, presumably correct, should then be returned to the teacher for his final *vu*. As necessary, the instructor may go over the exercises in class, but we do not feel that much class time should be devoted to them.

REFERENCE GRAMMAR

While doing the written exercises the student should review whole sections of the Reference Grammar to check his knowledge of the constructions he wishes to use. When correcting the passages underlined by the instructor, he should be able to find the proper section and subsection by referring to the abbreviation table and the index. Legible and accurate correcting, by the student himself, will not only "teach" the student better than the teacher's written-in corrections would, but will also allow the instructor more time and energy to devote to more difficult problems involved in French composition.

A reference grammar is never really complete. If too many exceptions to rules are listed, the statements become undesirably long. We have tried to give all the information about French grammar that we could formulate in concise terms. Above all, we have given many examples, and it is in these examples that you will frequently find an answer to a problem, rather than in the explanation. Translations of examples have been given only when we felt they would help clarify the grammatical construction.

WORKBOOK

These exercises are "simpler" than those in the Review Chapters in the sense that each exercise normally is concerned with only one grammatical point. They have been provided primarily for use by groups of students who are not fully prepared to do the work assigned in a given chapter (all students will need extra work in *some* area), but, of course, an instructor may wish (and have time!) to use the workbook regularly to strengthen his students' control of all structures.

TAPES

The material on each tape is arranged to permit the student to review and "overlearn" the material of the chapter just completed (or still in progress) in class, and *prepare* the dialogue and pronunciation exercises for the following chapter. Thus, the first tape does not contain any grammatical exercises, and Tape 2 contains the grammatical exercises of Chapter 1, along with the dialogue and pronunciation exercises of Chapter 2.

D. A. D.
N. P.

Contents

REVIEW GRAMMAR

Vous avez la parole
A REVIEW AND REFERENCE GRAMMAR

PART I

Review Grammar

CHAPTER 1

Present Tense (Indicative); Imperative; Immediate Future; Immediate Past; Past-to-Present, Inclusive

REVIEW NOTES

You should already be familiar with the *forms* for each tense of all regular verbs and of most irregular verbs. If your training has not included an analysis of the formation of the tenses—and even though you may be capable of producing these forms automatically—you will find it useful to read Sections 1.0.0–1.5.0 of the Reference Grammar.

In the first few chapters the exercises are designed to help you review the formation and functions of most verbal constructions. Each chapter contains exercises on the tenses and constructions indicated in the chapter heading. Throughout the text there will be a section number at the end of each exercise explanation, indicating the section of the Reference Grammar to which you should refer for further details.

Please do not forget that French has but one simple present tense with which are expressed all the aspects of present time found in the English *present*, *present progressive*, and *emphatic present*. Never translate *do/does* or *am/is/are* when they are used as auxiliaries in the formation of the latter two present constructions in English.

REF GRAM SEC: 1.5.1, 1.5.2-A-Note, 1.6.0, 1.5.6-A-Note, 1.14.0.

NOTES ON PRONUNCIATION

A proper stress and intonation pattern is basic to good pronunciation. We wish to emphasize this now, before reviewing individual sounds, because there is always a tendency to distort the stress pattern when attempting to perfect the pronunciation of a particular sound. Please avoid overstressing the sound that is under consideration in each drill.

Stress: French words spoken in isolation regularly have a *slightly* heavier stress on the last syllable.

été	[eté]	**sincèrement**	[sε̃sεrmɑ̃́]
salade	[salád]	**prononciation**	[prɔnɔ̃sjasjɔ̃́]
fureur	[fyrœ́r]		

In longer utterances, all syllables of all words are given approximately equivalent stress except the final syllable of each thought phrase.[1]

Écoutez, je ne suis pas d'ici et j'ai un rendez-vous important.
[ekuté žənsɥipádisí ežeœ̃rɑ̃devúε̃pɔrtɑ̃́]
Il y a déjà quatre mois qu'il n'est plus valable.
[iljadežákatrəmwá kilneplývalábl]

When, in exclamations, an extraheavy stress is found on a syllable other than the final one, this latter syllable still receives a stress greater than the remaining ones: *C'est formidable!* [sef͡ɔ́rmidábl].

Note that the written accent mark on French vowels has nothing at all to do with the stress pattern of the spoken word. It either indicates the quality of the particular vowel (for example, *é* = [e], *è* = [ε]) or is used as a convenient sign to distinguish between two words of different meaning that are otherwise written alike (for example, *à* "to" and *a* "has").

Intonation: Stress refers to a noticeable difference in the force with which one pronounces the syllables of a word or phrase. Intonation refers to the rising and falling patterns of the pitch level. Although intonation patterns in French regularly are superimposed upon the sense groups indicated by stress, they should not be confused with stress. For example, the last syllable of a phrase with a falling pattern will be at a low pitch level while at the same time receiving major stress.

You should be familiar with these basic patterns:

1. *At the end of declarative sentences*, a descending intonation.
Je ne dépasse jamais le quarante.
↘
[žəndepasžamélkarɑ̃́t]
Simple question de chance.
↘
[sε̃́pləkεstjɔ̃dšɑ̃́s]

[1] A "thought phrase" or "sense group" is best defined in reverse, that is, an utterance is divided into thought phrases by the stressed syllables, the end of each phrase being marked by the stress. *Important:* the stressed syllable is not necessarily followed by a pause.

2. *At the end of yes/no questions,* an ascending intonation.
   Vous prenez la rue pour une piste de course?

   [vuprənelarý purynpístədəkúrs]

   Ne ferez-vous pas une exception?

   [nəfrevupázunɛksɛpsjɔ̃́]

3. *At the end of all other questions,* a descending intonation, similar to declarative sentences.
   Quand partez-vous?

   [kɑ̃́partevú]

   Pourquoi Monsieur Denis s'est-il arrêté en pleine rue?

   [purkwámøsjødəní sɛtilarɛté ɑ̃plɛnrý]

4. *Within sentences,* a moderate ascending intonation.
   Écoutez, je ne suis pas d'ici et j'ai un rendez-vous important.

   [ekuté žənsɥipádisí ežeœ̃rɑ̃devúɛ̃pɔrtɑ̃́]

   Comment savons-nous que Monsieur Denis ne vient pas à Paris en touriste?

   [kɔmɑ̃́savɔ̃núkəmøsjødəní nəvjɛ̃pázaparí ɑ̃turíst]

DIALOGUE[2]

Monsieur Denis est de passage à Paris, où il a certaines affaires à régler. Il appuie sur l'accélérateur, car il est déjà presque l'heure de son rendez-vous. Il entend une sirène et aperçoit, dans son rétroviseur,[3] un motard[4] qui lui fait signe de s'arrêter. Il s'exécute aussitôt.

L'AGENT: Et alors, vous prenez la rue pour une piste de course[5]?

[2] In each chapter, the dialogue or narrative passage will contain examples of the constructions under particular consideration in that chapter. You should note each example and recognize the meaning of that grammatical construction in context. For example, in the following dialogue, when M. Denis exclaims, "*ça fait onze ans que je conduis,*" you should recognize that the present tense of *conduire*, used with the *ça fait . . . que* construction, indicates that this act began at some point in the past (eleven years ago) and has continued up to the present (he still drives). When you do not understand the use of a particular construction, you should turn to the Reference Grammar.

[3] **rétroviseur** rear-view mirror

[4] **motard** (F) motorcycle policeman

[5] **piste de course** race-track

M. DENIS: Excusez-moi, monsieur l'agent, mais je profitais de l'absence de circulation pour gagner du temps, car je suis déjà en retard . . .

L'AGENT: Oui, toujours les mêmes excuses. Vous venez d'atteindre le 80 à l'heure en plein Paris. Avouez tout de même . . .

M. DENIS: Impossible, monsieur l'agent. Je ne dépasse jamais le 40.

L'AGENT: Je connais la chanson. On vous prend sur le fait[6] et vous continuezà nier l'évidence. Vos papiers!

M. DENIS: Écoutez, je ne suis pas d'ici et j'ai un rendez-vous important. Ne ferez-vous pas une exception? Je n'ai pas l'habitude de circuler dans Paris et je vous promets de faire plus attention une autre fois.

L'AGENT: Rendez-vous ou pas rendez-vous, et Parisien ou pas, les règles de la circulation sont pour tout le monde. Allez, vos papiers!

M. DENIS: (*sortant son permis de conduire et sa carte grise*[7]). C'est la première fois qu'on me dresse contravention[8] et pourtant, ça fait onze ans que je conduis.

L'AGENT: Simple question de chance. Mais, dites-donc, votre permis est périmé![9]

M. DENIS: (*brusquement inquiet*). Comment périmé?

L'AGENT: Vous allez prétendre que vous ne le saviez pas, peut-être? Il y a déjà quatre mois qu'il n'est plus valable.

M. DENIS: Je vous assure que je ne m'en étais pas rendu compte. C'est ma secrétaire qui s'occupe de tout cela. Ah! elle va m'entendre celle-là.

L'AGENT: Pour le moment, cela va vous faire une double contravention. (*L'agent va regarder la plaque pour vérifier le numéro de la voiture, tandis que M. Denis, furieux et impuissant, regarde sa montre.*)

M. DENIS: Je vous en prie, monsieur l'agent, je paierai ce qu'il faudra, mais ne me faites plus perdre de temps. Je risque gros[10] si mon client ne m'attend pas.

L'AGENT: Vous n'aviez qu'à prendre vos précautions et à partir à l'heure. Je ne peux pas remplir mes feuilles sans y mettre tous les renseignements.

M. DENIS: Vous êtes vraiment peu compréhensif. Quand on ne connaît pas bien la ville, il est difficile de calculer le temps nécessaire pour la traverser.

L'AGENT: Si vous continuez à m'interrompre, je n'en finirai jamais. Je vous préviens que si vous ne faites pas renouveler votre permis dans

[6] **sur le fait** in the act
[7] **carte grise** registration card
[8] **dresser contravention** to give a ticket to
[9] **périmé** expired
[10] **je risque gros** I run a big risk; I take a big chance

un délai de dix jours, vous risquez une plus forte amende.[11] Tenez-le-vous pour dit.[12] (*Il lui rend ses papiers.*) Voilà!

M. DENIS: Merci quand même. Grâce à vous, j'aurai un bon souvenir de mon voyage.

L'AGENT: Je vous conseille de ne pas continuer sur ce ton, car cela pourrait vous coûter cher . . . "insulte à l'autorité."

M. DENIS: Mais je ne vous insulte pas. Je souligne simplement votre manque d'amabilité. (*L'agent repart en bougonnant*[13] *et M. Denis remet sa voiture en marche.*)

QUESTIONS SUR LE DIALOGUE

1. Comment savons-nous que Monsieur Denis ne vient pas à Paris en touriste?

[11] **amende** fine
[12] **Tenez-le-vous pour dit** You won't be warned again
[13] **bougonner** to grumble

2. Pourquoi M. Denis profitait-il de l'absence de circulation?
3. Quelle marque de bicyclette M. Denis conduit-il?
4. En quelle année M. Denis a-t-il commencé à conduire?
5. Pourquoi M. Denis s'est-il arrêté en pleine rue?
6. Comment savez-vous que l'agent ne fait pas de différence entre les gens qui viennent à Paris et ceux qui y habitent?
7. Pourquoi M. Denis ne peut-il pas compter sur sa secrétaire?
8. L'argent qu'il devra payer pour l'amende ne semble pas préoccuper M. Denis. Alors, pourquoi est-il furieux contre l'agent?

EXERCICES ORAUX

Exercice I: Emploi de l'impératif. (Sec. 1.6.0.)

1. Dites à votre voisin de se taire.
2. Dites à votre voisin de vous laisser tranquille.
3. Dites à votre voisin de s'asseoir.
4. Proposez à votre ami de déjeuner ensemble. (*Attention à la personne!*)
5. Dites à votre voisin de ne pas arriver en retard.
6. Dites à votre camarade de se raser avant de sortir.
7. Dites à votre ami de vous appeler à cinq heures. (*familier*)
8. Dites à votre voisin de ne pas faire tant de bruit.
9. Dites à votre camarade de vous en parler après la classe.
10. Dites à votre ami de ne pas s'en aller sans vous. (*familier*)
11. Dites à votre voisin de reprendre sa place.
12. Dites à votre ami d'être prêt à l'heure. (*familier*)
13. Dites à votre ami de vous redire ce qu'il pense faire. (*familier*)
14. Dites à votre voisin de reconnaître que vous avez raison.
15. Dites à votre camarade de ne pas s'endormir pendant la classe.

Exercice II: Sur le modèle suivant, employez les deux verbes entre parenthèses, le premier au passé immédiat, le deuxième au futur immédiat. (Sec. 1.5.2-A-Note, 1.5.6-A-Note.)

EXEMPLE: Le directeur . . . (sortir/rentrer)
Le directeur vient de sortir, mais il va rentrer tout de suite.

1. L'ascenseur . . . (monter/redescendre)
2. Le train . . . (arriver/repartir)
3. Jean . . . (se réveiller/se rendormir)

4. Nous . . . (s'arrêter/recommencer)
5. Mon père . . . (se mettre en colère/se calmer)
6. Vous . . . (mentir/me dire la vérité)
7. Les enfants . . . (se lever/se recoucher)
8. Le candidat . . . (refuser ce poste/accepter l'autre)
9. Je . . . (ouvrir la fenêtre/la refermer)
10. Elle . . . (le salir/le nettoyer)
11. Ils . . . (allumer/éteindre)
12. Je . . . (casser un vase/le recoller)

Exercice III: Répondez aux questions suivantes, en employant les expressions entre parenthèses. (Sec. 1.14.0.)

EXEMPLES: *a.* Depuis quand faites-vous des recherches? (il y a/3 ans)
Il y a trois ans que je fais des recherches.
b. Depuis quand l'attendez-vous? (depuis/20 minutes)
Je l'attends depuis vingt minutes.

1. Depuis quand ton père est-il employé de commerce? (depuis/4 ans)
2. Depuis quand faites-vous du ski? (depuis/mon arrivée en France)
3. Depuis quand attend-il sa femme? (Voilà/une demi-heure)
4. Depuis quand M. Denis conduit-il? (depuis/11 ans)
5. Depuis quand conduisez-vous? (depuis/ . . .)[14]
6. Depuis quand joue-t-on cette pièce au Théâtre Français? (il y a/ . . .)
7. Depuis quand le permis de conduire de M. Denis est-il périmé? (. . . /4 mois)
8. Depuis quand la police des routes contrôle-t-elle la vitesse? (. . . / longtemps)

Exercice IV: Un étudiant pose une question à son voisin, en employant *depuis quand* et les mots donnés entre parenthèses. Le voisin répond en choisissant le délai. (Sec. 1.14.0.)

EXEMPLE: (vous/dans la salle de classe)
Depuis quand êtes-vous dans la salle de classe?
Je suis dans la salle de classe depuis une heure.
(*ou*) Il y a une demi-heure que je suis dans la salle de classe.
(*ou*) Voilà une éternité que je suis dans la salle de classe.

1. (vous/porter des lunettes)
2. (tes parents/demeurer à)

[14] In this and all subsequent exercises, once a pattern has been established, you should complete the sentences with your own choice of words.

3. (il/être amoureux d'elle)
4. (vous/taper à la machine sans regarder le clavier[15])
5. (vous/ne plus *s'*adresser la parole) (*Attention à la personne!*)
6. (sa sœur/circuler sans permis de conduire)
7. (tu/attendre *sa* nomination à l'étranger) (*Attention!*)
8. (leurs camarades/suivre ce cours de perfectionnement)

RÉVISION DES VERBES IRRÉGULIERS (*pouvoir* et *vouloir*)

Répétez plusieurs fois toutes les phrases suivantes. Dans les blancs, donnez la forme convenable du verbe, indiquée par le sens.

1. Pouvez-vous m'aider? Je ____ si je voulais, mais je ne veux pas.
2. Peut-il vous aider? Il pourrait s'il ____, mais il ne ____ pas.
3. ____-je vous aider? Vous ____ si vous vouliez, mais vous ne ____ pas.
4. Pouvez-vous les aider? Nous ____ si nous ____, mais nous ne ____ pas.
5. ____-ils vous aider? Ils ____ s'ils voulaient, mais ils ne ____ pas.
6. Pouvons-nous les aider? Vous ____ si vous ____, mais vous ne voulez pas.
7. Est-ce que je ____ t'aider? Tu ____ si tu voulais, mais tu ne ____ pas.

8. Vous avez pu obtenir une augmentation; moi, je n'ai pas voulu en demander.
9. Il a ____ obtenir une augmentation; nous, nous n'avons pas ____ en demander.
10. Elles ont pu obtenir une augmentation; toi, tu ____ ____ ____ en demander.

11. On dit toujours, "Si j'avais pu . . . ," ou, "Si j'avais voulu . . . ," pour se justifier.

12. Je ne pouvais pas savoir ce qu'il voulait.
13. Il ne ____ pas savoir ce que je voulais.
14. Nous ne pouvions pas savoir ce que vous ____.
15. Vous ne ____ pas savoir ce que nous ____.
16. Tu ne pouvais pas savoir ce qu'ils ____.
17. Pourras-tu y aller? Oui, je pourrai y aller.
18. Pourrez-vous y aller? Oui, nous ____ y aller.

[15] **clavier** (m) typewriter keyboard

19. Pourront-ils y aller ? Elle ____ y aller, mais pas lui.

20. Qu'est-ce que vous voudriez faire ? Je voudrais dormir.
21. Qu'est-ce qu'ils ____ faire ? Elle ____ dormir ; lui, je ne sais pas.

22. Qu'aurait-il pu expliquer et qu'auraient-elles voulu qu'il dise ?
23. Qu'aurais-je ____ expliquer et qu'aurais-tu ____ que je dise ?
24. Qu' ____-nous pu expliquer et qu'est-ce que vous auriez ____ que nous disions ?

25. Encore faut-il que je veuille et que je puisse refuser.
26. Encore faut-il que vous ____ et que vous puissiez refuser.
27. Encore faut-il que nous ____ et que nous ____ refuser.
28. Encore faut-il qu'elle veuille et qu'elle ____ refuser.
29. Encore faut-il qu'ils ____ et qu'ils ____ refuser.

EXERCICES ÉCRITS

Exercice A: Répondez aux questions suivantes de façon cohérente, en utilisant les éléments du dialogue.

1. De quels papiers avez-vous besoin pour conduire une automobile ?
2. Quelle est la durée de validité d'un permis de conduire dans votre état ?
3. Quelle réponse donneriez-vous si on vous arrêtait pour excès de vitesse ?
4. Que faites-vous quand vous entendez une sirène ?
5. A quoi sert le rétroviseur ?
6. Pour aller plus vite, que devez-vous faire ?
7. Que doit-on faire quand son permis est périmé ?
8. Comment démontrez-vous qu'une voiture vous appartient ?

Exercice B (Exercice de composition) : Passez du discours indirect au discours direct. (Sec. 1.16.0.)

EXEMPLE : *Vous avez dit que* vous n'*aviez* pas encore de permis de conduire, mais que vous l'*auriez* dans trois mois.
Je n'*ai* pas encore de permis de conduire, mais je l'*aurai* dans trois mois.

1. Vous avez dit que vous ne dépassiez jamais le 40 à l'heure et que vous n'alliez sûrement pas à 80.
2. Vous avez demandé à l'agent s'il ne ferait pas une exception.

3. L'agent vous a répondu que non, que les règles étaient les mêmes pour tout le monde.
4. Vous avez dit que vous aviez un rendez-vous important et que vous risquiez de perdre un client.
5. Vous avez dit à l'agent que vous souligniez simplement son manque d'amabilité et que vous ne l'insultiez pas.
6. Vous avez dit à un camarade que vous étudiez le français depuis deux ans, mais que vous ne pouviez pas encore le parler.
7. Vous avez dit que vos camarades et vous aimeriez poser des questions à tour de rôle.
8. Vous avez dit que l'avion venait d'arriver, mais qu'il allait repartir après avoir fait le plein.[16]
9. Vous avez dit que les ouvriers venaient de demander une augmentation, mais qu'ils n'allaient pas l'obtenir.

[16] **faire le plein** fill the tank(s) with gas

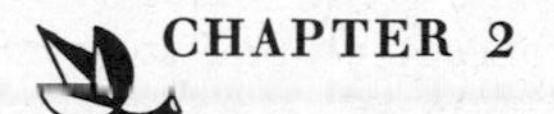

CHAPTER 2

Future; Imperfect; Conditional; Conditional Sentence Types; Past-to-Past, Inclusive

REVIEW NOTES

The future is a true tense in French, unlike English, which uses the auxiliary *will* plus the infinitive. It is also used more frequently than the English future construction (for example, obligatory use with *quand*, *dès que*, and so on). Its use in the result clause of a simple conditional sentence is as in English.

The imperfect tense is used to indicate past actions or conditions and is roughly equivalent to the English construction "was Xing," but it also has many special uses which must be learned in context. American students must be sure to remember that the imperfect is required, without exception, in the if-clause of conditional sentences that contain a result clause in the conditional.

Conditional sentences consistently follow a sequence of tense pattern as follows (whether the *si*-clause is actually first or not).

1. *Si*-clause, present / Result clause, future
2. *Si*-clause, imperfect / Result clause, conditional
3. *Si*-clause, pluperfect / Result clause, conditional perfect

REF GRAM SEC: 1.5.2–1.5.4, 1.14.0, 1.15.0.

NOTES ON PRONUNCIATION

We shall use the term *clear vowels* to designate the eight vowel sounds ([i, e, ɛ, a, ɑ, ɔ, o, u]) that are not nasalized and that do not "mix" the articulatory features of fronting and lip-rounding. (Mixed vowels are discussed in Chapter 5.) Precisely because the clear vowels are similar to vowel sounds we have in English, they often cause more difficulty than do the mixed vowels or the nasal vowels. Be sure to pronounce each of these vowels fully at all times: no French vowel except mute *e* is ever slurred.

It may help you to consider these sounds as they are situated in the vowel triangle, a table which indicates roughly: (1) vertically, whether the mouth is more open or more closed in pronouncing each vowel; (2) horizontally, whether the vowel is pronounced more toward the front or more toward the back of the mouth. Thus [i] is a front vowel with lips nearly closed (and spread), and [o] is a back vowel with lips further open (and rounded).

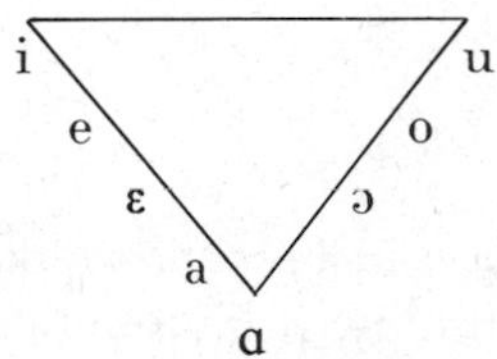

We will consider the vowels [i, e, ɛ] in this chapter. The remaining clear vowels will be discussed in Chapters 3 and 4.

[i] **Il continue à crier.**
Votre femme sera vite rétablie.
On publie une rectification.
On rit lorsque quelqu'un glisse. (Keep the lips spread and tense: not the *i* in *fist.*)
De quoi s'agit-il?

[e] **Elle a été transportée à l'hôpital.**
Vous en parlerez à votre avocat.
C'est votre droit.
Mes collègues
C'était vrai.

[ɛ] **Il s'explique clairement.**
Le rédacteur en chef
Il n'était pas frais.
Ils ne s'arrêteraient pas de parler.
Mes collègues

Note that, generally speaking, it is the sound [e], not [ɛ], that is heard in unchecked position, that is, when there is no consonant sound following it in the same syllable. However, the verbal inflections *-ais*, *-ait*, *-aient* and a number of other *-ai-* plus *written* consonant combinations are often pronounced [ɛ]. Therefore, you will hear (and will note, in our transcriptions) apparent inconsistencies in the choice of [e] or [ɛ] for these and other sequences containing *e*. For checked syllables, the rule is much more consistently followed: when a consonant sound follows the *e*-sound in the same syllable, the vowel is always [ɛ], never [e].

DIALOGUE

Un monsieur vient d'entrer dans le bureau du rédacteur en chef[1] *d'un journal. Il est rouge de colère et a commencé à parler, à peine la porte fermée.*

M. FÉRON: . . . Et si vous ne vous rétractez pas, je vous poursuivrai en diffamation.[2]

RÉDACTEUR: Si vous m'expliquiez clairement de quoi il s'agit, je pourrais peut-être comprendre. Mais si vous continuez à crier, nous n'arriverons à rien. Asseyez-vous, monsieur.

M. FÉRON: (*s'asseyant*). Enfin, monsieur, on n'a pas le droit de publier n'importe quoi, de déshonorer les gens sans raison.

RÉDACTEUR: De quel article parlez-vous?

M. FÉRON: (*lui donnant un journal où un article est encadré*[3] *de rouge*). De celui-ci, monsieur. Vous y verrez tout de suite la cause de ma fureur.

RÉDACTEUR: (*lisant à haute voix*). ". . . M. Féron avait fait le marché car sa femme ne se sentait pas bien. Il avait acheté du poison qu'il comptait lui servir avec des légumes. Comme il ne déjeunait pas chez lui ce jour-là (il avait, paraît-il, un rendez-vous d'affaires), il laissa tout préparé. En rentrant chez lui, vers cinq heures, il trouva la maison vide. Sa femme, souffrant d'empoisonnement, avait été transportée à l'hôpital . . ."

M. FÉRON: (*l'interrompant*). Vous comprendrez que les choses ne peuvent en rester là. Si vous ne publiez pas une rectification en première page, je vous attaquerai en justice.[4]

RÉDACTEUR: Mais, vraiment, monsieur, il est bien clair qu'il s'agit d'une erreur de typographie et tous les lecteurs auront rétabli[5] d'eux-mêmes "poisson" au lieu de "poison."

M. FÉRON: Si c'était vrai, mes collègues ne s'arrêteraient pas de parler lorsque j'entre dans le bureau. Depuis ce matin, on dirait que j'ai la peste.

[1] **rédacteur en chef** editor-in-chief
[2] **poursuivre en diffamation** bring a libel suit
[3] **encadré** encircled, framed
[4] **je vous attaquerai en justice** I'll take you to court.
[5] **rétabli** set it right again; put it back in order

RÉDACTEUR: J'avoue que ce malheureux mot joint au reste, c'est-à-dire à l'empoisonnement, pourrait prêter à équivoque.[6] Je vous promets que nous publierons une rectification dès demain.

M. FÉRON: J'espère bien. Mais, de toute façon, je consulterai un avocat, pour savoir s'il est possible de réclamer des dommages.

RÉDACTEUR: C'est votre droit. Je crois, pourtant, que quand vous en parlerez à votre avocat, il vous le déconseillera. Et, à propos, qu'est-ce que c'est que cette histoire d'empoisonnement?

M. FÉRON: C'est bien ma chance! Pour une fois que j'achetais du poisson, il n'était pas frais; et comme ma femme est très délicate, cela a suffi pour l'intoxiquer. On m'y reprendra à faire le marché![7]

RÉDACTEUR: J'espère, monsieur, que votre femme sera vite rétablie.[8] Mais, avouez que si c'était arrivé à quelqu'un d'autre, vous auriez bien ri.

[6] **prêter à équivoque** lead to a misunderstanding
[7] **On m'y . . . marché!** You'll never catch me doing the marketing again!
[8] **rétablie** recovered

M. FÉRON: *(l'air pincé*[9]*).* Oui, de la même façon qu'on rit lorsque quelqu'un glisse et tombe dans la rue.

QUESTIONS SUR LE DIALOGUE

1. Pourquoi le rédacteur ne prend-il pas au sérieux la réclamation de M. Féron?
2. Pourquoi M. Féron n'a-t-il pas, lui aussi, été empoisonné?
3. A quelle page l'article se trouvait-il? M. Féron veut-il que le rédacteur publie la rectification à la même page?
4. Comment se terminait l'article dont se plaint M. Féron?
5. Comment savons-nous que les gens qui travaillent avec M. Féron croient ce qu'ils lisent dans les journaux?
6. Le rédacteur a-t-il facilement retrouvé l'article dont parlait M. Féron? Pourquoi (pas)?

EXERCICES ORAUX

Exercice I: Dans les phrases suivantes, mettez les verbes à l'imparfait. (Sec. 1.5.4.)

1. La femme de Monsieur Féron *est* à l'hôpital.
2. Il *s'agit* d'une erreur de typographie.
3. Cette rubrique *paraît* tous les jours.
4. Monsieur Féron *vient* de préparer le dîner, comme tous les soirs.
5. Les enfants *rient* quand quelqu'un *glisse.*
6. De quel article *parlez*-vous?
7. Les choses ne *peuvent* en rester là.
8. *Continuez*-vous à crier?
9. Nous *prenons* du poisson tous les vendredis.
10. Je ne *vois* pas la cause de sa fureur.

Exercice II: Mettez les verbes à l'imparfait et fournissez vous-même les éléments qui suivront *depuis* pour compléter la première partie des phrases suivantes. Vous terminerez toutes les phrases par l'expression en italiques de l'exemple. (Sec. 1.14.0-B.)

EXEMPLE: Il/travailler ____ *quand la guerre a éclaté.*
Il travaillait depuis trois ans aux usines Ford quand la guerre a éclaté.

[9] **l'air pincé** stiffly

1. Nous/habiter ____.
2. Il/enseigner l'histoire ____.
3. Les actions/monter ____.
4. Je/être en France ____.
5. Les journalistes/annoncer le conflit ____.
6. Elle/être fiancée ____.
7. Robert/faire son service militaire ____.
8. Vous/être en chômage ____.[10]
9. Les ministres/négocier ____.

Exercice III: Dans les phrases suivantes, remplacez *quand* ou *parce que* par *si* et faites tous les changements nécessaires, indiqués dans les exemples. (Sec. 1.15.0.)

EXEMPLES: *a.* Quand elle téléphonera, nous lui en parlerons.
(1) Si elle téléphone, nous lui en parlerons.
(2) Si elle téléphonait, nous lui en parlerions.
b. Il mange parce qu'il a faim.
(1) Il mangera s'il a faim.
(2) Il mangerait s'il avait faim.

1. Quand vous serez capable d'écrire sans fautes, je vous engagerai.[11]
2. Quand j'en aurai l'occasion, je lui expliquerai la situation.
3. Accepterez-vous mon offre quand vous serez disponible?
4. Elle ne conduit pas parce qu'elle n'a pas de permis.
5. J'achète son livre parce qu'il est intéressant.
6. Que fera M. Denis quand il saura la vérité?
7. Je ne prends pas de poisson parce que le médecin me l'interdit.
8. Quand nous les inviterons, nous vous ferons signe.
9. Il se tait parce qu'il n'a rien à répondre.
10. Elle se coupe les cheveux parce que c'est la mode.

Exercice IV: Rattachez chaque paire de phrases au moyen de la conjonction donnée entre parenthèses. Changez le temps du verbe dans la proposition subordonnée, s'il le faut. (Sec. 1.5.2-B, 1.15.0.)

EXEMPLES: *a.* Je l'ouvrirai. Vous m'en donnez la clé. (quand)
Je l'ouvrirai quand vous m'en donnerez la clé.

[10] **être en chômage** to be unemployed
[11] **engager** to hire *Do not confuse with* **se fiancer**.

b. Il terminera ce chapitre ce soir. Les enfants le laissent tranquille. (si)

Il terminera ce chapitre ce soir si les enfants le laissent tranquille.

1. Nous arriverons à l'heure. Tu es prête à partir dans cinq minutes. (si)
2. Sortez d'ici. Elle arrive. (dès que)
3. M. Féron s'est calmé. On publie la rectification. (aussitôt que)
4. Elle est tombée. La bicyclette la heurte. (quand)
5. Sa femme était toujours de mauvaise humeur. Il arrive en retard. (lorsque)
6. Je n'arriverai pas à le faire. Tu ne m'aides pas. (si)
7. Nous ne pourrons pas repartir. L'agent n'a pas tous les renseignements. (tant que)
8. Il a vu venir l'agent. Il appuie sur l'accélérateur. (comme)
9. Ils vont publier une rectification. Je l'exige. (parce que)
10. Je lui donnerai l'article. Vous finissez de le taper. (aussitôt que)
11. Elle aura déjà son diplôme. Ils reviennent d'Europe. (lorsque)
12. On préparait les examens. Le mois de juin approche. (dès que)

RÉVISION DES VERBES IRRÉGULIERS (*savoir* et *connaître*)

1. Savez-vous de qui il parle? Oui, mais je ne le connais pas personnellement.
2. Je sais de qui il parle. Mais tu ne le ____ pas personnellement.
3. ____-ils de qui il parle? Oui, mais ils ne le connaissent pas personnellement.
4. Nous ____ de qui il parle. Mais vous ne le ____ pas personnellement.
5. ____-elle de qui il parle? Oui, mais elle ne le ____ pas personnellement.
6. Je savais qu'ils habitaient New York, mais je ne connaissais pas leur adresse.
7. Savais-tu qu'ils habitaient New York? Oui, mais je ne ____ pas leur adresse.
8. ____-ils que vous habitiez New York? Oui, mais ils ne ____ pas mon adresse.
9. Nous ____ qu'ils habitaient New York, mais nous ne ____ pas leur adresse.

10. Vous saviez qu'ils habitaient New York, mais vous ne ____ pas leur adresse.

11. Saura-t-il trouver le chemin et reconnaîtra-t-il la maison?
12. Saurez-vous trouver le chemin et ____-vous la maison?
13. ____-nous trouver le chemin et ____-nous la maison?
14. ____-ils trouver le chemin et reconnaîtront-ils la maison?
15. Est-ce que je ____ trouver le chemin et est-ce que je ____ la maison?
16. Sauras-tu trouver le chemin et ____-tu la maison?

17. Il les a connus à Paris, mais il n'a pas ____ gagner leur amitié.
18. Nous les ____ ____ à Paris, mais nous n'avons pas su gagner leur amitié.

19. S'il n'avait pas été là, vous ne connaîtriez pas cette machine et vous ne ____ pas vous en servir.
20. S'il n'avait pas été là, nous ne ____ pas cette machine et nous ne saurions pas nous en servir.
21. S'il n'avait pas été là, elle ne ____ pas cette machine et elle ne ____ pas s'en servir.

22. Faut-il que je connaisse toutes les œuvres de cet auteur? Non, mais il faut que vous sachiez reconnaître son style.
23. Faut-il que vous ____ toutes les œuvres de cet auteur? Non, mais il faut que nous sachions reconnaître son style.
24. Faut-il que tu connaisses toutes les œuvres de cet auteur? Non, mais il faut que je ____ reconnaître son style.

25. L'aurait-elle reconnu sous ce déguisement si elle n'avait pas su quel costume il allait porter?

26. Sachez qu'il n'admet pas la réplique. Reconnaissez qu'il a raison.
27. Sachons qu'il n'admet pas la réplique. ____ qu'il a raison.
28. ____ qu'il n'admet pas la réplique. ____ qu'il a raison.

EXERCICES ÉCRITS

Exercice A: Répondez aux questions suivantes de façon cohérente, en utilisant les éléments du dialogue.

1. Décrivez un incident récent où un journal a été attaqué en justice pour avoir publié un certain article. (Il n'est pas nécessaire qu'il s'agisse d'une erreur de typographie.)

2. Comment peut-on se rendre compte qu'un poisson n'est pas frais? Quels effets peut-il produire sur une personne qui en aurait mangé?
3. Si vous étiez avocat et si un client vous consultait sur les mesures à prendre contre un journal qui aurait publié contre lui une fausse information, que lui conseilleriez-vous?
4. Imaginez que vous soyez chargé de la direction d'un journal universitaire et qu'on vous demande d'expliquer comment vous allez vous y prendre. Vous répondez.
5. Comment pouvez-vous voir que quelqu'un est en colère avant qu'il n'ait commencé à parler?

Exercice B (Exercice de composition): Ecrivez les paragraphes suivants au discours indirect, en faisant tous les changements de temps et en ajoutant les mots nécessaires. Commencez tous les paragraphes par: "Vous m'avez dit que." (Sec. 1.16.0.)

EXEMPLE: Je vous expliquerai de quoi il s'agit et je vous dirai pourquoi je ne suis pas d'accord. Je suis sûr que vous comprendrez.

Vous m'avez dit que vous m'expliqueriez de quoi il s'agissait, que vous me diriez pourquoi vous n'étiez pas d'accord et que vous étiez sûr que je comprendrais.

1. Vous comprendrez que les choses ne peuvent en rester là. Si vous ne publiez pas une rectification, je vous attaquerai en justice.
2. Si vous nous attaquez en justice, vous n'y gagnerez certainement pas, car il est évident qu'il n'y a aucune mauvaise foi de notre part; une simple erreur ne peut entraîner de poursuites.
3. Je crois que si vous en parlez à votre avocat, il vous déconseillera de porter plainte.
4. Quand je lis un journal, je m'amuse souvent à relever les erreurs; j'en trouve parfois qui ôtent tout sens à une phrase, d'autres qui le changent complètement.
5. Nous avons l'intention de lancer un nouveau journal d'étudiants, mais nous ne trouvons personne pour le diriger; les étudiants que nous connaissons peuvent faire des articles, mais ne sont pas capables de mettre un journal sur pied.
6. Ils ne peuvent pas vous recevoir cette semaine, car ils sont en plein déménagement, mais ils vous demandent de leur téléphoner d'ici quelques jours.
7. Je ne comprends pas comment vous faites pour vous occuper de tant de choses à la fois, et je me demande si vous arrivez à tout retenir.

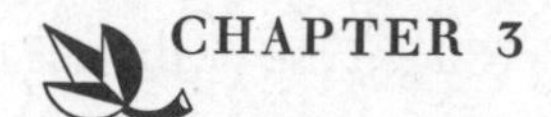

CHAPTER 3

Passé composé, Other Compound Tenses, Agreement of Past Participle

REVIEW NOTES

It is obvious that the *passé composé* is different in form from the other common past tense of spoken French, the imperfect, but the differences in use and meaning are not quite so obvious. The contrast in use is discussed in detail in the Reference Grammar (Sec. 1.12.0.), but we suggest that the most effective way of learning to use the correct tense in a given situation is to notice the use of each one in your reading and to practice using these tenses as much as possible.

The formation of the other compound tenses is quite regular and their range of use and meaning is generally very close to that of the equivalent English tenses.

The agreement of the past participle (which follows the same pattern for all compound tenses) is often neglected by some teachers because the formal written "agreement" (*-e, -s, -es*) is frequently not heard in spoken French. However, it remains a grammatical fact which cannot be overlooked, and there are many instances in which the distinction in form *can* be heard (for example, *mis/mise*; *mort/morte*). Some students will have to review carefully Sec. 1.10.1 of the Reference Grammar, but if you feel you understand the different cases presented by *avoir* verbs, intransitive *être* verbs, and reflexive verbs, you may certainly go ahead first and do the exercises in this and the following chapter.

REF GRAM SEC: 1.5.6–1.5.10, 1.10.0, 1.10.1, 1.12.0, 1.15.0

NOTES ON PRONUNCIATION

Continuing along the vowel triangle (see *Notes on Pronunciation*, Chapter 2), we will consider in this chapter the vowels [a, ɑ, ɔ]. All are pronounced with the mouth relatively open; [ɑ] more open than the others, [a] more forward, [ɔ] more back and with slight lip rounding. Although the distinction between [a] and [ɑ] is not vital to communication, the phonetic difference is audible and should be learned; [a] is much more frequent than [ɑ]; [ɔ] is most often found in checked syllables (cf., [e] : [ɛ], Chapter 2). Remember, as always, not to slur any of these vowels.

[a] **l'attitude de leurs parents**
Il m'a contaminé.
Alors, j'ai appelé Rateau.
A cause de ta famille?
Deux camarades se retrouvent par hasard à la piscine.

[ɑ] **Où est le château?**
C'est une telle disgrâce!
C'est un délicieux pâté en terrine.
Ah, ces jeudis!
On me rabâchait que c'était pour mon bien.

[ɔ] **Ils étaient adolescents.**
la corvée de la gymnastique
Il devient plus tolérant.
J'avais eu de mauvaises notes.
Je ne vois pas le rapport.

DIALOGUE

Deux anciens camarades de lycée, qui ne s'étaient pas vus depuis des années, se retrouvent, par hasard, à la piscine.[1] *La conversation tombe sur l'attitude de leurs parents envers eux, lorsqu'ils étaient adolescents.*

JEAN: Je vois encore le tableau: maman, levant les yeux au ciel et se demandant ce qu'elle avait bien pu faire pour qu'une telle disgrâce tombe sur la famille: un cancre sportif![2] De son côté, papa, muet et les sourcils froncés,[3] me laissait malgré tout raconter mes exploits, car "il faut bien que jeunesse se passe."[4] Mais il ne m'a jamais félicité, pas même quand j'ai reçu la médaille d'or au concours de natation.

HENRI: Chez moi, c'était tout le contraire. Tu te souviens, qu'en classe, vous me traitiez tous d'avorton?[5] Ça continuait à la maison. Mon

[1] **piscine** swimming pool
[2] **un cancre sportif!** a dumb athlete; **cancre** blockhead
[3] **les sourcils froncés** with a frown
[4] **"il faut bien que jeunesse se passe"** boys will be boys; youth will have its way.
[5] **avorton** little weakling

père avait honte de ce garçon pâle et maigrichon,[6] le nez toujours fourré dans les bouquins. Il enrageait de me voir si peu doué pour les exercices physiques. Je crois que s'il avait pu faire disparaître le papier imprimé d'un coup de baguette,[7] il n'aurait pas pu résister. Heureusement qu'en vieillissant, il devient plus tolérant.

JEAN: Nous aurions dû changer de parents: il y avait certainement eu maldonne.[8]

HENRI: Je me demande si mon père ne pensait pas la même chose.

JEAN: En tout cas, le mien ne ratait pas l'occasion de me le faire sentir. Il faut dire aussi que ma conduite au lycée ne poussait pas à l'indulgence. J'ai été privé de sortie, je ne sais combien de fois, le jeudi[9] et le dimanche, pour avoir récolté[10] trop de zéros.

HENRI: Ah ! ces jeudis ! Pour moi c'était la corvée[11] de la gymnastique—il fallait que je me fasse des muscles—et de la piscine—j'avais la

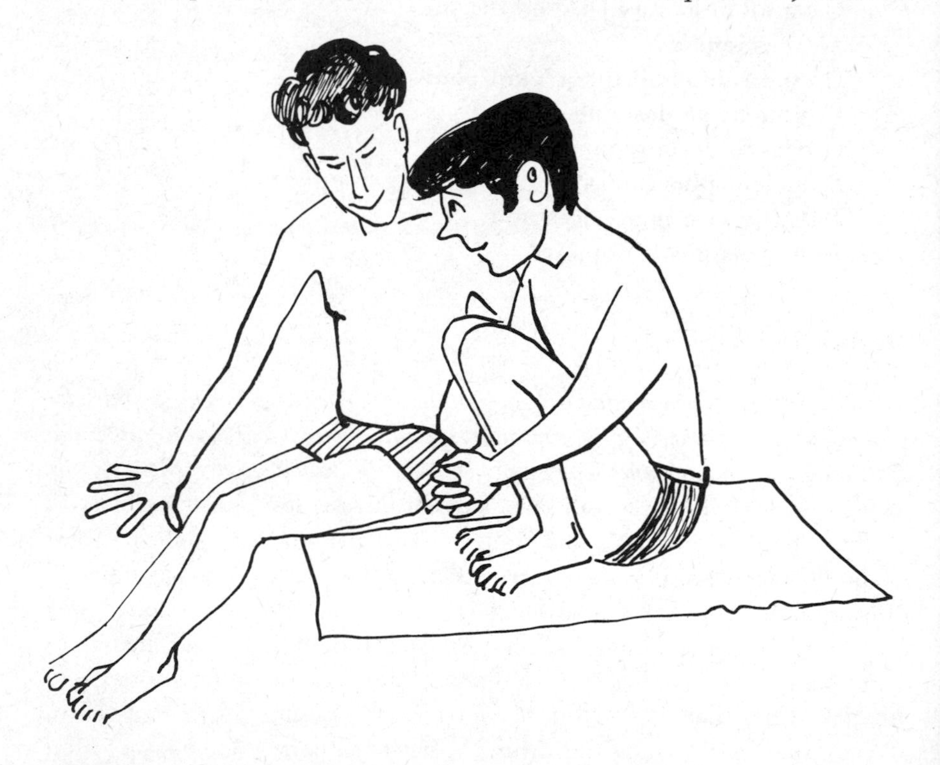

[6] **maigrichon** skinny
[7] **baguette** magic wand; stick (*also*, one of the most common sizes of French bread)
[8] **maldonne** misdeal
[9] Dans les écoles françaises, les enfants n'ont pas classe le jeudi.
[10] **récolter** to harvest
[11] **corvée** unpleasant, irksome duty or chore

poitrine trop étriquée—.[12] Et on me rabâchait[13] que c'était pour mon bien, que je m'en rendrais compte plus tard . . .

JEAN : (*riant.*) Ils avaient raison, puisque maintenant tu viens nager de ton plein gré.[14]

HENRI : Disons que c'est devenu une habitude. Mais toi, tu es toujours aussi mordu pour[15] les sports ?

JEAN : J'en fais moins qu'avant.

HENRI : A cause de ta famille ?

JEAN : Si on veut; mais Rateau y a aussi été pour quelque chose. Tu te souviens de lui ? Vous vous disputiez[16] toujours la première place.

HENRI : Oui, oui. C'était à qui gagnerait la course aux prix et j'ai bien regretté de lui abandonner le terrain quand nous avons quitté Paris pour Lyon. Mais continue . . .

JEAN : Eh bien, comme, à moi, personne ne me disputait la dernière place, papa avait menacé de me mettre en pension chez les frères[17] si je ne passais pas en troisième.[18] Alors j'ai appelé Rateau au secours.

HENRI : Je ne vois pas le rapport . . .

JEAN : Tout simplement qu'il m'a contaminé, qu'il m'a fait découvrir dans les bouquins autre chose que des textes à éplucher[19] en classe.

HENRI : Alors, tu es "redevenu" le fils de tes parents ?

JEAN : Presque. N'empêche que ça me fait encore bouillir d'entendre mon père proclamer que les sports c'est bon pour les têtes vides; qu'il faut être stupide pour dépenser tant d'énergie à courir après un ballon[20] ou pour arriver le premier sur une piste.

HENRI : Je comprends que ça te fasse sauter,[21] mais . . .

(*On entend une sonnerie.*)

JEAN : Déjà l'heure ! Zut ! On n'a même pas eu le temps de plonger. Est-ce qu'on se revoit mardi ?

HENRI : Sûrement. Mais on nagera avant de bavarder.

QUESTIONS SUR LE DIALOGUE

1. Pourquoi Jean dit-il qu'il y avait certainement eu maldonne ?
2. Pourquoi Jean était-il puni par ses parents ?

[12] **étriquée** small, puny
[13] **rabâcher** to repeat over and over
[14] **de ton plein gré** of your own accord
[15] **mordu pour** crazy about
[16] **vous vous disputiez** you were vying for
[17] **en pension chez les frères** as a boarding student in a school managed by brothers
[18] **en troisième** (la 3e année de lycée) corresponds to 9th grade in high school
[19] **éplucher** study in detail
[20] **un ballon** a ball
[21] **faire sauter** make s.o. jump (surprise or anger); *Lit.*: to blow up something

3. Le goût des études qu'avait Henri lui valait-il l'admiration de ses camarades? Comment le savez-vous?
4. Pourquoi Jean a-t-il pleuré quand il a reçu la médaille d'or en natation?
5. Henri dit qu'il n'aimait pas les sports. Comment expliquez-vous qu'il ait fait des courses avec Rateau?
6. Pourquoi Jean et Henri s'étaient-ils perdus de vue depuis des années?
7. Pourquoi Jean et Henri sont-ils moins différents l'un de l'autre maintenant que lorsqu'ils étaient ensemble au lycée?
8. De quelle maladie contagieuse était atteint Rateau?
9. Henri et Jean se sont-ils retrouvés à la sortie de la piscine? Comment le savez-vous?

EXERCICES ORAUX

Exercice I: Complétez les phrases suivantes à l'aide du passé composé du verbe en italiques. Reprenez pour chaque phrase les expressions en italiques de l'exemple. Attention à l'accord du participe passé. (Sec. 1.10.1.)

EXEMPLE: Je ne voulais pas *acheter* ce livre ____.
Je ne voulais pas acheter ce livre, *mais* je l'ai acheté *malgré tout*.

1. Je ne voulais pas *voir* cette pièce ____.
2. Elle n'avait pas l'intention d'*aller* à cette exposition ____.
3. Il ne voulait pas se *raser* la barbe ____.
4. Nous ne voulions pas leur *avancer* cette somme ____.
5. Je ne voulais pas *apprendre* l'anglais ____.
6. Ils ne voulaient pas *emmener* leurs enfants ____.
7. Elle ne voulait pas *entendre* notre explication ____.
8. Je n'aurais pas dû *écrire* à Louise ____.
9. Nous ne voulions pas leur *offrir* cet exemplaire ____.
10. Il ne voulait pas nous *recevoir* ____.

Exercice II: Répondez aux questions suivantes, en remplaçant les expressions en italiques par le pronom convenable. Faites tous les changements nécessaires. Attention à l'accord du participe passé. (Sec. 1.10.1.)

EXEMPLE: Avez-vous envoyé *les lettres*?
Oui, je les ai envoyées.

1. Avez-vous compris *mon explication*? (non)
2. Ont-ils commandé *ces livres*? (oui)
3. Ai-je oublié *votre sœur* dans la liste? (oui)
4. A-t-elle fait *sa rédaction*? (non)
5. Vous êtes-vous offert *cette robe*? (oui)
6. T'es-tu lavé *les mains*? (non)
7. Avez-vous téléphoné *à Jeanne*? (oui)
8. Avez-vous vu tous *ces films*? (oui)
9. A-t-il vu *quelques bonnes pièces*? (oui)
10. Avez-vous laissé parler *les contradicteurs*? (non)

Exercice III: Terminez les phrases suivantes, suivant les exemples donnés, en tenant compte des temps employés dans la première partie des phrases. (Sec. 1.15.0.)

EXEMPLES: *a.* Je n'y vais pas parce que je ne peux pas, mais ____.
Je n'y vais pas parce que je ne peux pas, *mais si je pouvais, j'irais.*
b. J'y suis allé parce que je n'avais pas de travail, mais ____.
J'y suis allé parce que je n'avais pas de travail, *mais si j'avais eu du travail, je n'y serais pas allé.*

1. Vous riez parce que ce n'est pas à vous que cela arrive, mais ____.
2. Mon père ne m'a pas mis chez les frères parce que je suis passé en troisième, mais ____.
3. Je ne vous poursuis pas en diffamation parce que vous vous rétractez, mais ____.
4. Tu ne t'en sors pas parce que tu ne sais pas t'organiser, mais ____.
5. Vous n'avez pas eu de contravention parce que l'agent a été compréhensif, mais ____.
6. Henri fait de la gymnastique parce que ses parents l'y obligent, mais ____.
7. Nous allons voir ce film parce qu'il est en version originale, mais ____.
8. Mes parents m'ont encouragé parce que j'ai obtenu la médaille d'or, mais ____.
9. Elles ne fument pas parce que leur père le leur interdit, mais ____.
10. On l'a transportée à l'hôpital parce que son état était grave, mais ____.

RÉVISION DES VERBES IRRÉGULIERS (*lire* et *dire*)

1. Lisez-vous sans lunettes ? Oui, je ____ sans lunettes.
2. Qu'est-ce que je dis ? Vous ____ que vous lisez sans lunettes.
3. Qu'est-ce qu'elle dit ? Elle dit qu'elle ____ sans lunettes.
4. Et vous, au deuxième rang ? Nous ____ sans lunettes.
5. Qu'est-ce que vous dites ? Nous disons que nous lisons sans lunettes.
6. Que disent-ils ? Ils ____ qu'ils ____ sans lunettes.
7. Avez-vous lu son dernier roman ? Non, je ne l'ai pas ____. On m'a dit qu'il était très bon.
8. Lisiez-vous tout ce que votre professeur vous disait de lire ? Non, nous ne ____ pas tout.
9. Quand vos parents vous disaient de ne pas lire un livre, le ____-vous ? Oui, je le lisais.
10. Quand nous te disions de ne pas lire un livre, le ____-tu ? Non, quand vous me ____ de ne pas le lire, je ne le ____ pas.
11. Quand j'aurai le temps, je le lirai et je vous ____ ce que j'en pense.
12. Quand nous aurons le temps, nous le ____ et nous vous dirons ce que nous en pensons.
13. Quand vous aurez le temps, vous le ____ et vous me ____ ce que vous en pensez.
14. Quand ils auront le temps, ils le liront et ils me ____ ce qu'ils en pensent.
15. Quand elle aura le temps, elle le ____ et elle me ____ ce qu'elle en pense.
16. Si je pouvais, je le lirais dans l'original et je vous dirais si c'est différent.
17. Si nous pouvions, nous le ____ dans l'original et nous vous ____ si c'est différent.
18. Si elle pouvait, elle le ____ dans l'original et elle vous ____ si c'est différent.
19. Si vous pouviez, vous le liriez dans l'original et vous me ____ si c'est différent.
20. S'ils pouvaient, ils le liraient dans l'original et ils me ____ si c'est différent.
21. Je l'aurais lu même si vous ne me l'aviez pas ____.
22. Faut-il que nous lisions à haute voix pour que vous nous disiez si nous prononçons bien ?

23. Oui, il faut que vous ____ à haute voix pour que je vous ____ si vous prononcez bien.
24. Faut-il que je lise à haute voix pour que tu me dises si je prononce bien ?
25. Oui, il faut que tu ____ à haute voix pour que je te ____ si tu prononces bien.
26. Faut-il qu'ils lisent à haute voix pour qu'elle leur ____ s'ils prononcent bien ?
27. Oui, il faut qu'ils ____ à haute voix pour qu'elle leur ____ s'ils prononcent bien.
28. Lisez-le et dites-moi de qui c'est.
29. Lis-le et ____-moi de qui c'est.
30. ____-le et disons-lui de qui c'est.

EXERCICES ÉCRITS

Exercice A: Répondez aux questions suivantes de façon cohérente, en utilisant les éléments du dialogue.

1. Quelle récompense reçoit-on dans votre pays lorsqu'on gagne une compétition sportive ?
2. En quoi vos parents ressemblent-ils à ceux d'Henri ou de Jean ou en quoi diffèrent-ils d'eux ?
3. Jean et Henri se plaignent de leur adolescence. Quel est celui qui vous semble avoir été vraiment malheureux ? Pourquoi ?
4. A Paris, les piscines sont municipales, payantes et ouvertes au public. Expliquez le système appliqué aux piscines de votre ville ou de votre pays.
5. Quel est le sport que vous pratiquez le plus volontiers et pourquoi ? Si vous n'en pratiquez aucun, dites aussi pourquoi.
6. L'adolescence vous rappelle-t-elle d'aussi bons souvenirs qu'à Henri et à Jean ? Dites pourquoi.

Exercice B: (1) Lisez le premier paragraphe, qui est une narration au passé, et faites attention au temps de chaque verbe. (2) Changez le temps des verbes du second paragraphe, en prenant le premier paragraphe comme modèle. (Sec. 1.12.0.)

(1) Comme il était déjà tard, nous avons décidé qu'il valait mieux en rester là. Nous étions tous fatigués par cette longue discussion qui avait duré des heures, sans apporter de résultat, et aucun d'entre nous n'était capable de proposer quelque chose de concret. J'ai offert de

raccompagner deux de mes collègues, mais ils m'ont dit qu'ils préféraient marcher pour se détendre. Nous nous sommes donc séparés.

(2) Comme il *est* encore tôt, ils *disent* qu'il *vaut* mieux continuer. Ils *sont* tous enthousiasmés par cette longue discussion qui *a posé* des problèmes, sans provoquer d'éclats, et aucun d'entre eux n'*a* envie d'interrompre quelque chose d'aussi intéressant. Paul *propose* d'aller chercher deux de leurs camarades, mais les autres lui *répondent* qu'ils *préfèrent* rester en petit nombre pour conserver l'harmonie. Ils *reprennent* donc la discussion.

Exercice C (Exercice de composition): Lisez attentivement l'exemple suivant, et après l'avoir lu, écrivez le texte qui le suit au discours direct. (Attention: Ne changez pas l'imparfait en italiques.) (Sec. 1.16.0.)

MODÈLE: *a. Discours indirect.*

Je leur ai dit que les choses ne pouvaient pas continuer comme cela; que s'ils ne se décidaient pas à faire un effort, je me verrais dans l'obligation d'avertir leurs parents.

J'ai ajouté qu'au début de l'année j'avais eu l'impression qu'ils *s'intéressaient* à l'Histoire mais que cela n'avait pas duré et que j'étais très déçu.

J'ai terminé en disant que la semaine prochaine j'allais les interroger et que s'ils n'apprenaient pas à fond les deux derniers chapitres, ils s'en repentiraient.

b. Discours direct.

Les choses ne peuvent pas continuer comme cela; si vous ne vous décidez pas à faire un effort, je me verrai dans l'obligation d'avertir vos parents.

Au début de l'année, j'ai eu l'impression que vous vous *intéressiez* à l'Histoire, mais cela n'a pas duré et je suis très déçu.

La semaine prochaine, je vais vous interroger et si vous n'apprenez pas à fond les deux derniers chapitres, vous vous en repentirez.

TEXTE:

Je lui ai dit que le texte ne pouvait pas varier comme cela; que s'il ne se mettait pas à apprendre sérieusement ses répliques, je me verrais dans l'obligation de lui retirer son rôle.

J'ai ajouté qu'au début des répétitions, j'avais eu la certitude qu'il *s'assimilait* à son personnage mais que cela n'avait pas continué et que j'en étais étonné.

J'ai terminé en disant que jeudi prochain j'allais l'appeler et que s'il ne savait pas à fond les deux derniers actes, il le regretterait.

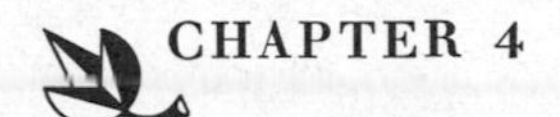

CHAPTER 4

Reflexive Verbs, Passive Voice, Simple Past

REVIEW NOTES

Verbs that are almost always used in reflexive constructions are called reflexive verbs and are listed in dictionaries with the reflexive pronoun (for example, *se lever*). You must remember to use these verbs with the proper reflexive pronoun even though the corresponding English construction may not be reflexive. Once again we remind you that the rules for agreement of the past participle should be reviewed at this point. Reflexive verbs use *être* as the auxiliary, but the past participle agrees in gender and number with a preceding direct object, if any.

The passive voice is formed, as in English, by combining the verb *être* with the past participle (of a transitive verb—intransitive verbs are not made passive). It is important to remember that an active construction with *on* or a reflexive construction is often used instead of a passive construction in French.

The simple past (*passé simple*) is known as the "literary tense" because it is used almost exclusively in formal written French. However, you should have some *active* command of it in order to appreciate its use fully in literary texts.

REF GRAM SEC: 1.5.5, 1.10.1-C, 1.11.0.

NOTES ON PRONUNCIATION

The last two clear vowels are both back vowels, with the mouth relatively more closed and with lip-rounding; [u] is pronounced farther back and the mouth is slightly more closed than it is for [o]. The lip rounding is quite definite for both vowels. Although you must still avoid slurring, you should relax a bit in pronouncing [u].

Written *au*, *eau*, are pronounced [o]; written *o* is usually [o] if it is unchecked, regularly [o] when checked by an *s* pronounced [z].

[o] **Je vois encore le tableau.**
Mon père pensait la même chose.
C'est trop haut.
Je n'ose pas le faire.
J'ai récolté trop de zéros.
[u] **Nous avions tous oublié le temps.**
De toute façon, je consulterai un avocat.
Quel jour sommes-nous?
Tu te souviens de lui?
Vous levez-vous toujours à sept heures?

NARRATION

Dans le salon enfumé, la tiédeur[1] nous enveloppait, nous unissait encore plus étroitement.[2] Nous étions fatigués d'avoir tant ri. Le silence tomba. André, qui avait raconté la dernière anecdote, se leva, s'étira[3] et ouvrit la fenêtre. Le rappel fut brutal. Nous avions tous oublié le temps qu'il faisait, le vent glacial qui n'avait pas cessé de souffler, réfugiés que nous étions[4] dans cette oasis de chaleur et de camaraderie.

Le vent, que nous entendions jusqu'alors en sourdine,[5] s'engouffra[6] bruyamment dans la pièce et détruisit en une seconde l'enchantement qui y régnait. Avec une hostilité presque humaine, il nous sépara mieux que ne l'aurait fait l'irruption d'un grincheux,[7] d'une voix discordante.

La fenêtre vivement refermée, nous tentâmes de retrouver l'atmosphère précédente, mais rien n'est plus fragile qu'un état d'esprit, et c'est en vain que Luc, prenant l'accent du Midi,[8] ce qui d'habitude ne manquait jamais son effet, entreprit de nous raconter une petite histoire dont il venait de se souvenir. C'était gâché[9] . . . Personne, pourtant, n'avait envie d'affronter la nuit froide pour rentrer chez soi, et nous restions assis, non plus engourdis[10] mais hésitants. Nous étions déjà partis en pensée, prêts à préserver dans notre mémoire ce rare instant. Il

[1] **la tiédeur** pleasantly warm temperature
[2] **étroitement** closely
[3] **s'étirer** to stretch
[4] **réfugiés que nous étions** sheltered as we were
[5] **en sourdine** muted, dimly
[6] **s'engouffrer** to sweep in
[7] **un grincheux** a grumbler; a "party-pooper"
[8] **prenant l'accent du Midi** affecting a Southern French accent
[9] **gâché** spoiled ("It didn't go over.")
[10] **engourdis** numbed

ne nous restait plus qu'à trouver l'énergie suffisante pour mettre ce départ à exécution.

La soirée—le petit matin, devrais-je dire—se traîna, languissante et, finalement, Jeanne ayant entraîné Albert, nous les suivîmes à regret.

QUESTIONS SUR LA NARRATION

1. Avez-vous l'impression que les personnages de cette scène fumaient beaucoup ? Pourquoi ?
2. Comment la tiédeur agissait-elle sur eux ?

3. Quel effet le vent produisit-il?
4. Pourquoi ces paresseux ne veulent-ils pas respirer l'air de la nuit?
5. Pourquoi avaient-ils oublié le temps qu'il faisait?
6. Comment le vent fait-il ici figure de personnage?
7. Comment Luc essaie-t-il de récréer l'atmosphère?
8. A quelle heure Jeanne a-t-elle enfin réussi à entraîner Albert?

EXERCICES ORAUX

Exercice I: Répondez aux questions suivantes, en vous servant du passé composé du verbe employé dans la question, et des éléments que vous fournirez, s'il y a lieu. (Sec. 1.10.1-C.)

EXEMPLE: Se met-il souvent en colère?
Non. Mais tout à l'heure, il s'est mis en colère parce que personne n'avait trouvé la réponse.

1. Vous levez-vous toujours à sept heures?
   Non, ce matin, par exemple ____.
2. S'endort-il souvent après le déjeuner?
   Non, aujourd'hui ____.
3. Est-ce que les ministres se réunissent toujours ici?
   Non, le mois dernier ____.
4. Vous disputez-vous quelquefois?
   Non, nous ____ une seule fois.
5. Est-ce qu'elle se teint encore les cheveux?
   Oui, ____ hier.
6. Ne s'écrivent-ils plus?
   Si, ____ à Noël.
7. Est-ce que tu vas enfin te peigner?
   Mais ____!
8. Voyons, franchement, est-ce que je m'oppose toujours à vos projets?
   Non, mais ____.

Exercice II: Mettez les phrases suivantes à la forme passive. (Sec. 1.11.0.)[11]

[11] We have included this exercise because it is necessary that you learn how to form the passive construction, but we wish to emphasize once more that it is usually better to use an active construction with *on*, or a reflexive construction.

EXEMPLES: *a.* Le rédacteur m'*a reçu.*
J'ai été reçu par le rédacteur.
b. On *donne* les conclusions à la fin du texte.
Les conclusions sont données à la fin du texte.

1. C'est un ingénieur allemand qui *a construit* ce pont.
2. On *a transporté* Madame Denis à l'hôpital.
3. Les sports le *passionnent.*
4. Un agent nous *a arrêtés.*
5. On *ouvre* les fenêtres malgré le froid.
6. Mes parents ne m'*ont* même pas *félicité.*
7. On n'*a* pas *remis* ces livres à leur place.
8. La tiédeur nous *enveloppait*, nous *unissait.*
9. Son père l'*a privé* de sortie.
10. On *a engagé* des poursuites contre le journal.

Exercice III: Dans les phrases suivantes, remplacez le sujet par le complément (ou par l'autre sujet), et inversement. Faites les transformations complémentaires, s'il y a lieu. (Sec. 1.10.1-C.)

EXEMPLE: *Je* m'en vais sans *eux.*
Ils s'en *vont* sans *moi.*

1. Pendant toute la soirée, *vous* vous êtes moqué d'*elle.*
2. J'espère qu'*elles* s'occuperont de *toi* pendant le voyage.
3. *Nous* nous serions ennuyés si nous étions restés avec *Paul.*
4. Si *tu* ne te rétractais pas devant *elles*, ce serait grave.
5. Ça faisait si longtemps qu'on nous avait présentés qu'*il* ne se souvenait plus de *moi.*
6. *Je* me suis mise à pleurer quand j'ai dit au revoir à *ma mère.*
7. Je ne crois pas qu'*elle* se réveillera si *vous* ne l'appelez pas.
8. Malgré leur promesse, *ils* se sont encore disputés devant *nous.*
9. Vous êtes-*vous* beaucoup amusés avec *Henri et Jeanne*?
10. *Nous* nous sommes endormis malgré les cris des *enfants.*

Exercice IV: Répondez aux questions suivantes à l'aide des expressions données entre parenthèses. Choisissez la forme passive, réfléchie ou le *on*, selon ce qui conviendra.

EXEMPLES: *a.* Pourquoi a-t-on transporté Mme. Durand à l'hôpital? (Renverser par une auto.)
Parce qu'elle a été renversée par une auto.
b. Est-ce que son état est grave? (Oui. Opérer d'urgence.)
Oui. On l'a opérée d'urgence.

1. Est-ce qu'il y avait des témoins lors de l'accident ? (Non. Produire à l'heure du déjeuner.)
2. Pourquoi Jean et ses camarades sont-ils déjà partis ? (Inviter à un match de football.)
3. C'est vous qui avez fermé la porte ? (Non. Fermer automatiquement.)
4. Peut-on trouver ces disques près d'ici ? (Oui. Vendre à la boutique du coin.)
5. Pourquoi votre équipe a-t-elle perdu le match ? (Battre par une nouvelle équipe.)
6. Est-ce que cette revue arrive régulièrement? (Oui. Envoyer toutes les semaines de Paris.)
7. Comment le journal a-t-il gagné son procès ? (Défendre par un bon avocat.)
8. Pourquoi le salon sent-il tellement le tabac ? (Y fumer toute la soirée.)
9. Avez-vous tous passé une bonne soirée ? (Oui. Amuser à raconter de petites histoires.)
10. Pourquoi ne passe-t-on plus par l'autre pont ? (Ne pas reconstruire encore.)

RÉVISION DES VERBES IRRÉGULIERS (*aller* et *venir*)

1. D'où venez-vous ? Je viens du bureau. Et où allez-vous ? Je vais à la piscine.
2. D'où vient-il ? Il ____ du bureau. Et où ____-t-il ? Il va à la piscine.
3. D'où ____-vous ? Nous ____ du bureau. Et où ____-vous ? Nous allons à la piscine.
4. D'où ____-ils ? Ils ____ du bureau. Et où vont-ils ? Ils ____ à la piscine.
5. D'où viens-tu ? Je ____ du bureau. Et où ____-tu ? Je ____ à la piscine.

6. J'y suis allé et j'en suis revenu en deux heures.

7. Si je revenais à temps, j'irais les accompagner.
8. Si nous revenions à temps, nous ____ les accompagner.
9. Si elle ____ à temps, elle ____ les accompagner.
10. Si vous ____ à temps, iriez-vous les accompagner ?
11. S'ils revenaient à temps, ils ____ les accompagner.

12. Ils reviendraient avant cinq heures s'ils y allaient tout de suite.

13. Nous reviendrions avant cinq heures si nous y ____ tout de suite.
14. Je ____ avant cinq heures si j'y allais tout de suite.
15. Vous ____ avant cinq heures si vous y ____ tout de suite.
16. Tu ____ avant cinq heures si tu y ____ tout de suite.

17. Si vous étiez venu déjeuner, nous y serions allés ensemble.

18. Dès qu'il reviendra, il ira vous chercher.
19. Dès que nous reviendrons, nous ____ vous chercher.
20. Dès que vous reviendrez, vous ____ les chercher.
21. Dès que je ____, j'irai les chercher.
22. Dès qu'ils ____, ils ____ vous chercher.

23. Faut-il que je vienne vous chercher pour que vous n'y alliez pas seule?
24. Faut-il que nous ____ te chercher pour que tu n'y ailles pas seule?
25. Faut-il qu'ils ____ nous chercher pour que nous n'y ____ pas seules?
26. Il faut que vous ____ la chercher pour qu'elle n'y aille pas seule.

27. Allez-y, mais revenez vite.
28. Vas-y, mais ____ vite.
29. Allons-y.

EXERCICES ÉCRITS

Exercice A: Répondez aux questions suivantes de façon cohérente, en utilisant les éléments du dialogue.

1. Quel accent prendriez-vous pour faire rire vos camarades?
2. Quelle est votre réaction lorsqu'on vous raconte une anecdote, une histoire drôle?
3. Racontez un souvenir semblable à celui du texte.
4. Que faut-il faire lorsque plusieurs personnes ont fumé dans une pièce, et pourquoi faut-il le faire?
5. Lorsque vous aviez passé une bonne soirée avec des camarades ou des amis, quelle sensation éprouviez-vous en les quittant?
6. Comment réagissez-vous lorsque vous êtes bien au chaud et que quelqu'un ouvre la fenêtre (en plein hiver)?

Exercice B: Mettez tous les verbes au passé composé, y compris celui de la question, et répondez à cette question en employant le même temps. (Sec. 1.10.1-C, 1.11.0.)

EXEMPLE: Il arrive; il s'assied en face de son père; il met les pieds sur la table. On le réprimande. Par qui est-il réprimandé?
Il est arrivé; il s'est assis en face de son père; il a mis les pieds sur la table. On l'a réprimandé. Par qui a-t-il été réprimandé?
(Il a été réprimandé par son père.)

1. Il entre dans le bureau; il se précipite sur le rédacteur; il l'insulte. On le met à la porte.
   Par qui est-il mis à la porte?
2. J'appuie sur l'accélérateur; je me rends compte trop tard qu'il y a un feu rouge; je ne peux pas freiner à temps. Je heurte une voiture. On m'arrête.
   Par qui suis-je arrêté?
3. Il présente son programme aux membres du comité; il explique sa position; ensuite il se retire. On le nomme directeur.
   Par qui est-il nommé directeur?
4. Les coureurs se préparent; ils prennent le départ sur la piste. Jean arrive le premier. Le comité offre une médaille d'or au gagnant.
   Par qui la médaille d'or est-elle offerte?
5. Le voleur pénètre dans la chambre du propriétaire; il ouvre le coffre et s'aperçoit qu'il est (*imparfait*) vide. On le prend sur le fait.
   Par qui est-il pris sur le fait?

Exercice C: Passé simple/passé composé. Lisez attentivement le passage suivant. Transposez ensuite le texte qui le suit, en observant les temps employés.

MODÈLE:

Il y a longtemps de cela, mais Claudine s'en souvient encore. Quelles vacances! Elle avait alors dix-sept ans et beaucoup d'imagination. On lui présenta un garçon de vingt ans, assez laid mais très sympathique, qui lui proposa tout de suite de jouer au tennis. Claudine, qui savait à peine tenir une raquette, accepta, car les garçons libres étaient rares.

Les parties succédèrent aux parties, mais Claudine ne dépassa pas le stade de débutante car la balle lui importait peu. Tout ce que disait son partenaire prenait pour elle un autre sens, et elle ne vécut plus que dans l'attente d'une déclaration qui ne vint jamais.

Au bout de deux semaines, las de ses efforts inutiles, le joueur de tennis trouva une autre partenaire et planta là Claudine. Et c'est cependant grâce à lui qu'elle est devenue championne de tennis.

TEXTE:

Il y a longtemps que c'est arrivé, mais nous en parlons encore. Quelle banale histoire, pourtant!

Nous étions en vacances et nous avions beaucoup de temps libre. Un jour on nous a présenté un archéologue assez âgé, mais très actif, qui nous a tout de suite proposé de faire des fouilles avec lui. Et nous, qui savions à peine ce qu'était l'archéologie, avons accepté, car les distractions étaient rares. Les fouilles ont succédé aux fouilles (dans la région), mais nous n'avons rien découvert, car notre archéologue nous aidait peu. Tout ce qu'il disait, à propos de son travail, nous faisait bailler et nous ne l'avons plus suivi que dans l'espoir d'une découverte qui ne s'est jamais produite.

Au bout de deux semaines, las de ses vaines recherches, notre archéologue a quitté notre région et nous a laissés en plan. Et c'est pourtant grâce à lui que je suis devenu archéologue.

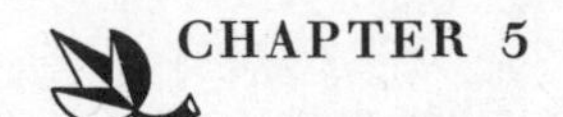

CHAPTER 5

Subjunctive (Part I): Verbs and Verbal Expressions Requiring the Subjunctive

REVIEW NOTES

For details about the use of the subjunctive, you will, of course, have to turn to the Reference Grammar, but for the most frequent expressions requiring the subjunctive, the following statements will remind you of the constructions you have already learned.

1. Subjunctive verb forms are found almost exclusively in subordinate clauses introduced by *que* (or a compound of *que*).
2. The subjunctive mood regularly indicates doubt or some emotional attitude toward the act or state mentioned, but we believe it is simpler to learn (by use or even by memorization) the verbs and verbal expressions that always require the subjunctive than to try to apply a rule which classifies these expressions by their meaning. For those expressions after which the subjunctive is optional, or not always obligatory, it is worth taking the time to think about their meaning and the nuances of meaning.
3. You will usually choose correctly between the present and past subjunctive (compound construction) and hence should not even consider the "rules" for sequence of tense, unless you are referred to them by your instructor.

REF GRAM SEC: 1.7.0–1.7.8, particularly 1.7.2.

NOTES ON PRONUNCIATION

In Chapter 2, we described the clear vowels in terms of the vowel triangle and the features "front/back, open/close." We also mentioned that back vowels regularly were pronounced with lip rounding. Because these features ("back" and "lip rounding") *seem* to be a natural combination, the *front* vowels that have lip rounding are called "mixed" vowels. They are the vowels [y, ø, œ]; [y] is very close, like [i], but the lips are rounded as for [u], [ø] is somewhat more open than [y], with lips still quite rounded; [œ] is still farther open and somewhat more lax than [ø].

[y] **Il n'aurait pas pu résister.**
Quels musées as-tu vus?
Nous aurions dû changer de parents.
Zut ! Déjà deux heures cinq.
Je n'ai pas l'habitude de circuler dans Paris.

[ø] **dans ces lieux de perdition**
Donne-moi des œufs.
Serais-tu prêcheuse?
Zut ! Déjà deux heures cinq.
Tu ne peux pas en faire à ta tête.

[œ] **deux jeunes filles**
Donne-moi cet œuf.
qu'ils veuillent en tirer le maximum
Zut ! Déjà deux heures cinq.
que j'aille seule en Europe[1]

DIALOGUE

Christine vient de rentrer d'un voyage en Europe. Entre deux cours,[2] *elle bavarde avec Ann.*

CHRISTINE: S'il fallait que je me souvienne de ce que contiennent tous les musées où nous sommes allés, je n'y arriverais pas.

ANN: C'est pourtant tout frais et j'aimerais que tu me donnes tes impressions.

CHRISTINE: Oh, mes impressions, c'est facile. C'est le reste qui ne l'est pas. Tu comprends, tous les jours notre programme comportait[3] des visites de monuments, de places, d'églises, etc., et notre chef n'admettait pas que nous abandonnions le groupe.

ANN: Tu ne peux pas lui en vouloir,[4] c'était son rôle. Et, telle que je te connais, tu avais besoin qu'on te pousse, sinon, tu n'aurais fait que flâner[5] dans les rues.

[1] You will hear the continent pronounced both [œrɔp] and [ørɔp].

[2] **entre deux cours** between classes (Note this use of *cours*, where we would ordinarily use "class.")

[3] **comportait** included

[4] **lui en vouloir** to hold it against him; to bear a grudge

[5] **flâner** to stroll (aimlessly)

CHRISTINE: C'est vrai, mais je crois que c'est ainsi qu'on arrive à connaître une ville, ses habitants, le pays en général. Les monuments, les musées, il faut les avoir vus pour pouvoir en parler, bien sûr, mais crois-tu que ce soit là l'essentiel?

ANN: Lorsqu'on ne dispose que de quelques jours, oui. Ce que l'on peut reprocher à ces voyages organisés, si tu veux, c'est d'embrasser[6] trop de choses en quelques jours. Et encore, pense que beaucoup de gens n'auront peut-être plus l'occasion de visiter ces pays. Il est donc normal qu'ils veuillent en tirer le maximum.[7]

CHRISTINE: Oui, "voir 'Rome' et mourir!" . . . Non, merci, ce n'est pas mon rêve. J'ai tort de me plaindre, d'ailleurs, car je savais comment cela se passerait.[8] Je savais aussi que mes parents n'auraient pas admis[9] que j'aille seule en Europe. Rends-toi compte, une fille de vingt ans dans ces lieux de perdition!

ANN: Tu exagères. Tu sais parfaitement pourquoi ils avaient exigé que tu fasses partie d'un groupe. En France, passe encore,[10] tu pouvais te débrouiller avec la langue; mais, en Allemagne, en Italie, comment aurais-tu fait si tu étais tombée malade, si tu avais eu un accident?

CHRISTINE: Le cas ne se serait pas présenté, car je n'y serais pas allée. J'avais l'intention de rester en France et de garder l'Italie pour un autre voyage. J'aurais préféré voir peu de choses, aller où je voulais, sans faire partie d'un troupeau. "Regardez à droite, regardez à gauche," avec des guides qui récitent leur "savoir" comme une litanie et qui perdraient probablement le fil de leur discours si on les interrompait.

ANN: Tu es incorrigible. Lorsque tu ne peux pas en faire à ta tête,[11] tu critiques tout. Même si ce n'était pas parfait, tu pourrais être reconnaissante à tes parents de t'avoir permis de voir tout cela. J'aimerais bien que les miens en fassent autant, et je t'assure que je n'y verrais pas les mêmes inconvénients que toi. Passer un mois seule, sans pouvoir échanger d'impressions, ce n'est pas drôle non plus.

CHRISTINE: Ann, est-ce que tu serais devenue prêcheuse, pendant mon absence? Qu'est-ce que les bons sentiments viennent faire ici? Au fond, tu as raison. Seulement, j'avais tellement pensé à ce voyage; je l'avais si bien organisé dans ma tête que la déception[12] était inévitable.

[6] **embrasser** to include; to comprise (*Lit.*, to kiss; to embrace)
[7] **en tirer le maximum** make the most of it
[8] **je savais comment cela se passerait** I knew what would happen
[9] **admis** permitted
[10] **passe encore** well and good; nothing to say against it
[11] **en faire à ta tête** to have your way; to do as you please
[12] **la déception** the disappointment

. . . Zut !, déjà deux heures cinq. Dépêchons-nous. Pourvu que[13] le prof ait laissé la porte ouverte !

QUESTIONS SUR LE DIALOGUE

1. Comment savons-nous que Christine a une mémoire extraordinaire?
2. Pourquoi Christine s'est-elle contentée du voyage tel qu'il était organisé ?

[13] **Pourvu que** Let's hope that

3. Pour Christine, que veut dire "voir 'Rome' et mourir"?
4. Ann trouve que Christine est ingrate. Pourquoi?
5. Nous devinons qu'Ann est plus bavarde que Christine, mais comment pouvons-nous le deviner?
6. Comment savez-vous que Christine pensait retourner en Europe?
7. Christine interrompait-elle souvent les guides pour poser des questions sur les tableaux, sur l'histoire? Comment le savez-vous?
8. Pourquoi Christine trouve-t-elle qu'Ann est devenue prêcheuse?

EXERCICES ORAUX

Exercice I: Commencez les phrases suivantes par les membres de phrases donnés entre parenthèses et faites tous les changements de temps ou de mode qui s'imposent dans le reste de la phrase. (Sec. 1.7.2, 1.16.0.)

EXEMPLES: *a.* Tu reviendras avec eux. (Je préférerais que.)
Je préférerais que tu reviennes avec eux.
b. Il s'inscrit pour le concours de natation. (Il m'a dit que.)
Il m'a dit qu'il s'inscrivait pour le concours de natation.

1. Je retenais tous les détails. (Il fallait que.)
2. C'est là l'essentiel? (Crois-tu que.)
3. Mes parents en font autant. (Je voudrais bien que.)
4. Je vais seule en Europe. (Ils n'auraient pas voulu que.)
5. Nous avons manqué une seule visite. (Il n'aurait pas admis que.)
6. On vous pousse pour vous obliger à sortir. (Il faut que.)
7. Vous me donnerez vos impressions. (J'aimerais que.)
8. Il nous en parlera à la prochaine réunion. (Il a dit que.)
9. Vous avez repris votre travail. (On m'a dit que.)
10. Il s'agit de lui dans cet article. (Nous ne savions pas que.)
11. Ils font toujours les mêmes bêtises. (Je crains que.)
12. Vous saurez vous débrouiller. (Je doute que.)

Exercice II: Transformez les phrases suivantes, en suivant l'exemple donné dans chaque partie (*a* ou *b*). (Sec. 1.7.2, 3.)

a. EXEMPLE: Nous lui donnons nos impressions parce qu'il l'a demandé.
Il a demandé que nous lui donnions nos impressions.

1. Il fait de la gymnastique parce qu'il le faut.
2. Elle a dit la vérité parce que je l'ai exigé.
3. Je l'ai inscrit à ce cours parce qu'il l'a voulu.

4. Il ne fait pas le marché parce que sa femme ne l'admettrait pas.
5. Je n'ai pas fait cet exercice parce que vous ne me l'aviez pas dit.
6. Elle ne sort pas le soir parce que ses parents ne le permettent pas.
7. Mes parents sont revenus plus tôt que prévu parce qu'il l'a fallu.
8. Vous n'avez pas manqué un seul cours parce que votre professeur ne l'admettait pas.

b. EXEMPLE: Je l'ai fait parce que *c'*était indispensable.
Il était indispensable que je le fasse.
(Note also replacement of *ce* by *il.*)

1. Nous n'y sommes pas allés parce que ce n'était pas nécessaire.
2. Elle ne l'obtiendra pas parce que c'est impossible.
3. Il refait son texte parce que c'est préférable.
4. Ils sont récompensés parce que c'est juste.
5. Il ne le fera pas parce que ce serait inconcevable.

Exercice III: Transformez les phrases suivantes, en suivant les exemples donnés et en vous servant du pronom entre parenthèses ou du pronom en italiques de la phrase. (Sec. 1.7.2, 1.7.3, 1.7.8.)

EXEMPLES: *a.* Il ne faut pas le lui dire. (vous)
Il ne faut pas que vous le lui disiez.
b. Il *m'*est impossible de comprendre si vous continuez à crier.
Il est impossible que je comprenne si vous continuez à crier.

1. Il faut être calme pour exposer la situation. (vous)
2. Dites-*lui* de publier cet article en première page.
3. Il serait souhaitable de se tenir mieux à table. (tu)
4. Il est dangereux de conduire aussi vite. (elle)
5. Il *nous* faut obtenir son autorisation.
6. Il serait préférable de ne pas courir ce risque. (vous)
7. Il ne suffit pas de le dire pour qu'il le croie. (je)
8. Il est temps de se mettre en route. (nous)
9. C'est dommage de ne pas pouvoir en profiter. (ils)
10. Il est naturel d'être reconnaissant à ses parents. (tu)
11. Il *leur* est difficile de faire mieux.
12. Il est indispensable d'avoir un permis de conduire en règle. (nous)

Exercice IV: Répondez aux questions suivantes.

EXEMPLE: Fallait-il que vous suiviez le guide?
Oui, il fallait que je suive le guide.
Ou:
Oui, il fallait que je le suive.

1. Est-il vraiment nécessaire que vous en preniez l'habitude?
2. Avez-vous demandé que je corrige vos fautes?
3. Veut-il que vous changiez d'attitude?
4. Admettez-vous que j'aie raison?
5. Comprenez-vous que nous soyons déçus?
6. Vos parents veulent-ils que vous deveniez agent de police?
7. Ne vaut-il pas mieux que vous découvriez vos erreurs vous-mêmes?
8. N'aimez-vous pas que je dise que vous avez l'air pincé?

RÉVISION DES VERBES IRRÉGULIERS (*devoir* et *voir*)

1. Que dois-je faire? Vous devez faire renouveler votre passeport.
2. Que doit-il faire? Il ____ faire renouveler son passeport.
3. Que ____-nous faire? Vous devez faire renouveler vos passeports.
4. Que ____-ils faire? Ils ____ faire renouveler leurs passeports.
5. Que dois-tu faire? Je ____ faire renouveler mon passeport.

6. Que voyez-vous en face? Je ne vois rien. Jean ne ____ rien non plus. Non, vraiment nous ne ____ rien. Tu vois, ils ne ____ rien!

7. Je devais le voir, mais je ne l'ai pas vu.
8. Nous devions le voir, mais nous ne l'avons pas ____.
9. Ils ____ le voir, mais ils ne l'ont pas ____.

10. Je ne voyais pas comment y échapper et j'ai dû les inviter.
11. Nous ne ____ pas comment y échapper et nous avons ____ les inviter.
12. Elles ne voyaient pas comment y échapper et elles ____ ____ les inviter.

13. Quand vous le verrez, vous devrez lui en parler.
14. Quand je le verrai, je ____ lui en parler.
15. Quand ils le ____, ils devront lui en parler.
16. Quand elle le verra, elle ____ lui en parler.

17. Mon salaire serait suffisant si je ne devais pas tant d'argent.

18. Notre salaire serait suffisant si nous ne ____ pas tant d'argent.
19. Leur salaire serait suffisant s'ils ne ____ pas tant d'argent.

20. Je ne verrais rien si je ne portais pas de lunettes.
21. Vous ne ____ rien si vous ne portiez pas de lunettes.
22. Ils ne ____ rien s'ils ne portaient pas de lunettes.

23. C'est dommage que vous deviez partir.
24. C'est dommage que je ____ partir.
25. C'est dommage qu'elles ____ partir.
26. C'est dommage que nous ____ partir.

EXERCICES ÉCRITS

Exercice A: Répondez aux questions suivantes de façon cohérente, en utilisant les éléments du dialogue.

1. Comment aimeriez-vous faire un voyage en Europe?
2. Qu'est-ce que les guides des monuments et des musées vous apprennent?
3. Laquelle des deux étudiantes préféreriez-vous comme compagne de voyage? Pourquoi?
4. Que feriez-vous si vous vous trouviez dans un pays dont vous ne parlez pas la langue?
5. Quelle est, à votre avis, la meilleure façon de connaître un pays?
6. Pourquoi est-il préférable, lorsque l'on ne parle pas de langue étrangère, de se joindre à un groupe pour visiter un pays étranger?
7. Quelles sont les responsabilités d'un chef de groupe au cours d'un voyage?
8. Comment pouvons-nous deviner qu'Ann ne s'est pas beaucoup amusée, n'est pas beaucoup sortie, pendant les vacances?

Exercice B: Répondez aux questions suivantes. Vous fournirez les éléments de la réponse qui devra être au subjonctif.

EXEMPLE: Pourquoi faut-il qu'il fasse de la gymnastique?
Il faut qu'il en fasse parce qu'il a la poitrine étriquée.

1. Qu'est-ce que vos parents exigeaient?
2. Que voulez-vous que je vous raconte?
3. Pourquoi faut-il que vous mettiez votre nom sur vos livres?
4. Qu'est-ce que votre professeur n'admet pas?
5. Qui est-ce qui exige que vous connaissiez le règlement?

6. Pourquoi votre voisin n'admet-il pas que vous preniez ses notes?
7. Est-il prudent que vous conduisiez si vite?
8. Que faut-il que vous rendiez demain?
9. Qu'est-il indispensable que vous ayez pour un voyage à l'étranger?
10. Pourquoi est-il difficile que vous alliez seul au Japon?
11. Pourquoi vaut-il mieux que vous ne sortiez pas ce soir?

Exercice C: Passage du discours indirect au discours direct. Vous écrivez à un ami que vous vouvoyez.

Vous lui dites que vous regrettez qu'il ait raté son examen, mais que vous ne comprenez pas qu'il puisse se plaindre, car il n'a rien fait pendant toute l'année.

Vous ajoutez que si vous étiez à la place de ses parents, vous ne lui offririez pas de voyage à l'étranger et que vous l'obligeriez à rattraper le temps perdu; qu'à votre avis, il prend les choses trop à la légère et qu'il manque trop de volonté. Vous lui dites aussi qu'il devra mettre les bouchées doubles[14] à son retour mais que, même ainsi, vous doutez qu'il arrive à apprendre en trois semaines ce qu'il n'a pas appris en neuf mois.

Vous terminez en lui disant que ce n'est pas votre habitude de sermonner les gens mais que sa lettre vous a indigné et qu'il faut bien que vous lui disiez ce que vous pensez de son attitude. Vous lui demandez de ne pas vous en vouloir de votre franchise et vous lui dites que vous espérez qu'il profitera au moins de son voyage pour apprendre quelque chose et ne se contentera pas seulement de s'amuser.

Après avoir signé vous ajoutez en post-scriptum que vous aviez oublié de lui dire qu'on vous avait demandé qu'il achète le dernier numéro de la revue "X" qu'on ne trouvait plus dans votre ville.

[14] **mettre les bouchées doubles** go doubly quick, put in overtime

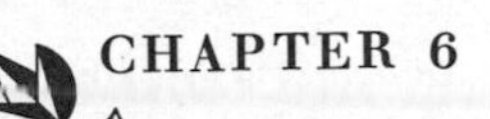

CHAPTER 6

Subjunctive (Part II): Conjunctions Requiring the Subjunctive, Negative Constructions Taking the Subjunctive, Relative Clauses in the Subjunctive, Avoiding the Subjunctive

REVIEW NOTES

A list of conjunctions that always require the subjunctive is given in Section 1.7.2-B. They follow the general pattern of subjunctive meaning-types: necessity or intention, doubt, provisional or restrictive statement.

After you have learned to use the subjunctive when *required*, you must consider those situations where a subjunctive form is *optional*, depending on various formal and stylistic factors. A subordinate clause, introduced by *que*, dependent on a verb expressing thought or opinion, will usually be in the subjunctive if the main clause is negative or interrogative. A subordinate relative clause, introduced by any relative pronoun (not just *que*), may have its verb in the subjunctive if the main clause implicitly expresses one of the "subjunctive attitudes" about the item mentioned in the subordinate clause. A special case of this is a relative clause dependent upon a superlative construction: it will be in the subjunctive (for example, *C'est le meilleur roman qu'il ait écrit*) unless the entire sentence is a statement of fact, with no intended exaggeration.

We have included exercises on avoiding the subjunctive because it is sometimes better style to use some other construction.

REF GRAM SEC: 1.7.2–1.7.8.

NOTES ON PRONUNCIATION

If you have consistently maintained proper intonation and stress patterns, you have probably been pronouncing "mute *e*" correctly in most contexts. "Mute *e*" refers to the letter *e* (without a written accent) in monosyllables (*le*, *me*, *que*), at the ends of words (*ongle*, *patte*, *chose*), and at the end of syllables within words (*petit*, *debout*, *devenait*). As for its pronunciation, this written letter *e* is:

(1) *not pronounced at all* at the ends of words, or, in general, as the second, fourth, . . . *even* members in a series of occurrences of this letter in monosyllables or within words.

L'auteur l'affirme̸ sans nous le faire̸ sentir.
De quelle̸ guerre̸ s'agit-il?
Ils ne se̸ permette̸nt aucune̸ indulgence̸.
Ne me̸ faite̸s pas rire̸.
Je ne̸ me le̸ rappelle̸ pas.

(2) *pronounced as a schwa* [ə] (more or less central, lax, mixed vowel):
(*a*) in monosyllables at the beginning of a thought phrase, and in monosyllables and within words as the first, third, . . . *odd* member of a series of occurrences of the letter.

Que̲ veux-tu?
De̲ quelle guerre s'agit-il?
Ils ne̲ se permettent aucune indulgence.
Ne̲ me faites pas rire.
Je̲ ne me̲ le rappelle pas.

(*b*) within a word or within a thought phrase when it follows two consecutively pronounced consonants.

Repre̲nons le roman. ([prə])
Donnez-moi quelque̲s verres de̲ vin. ([lkə], [rdə])

(3) *pronounced approximately as* [œ] when it is stressed.

C'est "le̲" prétexte, pas "la."
Sur ce̲, je m'en vais.
De̲bout!

DIALOGUE

Conversation entre trois camarades, à propos d'un livre récemment paru.

CHARLES: A-t-on idée de[1] choisir un titre pareil! "Nous nous retrouverons dans l'au-delà"! Si encore il s'agissait de spirites[2]. . . .

[1] **A-t-on idée de** (**avoir idée de**) Can you imagine . . .
[2] **Spirites** Spiritists, Spiritualists

RAYMOND: On voit tout de suite que tu n'y as rien compris.

LOUIS: Que veux-tu, Charles a l'habitude des romans de la série noire[3] où tout est clairement défini, où les difficultés du style sont nulles et où il y a un coupable que l'on découvrira sûrement à la dernière page. Alors un roman à thèse[4] comme celui de Cabochon . . .

CHARLES: Ne me faites pas rire. Voyons un peu, chers philosophes de poche,[5] éclairez ma lanterne afin que je m'élève à votre niveau. Quelle est la thèse de ce livre, selon vous?

LOUIS: Elle n'est pas difficile à découvrir, je t'assure. Pour l'auteur, l'au-delà,[6] c'est l'après-guerre.[7] Ses deux personnages vivent leur amour dans une situation telle qu'ils ont peur que leurs sentiments ne résistent pas à l'épreuve.[8]

RAYMOND: Et ils décident de se quitter, d'attendre la fin de la guerre pour ne pas tomber dans la tentation de se croire inséparables. C'est pourtant clair.

LOUIS: Non, Raymond, là je ne suis pas d'accord avec toi. Avant que leur décision ne soit prise, ils savent déjà que la guerre les transforme tous deux—mais de façon différente—et que leur apparente entente[9] n'est dictée que par l'amour. Ils veulent donc savoir comment ils évolueront chacun de son côté.[10]

CHARLES: Et c'est ça que vous appelez une thèse? C'est une anecdote, tout simplement, diluée dans d'interminables monologues et conversations; il faut être naïf pour s'y laisser prendre.[11]

RAYMOND: Et tu te crois malin!

CHARLES: Enfin! Ne voyez-vous pas que cet homme cherche un prétexte pour se débarrasser[12] de la femme dont il est fatigué? Comme il déteste les scènes et les larmes, il lui laisse entendre que l'excès même de sa passion le force à la quitter—provisoirement, cela va de soi[13]—et cette gourde,[14] flattée d'être l'objet d'un pareil transport,[15] se laisse convaincre. Voilà toute l'histoire . . .

[3] **La "série noire"** *collection de romans policiers (detective stories) très populaire et dont le titre sert maintenant à désigner les livres de ce genre.*
[4] **roman à thèse** problem or propaganda novel
[5] **philosophes de poche** pocket-size, would-be philosophers
[6] **l'au-delà** the "beyond," the afterlife
[7] **l'après-guerre** the period following a war
[8] **épreuve** proof, trial
[9] **entente** understanding, mutual understanding
[10] **chacun de son côté** separately; each one his own way
[11] **s'y laisser prendre** to fall for it
[12] **se débarrasser** to get rid of
[13] **cela va de soi** it goes without saying
[14] **gourde** fool
[15] **transport (un pareil transport)** such a rapture, a passion

RAYMOND: Avec un pareil cynisme tous les sentiments paraissent ridicules. Moi, je ne doute pas de leur sincérité, seulement je ne vois pas les choses comme Louis. A mon avis, ils sacrifient le présent pour que leur amour ne succombe ni à l'habitude ni aux circonstances.

CHARLES: C'est extraordinaire. Plus un ouvrage est pompeux, ou obscur, plus vous l'admirez. Si on vous avait raconté cette histoire sans y mêler de pensées hautement philosophiques, vous l'auriez trouvée risible et fausse.

LOUIS: Tu dis cela parce que tu confonds la trame[16] avec la thèse. Or, à mon avis, l'auteur a choisi cette situation parce qu'elle lui permettait d'illustrer sa thèse, c'est-à-dire de démontrer que, chez des gens intelligents, la passion est soumise à la raison . . .

CHARLES: Voilà justement le point faible. Dès qu'un romancier veut démontrer quelque chose et qu'il invente une situation et des personnages pour y arriver, cela sonne faux et ne peut être convaincant. Tout

[16] **la trame** the plot

au long du livre, j'ai eu l'impression que les personnages étaient mus par des fils, comme des marionnettes.

RAYMOND :- Tu te trompes du tout au tout.[17] N'oublions pas qu'il s'agit de deux êtres exceptionnels, tant moralement qu'intellectuellement et que l'amour qui les lie[18] leur semble trop important pour être accepté tel quel, comme un banal accident.

CHARLES : Alors qu'ils le fassent analyser au laboratoire mais qu'ils ne viennent pas nous casser les pieds[19] avec leurs doutes et leur grandeur d'âme.[20] Lorsque deux êtres s'aiment vraiment, ils ne décident pas, de sang-froid, de se séparer "pour voir ce que cela donnera."

LOUIS : Attends. Nous sommes partis sur une mauvaise piste. Reprenons le roman. Souviens-toi de leur rencontre, de l'hésitation qu'ils éprouvent à s'avouer leur amour par peur de tomber dans le piège des sentiments passagers qu'ils jugent indignes[21] d'eux-mêmes. Pour comprendre la suite, pour accepter leur volonté de séparation, il faut prendre cela comme point de départ.

CHARLES : Vous dites qu'ils sont exceptionnels, mais cela n'apparaît ni dans leurs épanchements[22] ni dans leurs réflexions. L'auteur l'affirme sans nous le faire sentir et si je l'admettais, je comprendrais encore moins. Pourquoi ont-ils besoin de se mettre à l'épreuve[23] si leur intelligence et leur perception sont tellement aiguës ?[24] Ils donnent l'impression de pratiquer la dissection de leur amour.

LOUIS : C'est qu'ils ne veulent se permettre aucune indulgence, aucun abandon[25] facile. Pour eux, l'amour est un bien que l'on conquiert, qui n'est pas donné gratuitement.

CHARLES : Nous en reparlerons quand nous en aurons fait l'expérience.

QUESTIONS SUR LE DIALOGUE

1. Comment savez-vous que Cabochon est un auteur contemporain ?
2. A quoi les deux personnages du roman estiment-ils qu'ils ne doivent pas céder ?

[17] **du tout au tout** entirely
[18] **lie (l'amour qui les lie)** join, unite
[19] **casser les pieds** (F) to importune s.o.; to be a pain in the neck
[20] **grandeur d'âme** grandeur of soul
[21] **indignes** unworthy
[22] **épanchements** outpourings
[23] **se mettre à l'épreuve** to put oneself to the test
[24] **aiguës** acute
[25] **abandon (se permettre un abandon facile)** to give way to one's emotions

3. De quelle guerre s'agit-il dans le roman?
4. Comment savez-vous que Louis et Raymond sont des pseudo-intellectuels?
5. D'après Charles, comment un homme peut-il se débarrasser d'une femme qu'il n'aime plus?
6. Nos trois amis parlent-ils de l'amour en connaissance de cause?
7. Pourquoi auriez-vous trouvé cette histoire plausible (ou invraisemblable) si un camarade vous l'avait racontée?
8. Si on vous donnait un exemplaire de ce roman, le liriez-vous? Pourquoi (pas)?

EXERCICES ORAUX

Exercice I: Transformez les phrases suivantes selon les exemples donnés, en remplaçant le subjonctif par un infinitif, après avoir modifié l'expression qui le précède. (Sec. 1.7.7-C.)

EXEMPLES: *a.* Tout est à recommencer; il faut que vous vous y résigniez.
Tout est à recommencer; il faut vous y résigner.
b. En attendant qu'il me reçoive, j'ai feuilleté des revues.
En attendant d'être reçu, j'ai feuilleté des revues.

1. Avant que leur décision ne soit prise, ils savent déjà que la guerre les transforme.
2. Il aurait fallu qu'on le félicite.
3. J'étais très nerveux en attendant qu'on m'appelle pour l'examen oral.
4. Cela leur semble trop important pour qu'ils l'acceptent tel quel.
5. Il faut qu'on ait vu les monuments pour pouvoir en parler.
6. Même si cela vous embête, il ne faut pas que vous abandonniez le groupe.
7. C'est dommage qu'on gâche une pareille soirée à cause de lui.
8. Le sculpteur travaillait sans relâche afin que son œuvre soit terminée pour l'exposition.
9. Ils se séparent sans qu'on les y oblige (forme passive).
10. C'est sans importance, mais il vaut mieux que vous n'en parliez pas.

Exercice II: Réunissez chaque paire de phrases en une seule phrase, à l'aide des expressions entre parenthèses. Faites les transformations qui s'imposent. (1.7.2-B.)

EXEMPLE: Je vous le prêterai. Vous lirez la nouvelle préface. (pour que)
Je vous le prêterai pour que vous lisiez la nouvelle préface.

1. Je vous l'enverrai. Vous me donnerez votre opinion. (pour que)
2. Ils veulent se séparer. Leur amour sera mis à l'épreuve. (afin que)
3. Imaginez qu'on vous raconte cette histoire. Vous ne savez pas si elle est véridique ou inventée. (sans que)
4. Il faut prendre cela comme point de départ. La suite est plausible. (pour que)
5. On met le malade en observation. Le médecin revient l'examiner. (en attendant que)
6. Je leur expliquerai tout en détail. Ils céderont sous le poids de mes arguments. (jusqu'à ce que)
7. Ils admirent cet auteur par snobisme. Il écrit comme si le français n'était pas sa langue maternelle. (bien que)
8. Je vais l'accompagner. Il se perdrait dans l'obscurité. (de peur que)
9. Nous ne l'avons pas vraiment convaincue. Elle reconnaît qu'il y a peut-être erreur. (quoique)
10. Il m'a dit de réfléchir. J'ai pris cette importante décision. (avant que)

Exercice III: Dans les phrases suivantes, remplacez le nom en italiques, soit par un verbe seul, correspondant au nom à remplacer, soit par un verbe suivi d'un adjectif. (Sec. 1.7.2.)

EXEMPLES: *a.* Je lui en parlerai avant *son départ.*
Je lui en parlerai avant qu'il ne parte.

b. Je ne doute pas de *votre sincérité.*
Je ne doute pas que vous ne soyez sincère.

1. Jean n'arrivera pas à passer en troisième sans *notre aide.*
2. Elle m'a demandé de rester avec elle jusqu'à *votre arrivée.*
3. Nous faisons tous des vœux pour *sa guérison.*
4. Avant *son élection*, les journalistes lui avaient demandé quel était son programme.
5. Je ne comprends pas pourquoi on demande *ma signature.*
6. Nous ferions bien de rentrer avant *la pluie.*
7. Ils ne peuvent se marier sans *le consentement* de leurs parents.
8. Ses parents avaient quitté New York bien avant *sa naissance.*

RÉVISION DES VERBES IRRÉGULIERS (*faire* et *mettre*)

1. Quand je fais une faute, je mets la correction à côté.
2. Quand vous faites une faute, vous mettez la correction à côté.

3. Quand nous ____ une faute, nous ____ la correction à côté.
4. Quand ils font une faute, ils ____ la correction à côté.
5. J'ai mal fait la dictée; j'ai mis des "s" partout.
6. Que faisais-tu? Je remettais les livres dans la bibliothèque.
7. Qu'est-ce que je ____? Vous ____ les livres dans la bibliothèque.
8. Que ____-vous? Nous remettions les livres dans la bibliothèque.
9. Que ____-ils? Ils remettaient les livres dans la bibliothèque.
10. Que faisions-nous? Vous ____ les livres dans la bibliothèque.
11. Je ferai la vaisselle et vous remettrez tout en place.
12. Vous ____ la vaisselle et je remettrai tout en place.
13. Nous ferons la vaisselle et elle ____ tout en place.
14. Elle ____ la vaisselle et nous ____ tout en place.
15. Elles feront la vaisselle et elles ____ tout en place.
16. Si tout allait bien, je ferais des bénéfices et je mettrais de l'argent de côté.
17. Si tout allait bien, nous ____ des bénéfices et nous mettrions de l'argent de côté.
18. Si tout allait bien, vous feriez des bénéfices et vous ____ de l'argent de côté.
19. Si tout allait bien, il ____ des bénéfices et il ____ de l'argent de côté.
20. Si tout allait bien, elles ____ des bénéfices et elles ____ de l'argent de côté.
21. Il faut que vous vous mettiez sérieusement au travail et que vous fassiez de réels progrès.
22. Il faut que nous nous ____ sérieusement au travail et que nous ____ de réels progrès.
23. Il faut que je me mette sérieusement au travail et que je ____ de réels progrès.
24. Il faut qu'ils se ____ sérieusement au travail et qu'ils ____ de réels progrès.
25. Fais ce qu'on te dit et mets-toi à écrire.
26. Faites ce qu'on vous dit et ____-vous à écrire.
27. ____ ce qu'on nous dit et ____-nous à écrire.

EXERCICES ÉCRITS

Exercice A: Répondez aux questions suivantes de façon cohérente, en utilisant les éléments du dialogue.

1. Après avoir "entendu" leurs arguments, et sans avoir lu le livre, auquel des trois camarades donneriez-vous raison et pourquoi?
2. Si une jeune fille était entrée dans cette conversation, quelle opinion aurait-elle émise, à votre avis?
3. On dit souvent que l'étudiant français est plus disposé à discuter les œuvres littéraires, en dehors des cours, que l'étudiant américain. Etes-vous d'accord? Pourquoi?
4. Cette discussion prouve, une fois de plus, que le bon sens (Charles) n'a rien à faire dans une discussion littéraire. Commentez.

Exercice B: Complétez les phrases suivantes de façon logique. Employez les verbes donnés entre parenthèses pour les compléter. Attention à la concordance des temps. (Sec. 1.7.0–1.7.8.)

EXEMPLES: *a.* Ne vous engagez pas avant de (savoir).
Ne vous engagez pas avant de savoir de quel côté souffle le vent.
b. Ne lui dites rien avant que (faire/présenter).
Ne lui dites rien avant qu'il ne fasse les premiers pas et ne vous présente ses excuses.

1. Je n'ai pas compris ce qu'ils voulaient dire bien que (prendre la peine).
2. Elle ne m'a pas demandé l'autorisation de peur que (se mettre en colère/refuser).
3. Nous avons lu son livre jusqu'à la dernière page sans (comprendre).
4. Dans un cas semblable, il est indispensable que (savoir).
5. Repose-toi en attendant que (revenir/se remettre).
6. Je ne crois pas qu'ils se retrouvent avant que (finir).
7. Mes parents ont fait tout ce qu'ils ont pu pour (envoyer/permettre).
8. Je ne me suis pas consacré aux sports de peur (faire de la peine/causer une déception).
9. Nous ne la laisserons pas sortir seule avant que (avoir 18 ans/apprendre à conduire).
10. J'ai finalement ralenti de peur que (arrêter/retirer).

Exercice C: Transformez les phrases suivantes, en supprimant les expressions en italiques et en mettant les éléments donnés entre parenthèses. Changez l'ordre des propositions et la forme des verbes, s'il y a lieu. (Sec. 1.7.2-B.)

EXEMPLE: On m'a accordé une bourse *grâce à laquelle* je pourrai poursuivre mes études. (afin que)
On m'a accordé une bourse afin que je puisse poursuivre mes études.

1. Ils admirent cet auteur *dont le* style est *pourtant* obscur et pompeux. (bien que)
2. Vous obtiendrez le visa nécessaire *même s*'il n'intervient pas en votre faveur. (sans que)
3. *On ne sait pas encore quels* seront les résultats de la conférence, *mais, de toute façon*, elle aura été utile. (quels que)
4. Il dira *ce qu'il voudra*, j'agirai comme me le dictera ma conscience. (quoi que)
5. Prenez vos précautions car vous risquez gros; *voilà pourquoi* je vous en parle. (pour que)
6. Je vais vous expliquer les événements récents, *sinon* vous *ne* comprendrez *pas* la situation politique du pays. (afin que)

Exercice D: (Exercice de composition.) Mettez les paragraphes suivants au discours direct, sous forme de dialogue. (Sec. 1.16.0.)

EXEMPLES: Claude a dit à André qu'il était content de le voir.
André lui a répondu que lui aussi, et lui a demandé ce qu'il y avait de neuf.
CLAUDE: Je suis content de vous voir.
ANDRÉ: Moi aussi. Qu'y a-t-il de neuf?

Claude a raconté à André qu'il était allé au théâtre et qu'il avait vu une pièce qui l'avait intrigué. André lui a demandé de quelle pièce il s'agissait.

Claude a répondu que c'était une nouvelle pièce intitulée: "Tant va la cruche à l'eau. . . ." Il a continué en disant qu'il ne comprenait pas très bien ce que le titre avait à voir dans l'histoire, mais, qu'après tout, cela n'avait pas grande importance.

André lui a demandé qui en était l'auteur et dans quel théâtre on la donnait. Il a ajouté qu'il n'avait pas entendu parler de cette pièce et que cela l'étonnait car il était au courant de toutes les nouveautés théâtrales. Claude lui a dit qu'elle avait été montée par une troupe amateur dans une salle privée et qu'il était donc normal qu'André n'en ait pas entendu parler. Il a poursuivi en disant que la scène manquait de décors et que les acteurs jouaient en costume de ville. Il a ajouté qu'il avait oublié le nom de l'auteur.

André a demandé à Claude de lui raconter le sujet de la pièce et Claude a répondu qu'il en serait incapable car il ne le voyait pas clairement; que c'était une pièce étrange où les personnages semblaient poursuivre un monologue, chacun de leur côté, et qu'on les suivait assez difficilement, mais qu'ils arrivaient malgré tout à retenir l'attention du public; que la tension montait, surtout pendant les deux premiers actes.

André lui a demandé si la pièce se terminait en queue de poisson. Claude a répondu qu'il en avait l'impression, mais qu'il ne voulait pas qu'André se méprenne sur la qualité de la pièce; qu'évidemment après ce qu'il en avait dit, il était difficile qu'André puisse savoir à quoi s'en tenir; mais qu'il fallait que lui, Claude, la revoie ou en lise le texte avant de pouvoir vraiment se faire une opinion.

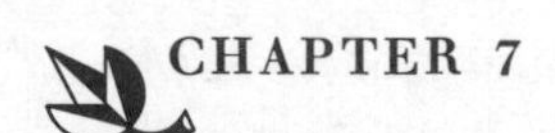

CHAPTER 7

Present Participle, Infinitive, Prepositions with Geographical Locations, Prepositions Indicating Positions

REVIEW NOTES

One reason for considering the present participle and infinitive in the same lesson is that these forms are often confused by the American student: there is very definitely not a one-to-one correspondence in the range of uses of each in French and English. Quite simply, you should (1) remember to use the present participle after *en* or without a preposition and to use the infinitive after all other prepositions, and (2) remember that ". . . ing" does not always correspond to ". . . *ant*."

One other point that is worth repeating: the present participle as used in English as the final member of the present progressive construction is *never* used in French. A simple present or a completely different construction (for example, *être en train de faire quelque chose*) must be used.

Most students worry too much about which preposition to use with geographical locations. Learn the basic rules and *remember to forget* the specific English preposition when constructing the French sentence. It cannot be said too often that prepositions should be learned in context, not as translation items.

REF GRAM SEC: 1.9.0, 1.9.1, 7.1.0.

NOTES ON PRONUNCIATION

Nasal vowels are produced with both the nasal and oral cavities acting as resonators. The mouth is shaped as it is for the equivalent clear or mixed vowel, but the air passes through the nose. Even if you have already learned to produce these vowels correctly, you may sometimes make the error of giving a different quality to each vowel according to whether it is followed by *n* or *m*, or you may still have the habit of pronouncing the following *n* or *m*. A vowel followed by a final *n* or *m* or by *n* or *m* plus some other consonant is regularly nasalized and the *n* or *m* is not pronounced; [ã] is an open, mid vowel with no lip rounding; [ɔ̃] is an open, back vowel with marked lip rounding. The other two nasal vowels will be discussed in Chapter 8.

[ã] **En passant devant la grille**
J'ai eu envie d'y entrer.
Ils vont en groupes au Luxembourg.
Pourriez-vous m'emmener au Louvre? ([ãmne])
Ce serait gentil de le remplacer.
[ɔ̃] **Bon! Allons-y.**
C'est un conte de fées.
Sais-tu compter?
Ne cherchez pas de compliments.
On a toujours cette impression.[1]

DIALOGUE

Julie et René sortent d'un café du Boulevard Saint-Michel.

RENÉ: Qu'est-ce que vous aimeriez faire cet après-midi?

JULIE: Il fait si beau que nous pourrions peut-être aller au Luxembourg? En passant devant la grille,[2] tout à l'heure, j'ai eu envie d'y entrer.

RENÉ: Voilà de bien modestes aspirations! J'imaginais que, venant à Paris pour quelques jours, vous proposeriez une tournée touristique.

JULIE: Vous vous moquez de moi, ce n'est pas gentil. Mais si je vous propose cette balade,[3] c'est aussi par curiosité. A ma connaissance, c'est le seul endroit où les étudiants puissent se retrouver ou s'isoler pour étudier, tout en restant à l'air libre.

RENÉ: Je ne crois pas que ce jardin soit unique, tout au moins en Europe, et c'est pourquoi je m'étonnais que vous teniez à le voir, ayant si peu de temps disponible. Mais si vous y tenez, allons-y. (*Ils se dirigent, en marchant, vers le Luxembourg.*)

[1] Note that the *n* of the pronoun *on* is pronounced as it is linked to the following vowel, but the quality of the nasalized *o* remains the same. However, when *bon* is linked to a following vowel, there is regularly no nasalization, as for example in *bon auteur*: [bɔnotœr].
[2] **la grille** the iron gate
[3] **une balade** a stroll; a ramble

JULIE: N'oubliez pas, René, que je dois préparer un compte-rendu[4] sur les étudiants parisiens, et ce n'est certainement pas en allant à Montmartre ou à Pigalle que j'apprendrai quelque chose.

RENÉ: Je l'avais complètement oublié, excusez-moi. Mais, j'y pense, si vous acceptez de sortir avec moi, est-ce parce que je fais partie de vos sujets d'observation? Moi qui étais tout satisfait en pensant que je vous étais sympathique[5]...

JULIE: Ne cherchez pas de compliments. Si vous ne l'étiez pas, nous ne serions pas ici tous les deux. Pour en revenir à mon sujet: à travers lectures et films on a toujours l'impression[6] que le Boul' Mich' et ses cafés sont le seul lieu de réunion des étudiants; c'est un cliché, n'est-ce pas?

RENÉ: En partie, seulement. Il est vrai pourtant que ceux qui veulent piocher[7] leurs cours ne passent pas leur temps en discussions à la terrasse des cafés. S'ils ne disposent pas d'un domicile confortable ou s'ils aiment le plein air, rien de mieux que d'aller seuls ou en groupes au Luxembourg. (*Tout en parlant, ils sont entrés dans le jardin et arrivent à l'escalier qui termine l'allée.*)

JULIE: Comment réussissent-ils à travailler, au milieu d'enfants qui jouent, qui lancent leur ballon dans n'importe quelle direction ou se poursuivent en criant?

RENÉ: C'est qu'ils ne travaillent pas au milieu des enfants. Chacun a son propre domaine, en quelque sorte,[8] un pacte tacite existant entre parents et étudiants. Les premiers s'installent, avec leur progéniture,[9] aux alentours du bassin et de l'autre côté, là où se trouvent le guignol,[10] les manèges[11] et autres attractions. Les étudiants restent de ce côté-ci ou aux abords de la fontaine Médicis, par là, à droite. Et, tout comme dans un club, les "membres" ont leurs habitudes et vous les retrouvez presque toujours au même endroit.

Qu'allons-nous faire, maintenant que votre curiosité est satisfaite?

JULIE: Pourriez-vous m'emmener au Louvre ou au Musée d'Art

[4] **compte-rendu** report

[5] **sympathique (je vous étais sympathique)** you were fond of me; you found me likeable (**être sympathique à quelqu'un**)

[6] **Le Boul' Mich'** *abbreviation for the* Boulevard Saint-Michel, *the most famous street of the Quartier Latin, a district where most of the "facultés" are located*

[7] **piocher** to "grind"

[8] **en quelque sorte** in a way; after a fashion

[9] **la progéniture** one's children (ironic); progeny; progeniture

[10] **guignol** puppet theater

[11] **manèges** merry-go-rounds

Moderne? Je voudrais vérifier l'affirmation qui veut que[12] les Français, même s'ils sont étudiants, visitent rarement les musées.

RENÉ: Je ne crois pas que l'on puisse affirmer cela aussi catégoriquement. De toute façon, le moment est mal choisi pour confirmer les rumeurs, car, à cette heure-ci, la plupart des étudiants ont regagné leurs facultés.[13] Si j'ai pu vous accompagner aujourd'hui c'est parce que, les examens approchant, nous n'avons plus de cours de droit international.

[12] **qui veut que** according to which

[13] **faculté** a particular school in the University (*for example*, *Faculté des Lettres*: College of Liberal Arts and Sciences, *more or less*). **Faculté** does not mean "faculty," teaching personnel.)

JULIE: Mais dans ce cas, René, je vous empêche d'étudier! Pourquoi n'aviez-vous rien dit? Je ne veux pas être responsable d'un échec.[14]

RENÉ: Ce serait le moment de dire qu'un échec n'est qu'une vétille[15] comparé au plaisir d'être avec vous, mais vous ne le croiriez pas.

JULIE: Non, sérieusement, laissez-moi ici. Je ferai le tour du jardin et ensuite j'irai rejoindre Nora qui m'attend à la Cité Universitaire.[16]

RENÉ: Entendu. Samedi, si vous n'avez rien de mieux à faire, nous pourrions sortir dans la matinée?

JULIE: Volontiers. Je vous téléphonerai pour fixer l'heure.[17] Au revoir et merci.

QUESTIONS SUR LE DIALOGUE

1. Par quelle loi le Luxembourg a-t-il été divisé en domaine universitaire et en domaine infantile?
2. Comment savez-vous que Julie n'est pas venue à Paris pour s'amuser?
3. A quelle faculté René est-il inscrit et comment le savez-vous?
4. Après avoir passé la grille du jardin, comment arrive-t-on au bassin?
5. Pourquoi René tient-il à emmener Julie au Luxembourg?
6. Pourquoi René n'a-t-il pas parlé de son examen à Julie?
7. Où René et Julie vont-ils se retrouver samedi et à quelle heure?

EXERCICES ORAUX

Exercice I: Complétez les phrases suivantes en mettant, devant le nom entre parenthèses, un article ou une préposition, selon le cas. (Sec. 7.1.0.)

EXEMPLE: Il a fait la plus grande partie de ses études ____ (Allemagne).
Il a fait la plus grande partie de ses études en Allemagne.

[14] **un échec** a failure

[15] **une vétille** a trifle

[16] **La Cité Universitaire** students' quarters. La Cité Universitaire de Paris, où logent surtout des étudiants étrangers, a ceci de particulier que différents pays y ont construit des pavillons (bâtiments) qu'ils administrent et qui rappellent plus ou moins l'architecture propre à ces pays. En principe, un étudiant américain logera au pavillon américain, mais il existe aussi une Maison Internationale où l'on rencontre des étudiants de tous les pays. Le nombre des étudiants dépasse, évidemment, de beaucoup la capacité de cette Cité et ils doivent alors se débrouiller pour loger ailleurs.

[17] **fixer l'heure** to agree on a given time

1. Son permis de séjour était périmé et on l'a expulsé ____ (France).
2. Ils étaient ____ (Etats-Unis) quand la guerre à éclaté.
3. Nous avons dû faire escale ____ (Ceylan) pour y débarquer un passager.
4. Est-ce que cette revue est éditée ____ (Suisse)?
5. ____ (Portugal), les femmes du peuple s'habillent en noir.
6. C'est une des gravures qu'il m'a rapportées ____ (Italie).
7. Il a fait une conférence de presse en revenant ____ (Philippines) où il était allé en visite officielle.
8. Les récoltes ayant été désastreuses, ce pays a dû importer des tonnes de blé ____ (Canada).

Exercice II: Dans les phrases suivantes, faites précéder les expressions données entre parenthèses d'une préposition ou d'une locution prépositive. Le sens de la phrase doit déterminer votre choix.

EXEMPLES: *a.* Si tu es fatigué, couche-toi, mais ne mets pas les pieds. (la table)
Si tu es fatigué, couche-toi, mais ne mets pas les pieds sur la table.

b. Tu laisses tes jouets dans toute la maison. Je ne veux rien voir traîner. (ta chambre)
Tu laisses tes jouets dans toute la maison. Je ne veux rien voir traîner en dehors de ta chambre.

c. Dans beaucoup d'immeubles, en France, le premier étage est situé. (le rez-de-chaussée)
Dans beaucoup d'immeubles, en France, le premier étage est situé au-dessus du rez-de-chaussée.

1. Comme ils habitent (l'église), ils n'ont qu'à traverser la rue pour y aller.
2. Il s'est mis à genoux pour chercher ses pantoufles... (le lit)
3. Si tu te caches (cet arbre), il ne te trouvera pas.
4. L'autobus s'arrête exactement... (leur porte)
5. Ils habitent trop (l'école) pour y aller à pied.
6. Le plafond tremble quand les jeunes gens qui habitent (chez nous) dansent.
7. Comme j'étais absent, la concierge a glissé les lettres... (la porte)
8. La maison est tout (jardin d'enfants), aussi, malgré ses quatre ans, il y va tout seul.
9. Ne mets pas tes coudes... (la table)

10. Le vieux monsieur qui habite l'appartement (le nôtre) prétend que son plafonnier bouge quand nous déplaçons une chaise.
11. On m'a volé l'horloge qui était accrochée... (la cheminée)
12. Avant d'entrer, il s'essuie les pieds sur le paillasson qui est... (la porte)

Exercice III: Complétez les phrases suivantes à l'aide d'un infinitif (avec ou sans complément). Choisissez un verbe qui complète le sens de la phrase. (Sec. 1.8.0, 1.9.1.)

EXEMPLES: *a.* Nous avons pris un apéritif avant de ____.
Nous avons pris un apéritif avant de dîner.
b. Le moment est mal choisi pour ____.
Le moment est mal choisi pour confirmer les rumeurs.

1. L'agent de police a fini par ____.
2. Au lieu de ____ il a crié plus fort.
3. J'ai longuement réfléchi avant de ____.
4. Les gens âgés sont frileux et ils restent des heures à ____.
5. Après (*mettez un infinitif passé*) ____ nous avons compris pourquoi l'auteur avait tant de succès.
6. Elle s'assied sur le bord de la chaise, de peur de ____.
7. La veille de l'examen, René s'est enfermé dans sa chambre afin de ____.
8. Il s'est levé de table et a quitté la pièce sans ____.
9. Lisez attentivement le dialogue, de façon à ____.
10. Claude a épuisé ses forces au point de ____ et le médecin l'a fait hospitaliser.

Exercice IV: Réunissez chaque paire de phrases en une seule phrase, en changeant la forme du verbe de la phrase en italiques. Faites tous les changements nécessaires. (Sec. 1.9.0.)

EXEMPLE: *Jean a fermé la porte.* Il s'est pincé le doigt.
En fermant la porte, Jean s'est pincé le doigt.

1. Il a réussi à y entrer. *Il s'est fait passer pour un employé.*
2. *Irène flattait leur vanité.* Elle obtenait ce qu'elle voulait.
3. Il s'est cassé le bras. *Il a glissé sur une peau de banane.*
4. *Nous revenions par l'avenue Joffre.* Nous avons trouvé ce portefeuille.
5. *Julie est passée devant la grille du Luxembourg.* Elle a eu envie d'y entrer.

6. Je me suis étranglée. *J'avais avalé un noyau.*
7. *Pierre a haussé les épaules.* Il a répondu que cela lui était égal.
8. *Il faut prendre la première route à gauche.* On tombe directement sur la place.
9. Avez-vous été surpris? *Vous avez appris la nouvelle.*
10. *J'étais en train de faire marche arrière.* J'ai heurté un piéton qui allait traverser la rue.

RÉVISION DES VERBES IRRÉGULIERS (*prendre* et *sortir*)

1. Tous les matins, je prends mon café debout et je sors en courant.
2. Tous les matins, nous prenons notre café debout et nous sortons en courant.
3. Tous les matins, vous ____ votre café debout et vous ____ en courant.
4. Tous les matins, ils prennent leur café debout et ils ____ en courant.
5. Tous les matins, elle ____ son café debout et elle ____ en courant.

6. Il pleuvait quand je suis sorti et j'ai pris un taxi.

7. Quelle route prendriez-vous si vous sortiez par la Porte d'Italie?
8. Quelle route prendrais-tu si tu sortais par la Porte d'Italie?
9. Quelle route ____-elle si elle ____ par la Porte d'Italie?
10. Quelle route prendrions-nous si nous ____ par la Porte d'Italie?
11. Quelle route ____-ils s'ils ____ par la Porte d'Italie?

12. S'il apprenait ce qui se passe, il sortirait de ses gonds.
13. Si vous appreniez ce qui se passe, vous ____ de vos gonds.
14. Si tu ____ ce qui se passe, tu ____ de tes gonds.

15. Est-ce que vous prendrez l'autobus? Non, nous prendrons le métro.
16. Est-ce que tu prendras l'autobus? Non, je prendrai le métro.
17. Est-ce qu'ils prendront tous l'autobus? Non, elle prendra le métro.

18. Sortirez-vous par ici? Non, nous ____ par là.
19. ____-tu par ici? Non, je ____ par là.

20. Faut-il que nous sortions nos bottes? Non, mais il faut que vous preniez des chaussures de montagne.
21. Faut-il que je sorte mes bottes? Non, mais il faut que tu ____ des chaussures de montagne.

22. Faut-il qu'elle ____ ses bottes? Non, mais il faut qu'elle ____ des chaussures de montagne.
23. Prenez vos affaires et sortez d'ici.
24. Prends tes affaires et ____ d'ici.
25. ____ nos affaires et ____ d'ici.

EXERCICES ÉCRITS

Exercice A: Répondez aux questions suivantes, en utilisant les éléments du dialogue. Donnez des réponses aussi détaillées que possible.

1. En quoi le Luxembourg diffère-t-il des jardins (ou parc) de votre ville (ou de votre université)?
2. Que faites-vous lorsque vous voulez retrouver des camarades auxquels vous n'avez pas donné rendez-vous? (*En dehors des cours, bien entendu.*)
3. Si vous aviez un examen à préparer, imiteriez-vous René? Pourquoi?
4. Si un étranger voulait observer la vie que mènent les étudiants de votre université, quel itinéraire lui feriez-vous parcourir, et qu'aurait-il l'occasion d'observer en chaque endroit?
5. Que feriez-vous et où iriez-vous si vous aviez à préparer un compte-rendu sur les tendances de la peinture contemporaine?

Exercice B: Transformez les phrases suivantes, en prenant modèle sur les exemples donnés. Attention aux expressions qui doivent être supprimées lorsque le verbe conjugué est remplacé par un participe présent. Changez l'ordre des mots, s'il y a lieu. (Sec. 1.9.0.)

EXEMPLES: *a.* Comme nous tenions à voir cette pièce, nous avons fait la queue pour avoir des billets.
Tenant à voir cette pièce, nous avons fait la queue pour avoir des billets.

b. Et après l'avoir vue, nous avons regretté le temps perdu.
Et, l'ayant vue, nous avons regretté le temps perdu.

c. René, qui comptait passer l'après-midi avec Julie, avait annulé son rendez-vous chez le dentiste.
René, comptant passer l'après-midi avec Julie, avait annulé son rendez-vous chez le dentiste.

1. J'imaginais que, puisque vous restiez quelques jours ici, vous proposeriez autre chose.

2. Chacun a son propre domaine, car il existe un pacte tacite entre parents et jeunes gens.
3. Nous sommes surpris que vous teniez à les voir, alors que vous avez si peu de sympathie pour eux.
4. Jean, qui avait pris l'accent marseillais, nous raconta une petite histoire qu'il avait entendue la veille.
5. Nous hésitions tous, mais après que Jeanne eut donné le signal du départ, nous finîmes par la suivre.
6. Comme je ne comprenais pas ce qu'il disait, j'ai fait semblant de ne pas avoir entendu.
7. Paul, qui ne savait pas de quoi il s'agissait, préféra se taire.
8. Après avoir été recalé au bac pour la troisième fois, il a décidé d'apprendre un métier manuel dans une école technique.
9. M. Lefèvre, qui étouffait de colère et ne trouvait plus ses mots, s'est précipité sur le directeur.
10. Il faisait noir et, comme nous ne connaissions pas le quartier, nous nous sommes perdus.

Exercice C: (Passage du discours direct au discours indirect.) Faites précéder les différents paragraphes par: *il m'a dit que*, *il a ajouté que*, *il m'a aussi dit que*, etc. La personne qui raconte au discours indirect est celle à laquelle le narrateur du texte s'adresse.

Ma nièce vient passer quelques jours à Paris et j'aimerais que vous l'accompagniez dans ses randonnées et que vous lui fassiez connaître notre Paris, pas celui des touristes; soyez sans inquiétude, elle parle très couramment le français, je m'en suis rendu compte lorsque je suis allé rendre visite à mon frère et à ma belle-sœur à New York.

Comme je n'ai pas le temps de sortir avec elle, j'ai tout de suite pensé à vous et je suis sûr que vous vous entendrez très bien.

Pendant son séjour, vous n'aurez pas à venir l'après-midi; ainsi vous aurez tout le temps de vous balader. Je vous donne là une preuve de confiance et d'estime; je crois qu'il est inutile que je vous fasse des recommandations car je sais que vous vous conduirez en jeune homme bien élevé. Si vous avez des questions à me poser au sujet de ma nièce, n'hésitez pas.

Pour terminer, je ne voudrais pas que vous imaginiez que la danse, le cinéma et autres distractions vous sont interdits. Mary, ma nièce, est une jeune fille sérieuse, mais elle aime aussi sortir et s'amuser. Il est bien entendu que les frais que vous aurez au cours de ces sorties seront à mon compte; je n'ai pas l'intention de vous ruiner. C'est tout.

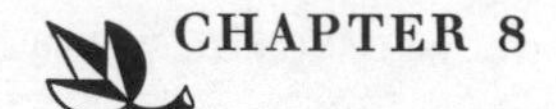

CHAPTER 8

Complementary Infinitive Constructions, Uses of *Devoir*, *Faire* Causative

REVIEW NOTES

Infinitives often function as complements of verbs or verbal expressions, or adjectives or nouns, while at the same time fulfilling their verbal function, such as taking a complement. When an infinitive is the complement of a verb or verbal expression, the choice of a preposition between the two verb forms is dependent completely upon the main verb. You must learn by rote or by habit which verbs take *à*, which take *de*, and which take no preposition at all before an infinitive. (Sec. 1.8.1.) When the infinitive is a complement of a noun or adjective, the use of *à* or *de* is determined by the entire structure. (Sec. 1.8.2.)

Devoir has various shades of meaning dependent upon the tense used. It is most efficient for the student to learn these distinctions by noting their English translations, but he must then use *devoir* as much as possible to strengthen that "academic" knowledge and make it active.

There are two problems associated with causative constructions. First, students frequently do not recognize the type of construction required and tend to translate word for word rather than use the equivalent French construction: "to have something done" should not be translated with *avoir*, but rather with *faire* plus infinitive. Second, the complements of this verb phrase, particularly conjunctive pronoun complements, require special attention. *Laisser* and certain verbs of perception are similar to *faire* causative in the way they govern their complements.

REF GRAM SEC: 1.8.0–1.8.2, 1.17.1, 1.17.3, 1.17.4.

NOTES ON PRONUNCIATION

Many texts present only three nasal vowels (see [ã, ɔ̃] in Chapter 7), stating that since [œ̃] is not found in many words and is not pronounced distinctively by all Frenchmen, there is no reason to distinguish it from [ɛ̃]. We give both symbols with examples of each, because [œ̃] *is* still used by many Frenchmen and because one of the words in which it is found is of very high frequency (*un*).

[ɛ̃]: **Voici le Boulevard Saint-Michel.**
Il est bien gentil.
On a toujours cette impression.
Que j'ai faim !
J'irai rejoindre Nora.
[œ̃]: **Que veux-tu emprunter?**
Un échec n'est rien.
C'est un bon parfum.
Il viendra lundi.

DIALOGUE

En entrant dans une pièce, Georges trouve Pierre et Robert accoudés à la fenêtre.

GEORGES: Qu'est-ce que vous fabriquez?[1]

PIERRE: On s'amuse à regarder deux badauds[2] et à les voir gesticuler sans entendre ce qu'ils se disent. Venez voir, c'est drôle.

GEORGES: (*qui s'est accoudé entre les deux autres.*) Une vraie scène de film muet. On ne les entend pas parler, mais ils ont l'air d'être très agités. Qu'est-ce qu'ils regardent?

ROBERT: Je ne sais pas, car ce gros arbre nous cache la rue, mais s'ils restent là deux minutes de plus, vous allez voir un attroupement[3] se former.

PIERRE: Sûrement et, comme nous, les passants chercheront à voir ce que ceux-là regardent. Tenez, en voilà déjà un qui se retourne, après les avoir dépassés, qui s'arrête. Je parie[4] qu'il va revenir sur ses pas pour écouter nos badauds et avoir la même perspective qu'eux.

GEORGES: Gagné! Pierre, est-ce que vous avez déjà fait faire la même chose à des passants, en désignant quelque chose du doigt et en poussant des exclamations?

ROBERT: Bien sûr, et aussi sans qu'il y ait quoi que ce soit. Puis, au

[1] **fabriquez (qu'est-ce que vous fabriquez?)** *familiar* What are you doing?
[2] **badauds** people gaping, rubbernecks
[3] **un attroupement** a gathering crowd
[4] **je parie** I bet

moment où les autres, convaincus d'avoir vu ce qui n'existe pas, attirent à leur tour d'autres naïfs, on s'éclipse[5] . . . Tu te souviens, Pierre, quand, en plein Pont Saint-Michel, nous avons fait croire aux gens qu'il y avait un noyé dans la Seine?

PIERRE: Quelle rigolade![6] Et nous les avons laissé se démener[7] derrière nous sans avoir l'air de nous occuper d'eux.

GEORGES: Et comment vous en êtes-vous tirés?

ROBERT: Les gens étaient tellement absorbés qu'ils ne se sont pas rendu compte que nous leur laissions la place. Nous sommes allés de l'autre côté du pont pour voir combien de temps la plaisanterie[8] allait durer. Ils sont bien restés là cinq minutes, se remplaçant les uns les autres.

PIERRE: Et si, à force de regarder, ils avaient fini par y découvrir un noyé réel?

GEORGES: Ah! Ah! Vous vous arrangez toujours pour trouver un dénouement auquel personne n'avait pensé . . .

ROBERT: . . . et qu'il annonce comme si c'était la chose la plus naturelle du monde. Même moi qui le connais bien, il m'arrive d'être dérouté par ses trouvailles ou d'éclater de rire au moment où je devrais garder mon sérieux.

PIERRE: Evidemment dans ces cas-là, il me gâche tous mes effets.

GEORGES: Ce n'est pas pour rien que vous avez la réputation d'un pince-sans-rire.[9] Dites-moi, est-ce que vous avez toujours aimé mystifier[10] les gens?

ROBERT: Et comment! Personne n'était à l'abri de ses tours,[11] mais comme il dépassait rarement la mesure,[12] les rieurs étaient généralement de son côté. Et, au lycée, les professeurs fermaient les yeux. Ils avaient un faible[13] pour le brillant élève qu'il était.

GEORGES: Oui, vous en avez dû en faire de toutes les couleurs.[14] J'aimerais vous entendre raconter une de vos farces,[15] Pierre.

PIERRE: C'est rarement drôle après coup. Mais ça m'a toujours amusé de faire dire des bêtises à quelqu'un sans qu'il s'en rende compte. Ainsi, nous avions un camarade qui était pris de panique chaque fois

[5] **On s'éclipse** (s'éclipser) to slip away
[6] **rigolade** (**quelle rigolade!**) fun, huge joke
[7] **se démener** to toss about, to mill about
[8] **la plaisanterie** the joke
[9] **un pince-sans-rire** a person of dry humor (practical joker)
[10] **mystifier** to hoax; to fool s.o.; to mystify
[11] **tours** (**jouer des tours; à l'abri de ses tours**) exempted from his pranks
[12] **la mesure** (**il ne dépassait jamais la mesure**) He always knew where to stop.
[13] **un faible** (**ils avaient un faible pour . . .**) They were partial to . . .
[14] **couleurs** (**en faire de toutes les couleurs**) of all sorts
[15] **des farces** practical jokes, pranks

qu'il devait lire à haute voix. Il ne faisait alors aucune attention à ce qu'il disait. Et un jour qu'il lisait "Horace," la classe pouffa de rire, car on entendit: "Que vouliez-vous qu'il fît contre trois?" "Qu'il courût et qu'un grand abreuvoir[16] alors le secourût,"[17] parce que j'avais substitué sa feuille polycopiée.

[16] **un abreuvoir** watering place; trough
[17] "Horace" est une pièce de Pierre Corneille, et les deux vers dont il est question dans le texte sont "Que vouliez-vous qu'il fît contre trois?
Qu'il mourût!
"Ou qu'un beau désespoir alors le secourût."

ROBERT: Il faut dire que ce jour-là tu as eu droit à une retenue,[18] car nous avions un nouveau professeur qui n'admettait pas qu'on traite les classiques par-dessous la jambe.[19]

PIERRE: Oui, pour lui c'était un culte, et tout ce qui était postérieur au XVIIIe siècle n'était pas de la littérature. Il aurait dû vivre à une autre époque.

GEORGES: Et à propos de classiques, si nous nous remettions à la traduction?

QUESTIONS SUR LE DIALOGUE

1. Où trouve-t-on, généralement, des badauds?
2. Comment pouvez-vous provoquer un attroupement?
3. Comme "complice," pourquoi Pierre aurait-il le droit de se plaindre de Robert?
4. Qui est-ce qui s'était suicidé en se noyant dans la Seine?
5. Quand les professeurs de Pierre s'endormaient-ils en classe?
6. Comment savons-nous que la traduction qu'ils doivent faire n'est pas d'un texte actuel?
7. Pourquoi Georges parle-t-il de film muet et de quel film parle-t-il?

EXERCICES ORAUX

Exercice I: Dans l'exercice suivant remplacez la préposition qui unit les deux membres de la phrase, ou supprimez-la, s'il le faut. (Sec. 1.8.1-A.)

1. Elle n'a pas appris (à) *taper à la machine*
2. *J'ai refusé* " "
3. " " *porter plainte.*
4. *Il n'a pas voulu* " "
5. " " *se présenter au concours.*
6. *Je lui ai conseillé* " "
7. " " *avoir plus de respect pour les adultes.*
8. *Tu pourrais* " "
9. " " *nous raconter une petite histoire.*
10. *Vous aviez commencé* " "

[18] **une retenue** detention; "kept in after school"
[19] **par dessous la jambe** carelessly; without respect

11. *Vous avez commencé* *corriger la traduction.*
12. *Je vous avais demandé* " "
13. " " *vérifier cette affirmation.*
14. *Il faudrait* " "
15. " " *taper à la machine.*
16. *Elle a appris* " "

Exercice II: Transformez les phrases suivantes, en les commençant par le membre de phrase donné entre parenthèses, suivi ou non d'une préposition. (Sec. 1.8.1-A.)

EXEMPLE : Fera-t-il la critique de mon livre ? (Acceptera-t-il ?)
Acceptera-t-il de faire la critique de mon livre ?

1. Je ne les ai pas remerciés. (J'ai oublié.)
2. Nous travaillons depuis 8 heures du matin. (Nous avons commencé.)
3. Ne vous a-t-il pas répondu ? (S'est-il excusé ?)
4. Elle n'a aucune chance d'être reçue au concours. (Elle prétend.)
5. Est-ce que vous entraînez les nageurs ? (Vous a-t-on dit ?)
6. Nous n'y remettrons plus les pieds. (Nous nous sommes promis.)
7. Je regardais les passants. (Je m'amusais.)
8. Il l'emmènera au Luxembourg. (Elle lui a demandé.)
9. Vous ne dites pas ce que vous pensez. (Vous n'osez pas.)
10. Ils ont trop besoin l'un de l'autre. (Ils craignent.)

Exercice III: Dans les phrases suivantes, remplacez le complément du verbe par un pronom et mettez les phrases au passé composé. (Sec. 1.17.4.)

EXEMPLE : Ils ne laissent pas entrer *les visiteurs* sans leur demander leur nom.
Ils ne les ont pas laissé entrer sans leur demander leur nom.

1. J'emmène *votre fils* dîner en ville.
2. L'agent laisse passer *les militaires* avant les civils.
3. Ne vois-tu pas venir *la catastrophe* ?
4. Ils ne peuvent pas entendre siffler *le train* de si loin.
5. Il fait expédier *le courrier* juste avant que la poste ne ferme.
6. J'envoie *Jean* acheter des cigarettes au bureau de tabac du coin.
7. Je ne comprends pas comment vous pouvez écouter *ce guitariste* jouer pendant des heures.
8. Quel soulagement, je n'entends plus ronfler *Pierre.*
9. J'envoie *les enfants* jouer dehors car ils font trop de bruit.
10. L'éditeur fait traduire *mon livre* sans avoir de contrat signé.

RÉVISION DES VERBES IRRÉGULIERS (*écrire* et *rire*)

1. J'écris mes mémoires. Pourquoi riez-vous ? Nous ____ parce que vous écrivez vos mémoires.
2. Il écrit ses mémoires. Pourquoi ____-tu ? Je ____ parce qu'il ____ ses mémoires.
3. Pourquoi ____-ils ? Parce que nous ____ nos mémoires.
4. Est-ce que tu ____ parce qu'ils écrivent leurs mémoires ?

5. Pourquoi souriais-tu pendant que je décrivais la scène ? Je ____ parce que tu la ____ drôlement.
6. Pourquoi riiez-vous pendant que nous ____ la scène ?
7. Nous ____ parce que vous la décriviez drôlement.
8. Pourquoi ____-ils pendant qu'elle ____ la scène ?

9. Il avait écrit une pièce comique et sa femme n'a même pas ri en la lisant.

10. En combien de temps écririez-vous ce livre si on vous le commandait ? Nous l'____ en trois mois.
11. En combien de temps écrirais-tu ce livre si on te le commandait ? Je l'____ en trois mois.

12. Est-ce que vous ririez si nous vous disions que nous n'y avons rien pigé ? Non, nous ne ____ pas.
13. Est-ce que tu ____ si je disais que je n'y ai rien pigé ? Non, je ne ____ pas. Et lui, ____-il ?

14. Il n'est pas indispensable que tu écrives à la main.
15. Il n'est pas indispensable que nous ____ à la main.
16. Il n'est pas indispensable que j'écrive à la main.
17. Il n'est pas indispensable que vous écriviez à la main.
18. Il n'est pas indispensable qu'ils ____ à la main.

19. Faut-il que je sourie pour la photo ? Oui, il faut que tu souries.
20. Faut-il que nous souriions pour la photo ? Oui, il faut que vous souriiez.
21. Faut-il qu'elle ____ pour la photo ?

22. Ne riez pas devant lui. Inscrivez-vous au cours d'histoire.
23. Ne ris pas devant lui. ____-toi au cours d'histoire.
24. Ne ____ pas devant lui. ____-nous au cours d'histoire.

EXERCICES ÉCRITS

Exercice A: Répondez aux questions suivantes en vous servant des éléments du dialogue. Donnez des réponses aussi détaillées que possible.

1. Si les ponts étaient détruits, comment feriez-vous pour passer de la rive droite à la rive gauche d'un fleuve?
2. Il vous est sûrement arrivé de jouer un tour à quelqu'un. Racontez. Si vous n'en avez pas joué, racontez un tour qu'on vous a joué.
3. Lorsqu'on veut provoquer un attroupement, s'adresse-t-on à des gens pressés d'aller à leur travail? Pourquoi (pas)?
4. Dites en une ou deux phrases ce que c'est qu'un "pince-sans-rire" et donnez-en un exemple.
5. Que feriez-vous si vous aperceviez une personne en train de se noyer?

Exercice B: Complétez les phrases suivantes à l'aide du verbe *faire* suivi de l'infinitif du verbe employé dans la première partie. (Sec. 1.17.3.)

EXEMPLE: Comme je n'avais pas pu l'envoyer moi-même, je ____.
Comme je n'avais pas pu l'envoyer moi-même, *je l'ai fait envoyer par un garçon de bureau.*

1. Non, elle n'a pas encore récité, mais je (*futur*).
2. Le directeur n'a pas encore signé ces lettres; (*impératif, 2e pers.*) ____.
3. S'il a déjà appris la première leçon, vous ____.
4. Si tu ne peux pas les porter toi-même, par qui ____?
5. Comme je suis trop timide pour le lui demander personnellement, je ____.
6. Il ne peut pas se raser depuis qu'il s'est cassé le bras; il ____.
7. Comme ils ne voulaient pas sortir de bon gré, nous ____.
8. Si les cadeaux ne sont pas encore enveloppés, je ____.

Exercice C: Complétez les phrases suivantes à l'aide des deux verbes donnés entre parenthèses. Conjuguez l'un des deux verbes ou laissez les deux à l'infinitif selon ce qui convient à la phrase. Attention aux pronoms. (Sec. 1.17.3, 1.17.4.)

EXEMPLES: *a.* Elle voulait aller à ce bal, mais ses parents (laisser-sortir).
Elle voulait aller à ce bal, mais ses parents ne l'ont pas laissé sortir, parce qu'elle avait de la fièvre.

b. Elle voulait aller à ce bal, mais ses parents ont refusé (laisser-sortir).
Elle voulait aller à ce bal mais ses parents ont refusé de la laisser sortir car personne ne l'accompagnait.

1. Les enfants jouaient dans le jardin; j'étais assise à l'ombre et je (entendre-crier).
2. L'orateur parlait avec feu, ne restait pas en place et l'auditoire (regarder-aller et venir).
3. Deux personnes semblaient se disputer dans la rue; par la fenêtre nous (voir-gesticuler).
4. Ils ont demandé la permission de visiter le château, mais on (laisser-entrer).
5. Comme je n'avais pas trouvé de costume à ma mesure, je suis allé chez le tailleur pour (faire-faire).
6. Quand ma fille était au lycée, elle avait beaucoup de mal à apprendre la géographie et je devais (faire-réciter).
7. Elle a un élève qui n'a aucune oreille et il faut pourtant qu'elle (faire-chanter).
8. Certains étudiants ont fait un tel chahut pendant la conférence qu'on a dû (faire-sortir).
9. Il a vraiment le sens du comique et j'aimerais que vous (entendre raconter).
10. Vous n'êtes pas encore guéri, mais, si vous n'avez plus de fièvre, je (laisser-se lever).

Exercice D: Répondez aux questions suivantes, en faisant des phrases complètes. La réponse devra contenir une forme du verbe *devoir*. (Sec. 1.17.1.)

EXEMPLES: *a.* Pouvez-vous me prêter ce livre?
Non, car *je dois* le rendre demain à la bibliothèque.
b. Avez-vous invité Pierre et Robert?
Non, *j'aurais dû* le faire, mais j'ai oublié.

1. Est-ce que la dactylo retape le premier chapitre?
Non, car vous ____.
2. Est-ce que ce magasin lui fait encore crédit?
Non, car il ____.
3. J'avais rendez-vous avec lui à 4 heures. Pourquoi ne m'a-t-il pas reçu?
Parce qu'il ____.

4. Avez-vous pris un abonnement pour la saison?
   Non, nous ____.
5. Est-ce que vous passerez par Paris?
   Je ____.
6. Où sont mes lunettes? Je ne les vois nulle part.
   Vous ____.
7. Vous ont-ils déjà remboursé tous les frais?
   Non, ils ____.
8. Pourquoi ne sortez-vous pas avec nous?
   Parce que nous ____.
9. Pourquoi aurais-je des remords?
   Parce que vous ____.
10. J'ai eu 14 sur 20 en anglais. Etes-vous content?
    Non, tu ____.

Exercice E: (Passage du discours indirect au discours direct.) Transposez les paragraphes suivants au discours direct, sous forme de lettre. Commencez par la date, et adressez la lettre à un ami: *Mon cher "X"*. . . . Terminez la lettre par les salutations d'usage: *Bien à vous* (*à toi*) et votre signature. Attention aux temps (certains ne doivent pas changer).

Vous avez écrit que vous veniez de découvrir ce qu'était le "poisson d'avril"[18], que vous preniez jusqu'à maintenant pour un aliment saisonnier, et que vous l'aviez découvert à vos dépens.

Vous avez raconté qu'hier vous étiez avec deux de vos camarades français qui se plaignaient de ne pas avoir de smoking pour les grandes occasions et que vous aviez spontanément offert de prêter le vôtre à celui qui en aurait besoin, mais qu'ils vous avaient regardé comme si vous tombiez de la lune et qu'après avoir réfléchi vous vous étiez rendu compte que vous aviez au moins trente cm de plus qu'eux et que vous aviez tous éclaté de rire en imaginant l'allure qu'ils auraient.

Vous avez continué en disant que l'un d'eux vous avait alors proposé, comme s'il venait tout juste d'en avoir l'idée, de vous laisser accompagner Geneviève, une ravissante jeune fille, au gala que les étudiants de l'université de Passy (dont vous n'aviez jamais entendu parler) organisaient au bénéfice des orphelins de Paris.

Vous avez ensuite dit que vous lui aviez fait remarquer que vous ne connaissiez cette jeune fille que de vue et qu'il n'y avait aucune raison pour qu'elle accepte l'invitation, et qu'à l'entendre parler on aurait pu

18 April Fool's day trick.

penser que la pauvre fille n'avait jamais l'occasion de sortir et d'aller danser et qu'il vous alors avait répondu que c'était justement pour ne pas la laisser sortir avec un garçon qu'il détestait qu'il l'avait invitée, il y avait déjà quinze jours, espérant qu'entre temps il trouverait quelqu'un qui pourrait lui prêter un smoking et que c'était un service que vous lui rendiez d'y aller à sa place.

Vous avez continué en disant que vous vous étiez finalement laissé convaincre parce que c'était une occasion unique de faire la connaissance de Geneviève et qu'à l'heure dite (votre camarade vous avait dit que la jeune fille n'avait pas le téléphone et qu'il se chargeait de l'avertir que vous l'attendriez devant chez elle à 9 heures) vous vous étiez présenté en taxi; que pendant une demi-heure le chauffeur de taxi n'avait pas cessé de rouspéter et de dire qu'il perdait de l'argent à attendre et que, pour qu'il se taise, vous aviez dû lui promettre un généreux pourboire. Vous avez ajouté qu'à 9 heures et demie vous aviez décidé d'aller voir pourquoi Geneviève tardait tant et qu'en entrant dans l'immeuble vous aviez trouvé vos deux farceurs en train de se tordre de rire, assis sur une marche de l'escalier et qu'ils avaient alors crié: "Poisson d'avril!"

Vous avez terminé en disant que vous aviez d'abord été furieux et vexé mais qu'ils vous avaient calmé en vous expliquant que le premier avril était le jour des farces.

Vous avez alors expliqué (dans vos propres termes) en quoi cette farce avait consisté.

CHAPTER 9

Impersonal Constructions, *Ce* or *Il* + *Etre* + Adjective + Infinitive, Negative Constructions (Part I): Negative Particles

REVIEW NOTES

Impersonal is a convenient term used by grammarians to designate constructions in which the verb is always in the third-person-singular form and the logical subject is not explicitly mentioned. Impersonal constructions are more common in French than in English and you must avoid, for example, using a personal construction as the equivalent of "I have something to do" instead of, *Il me reste à faire quelque chose.*

A particular set of impersonal constructions consists of sentences composed of *ce* or *il* with the verb *être* plus an adjective followed by *à* or *de* and an infinitive. Usage is not consistent, so although we suggest you obey the following "rule," do not be surprised to see and hear other constructions. Rule: Use *ce* and *à* when the infinitive does not take a complement; use *il* and *de* when it does.

C'est facile à faire.
Il est difficile de faire une traduction sans dictionnaire.

The negative particles in French are *ne*, which is regularly found at the beginning of the predicate (verb phrase) of negative sentences, and a number of other particles which have more specific meanings and can fulfill other syntactic functions, such as subject, object, adverbial modifier. The exercises in this chapter are meant to help you recall the many particles and their meanings and uses.

REF GRAM SEC: 1.8.2, 3.0.0–3.2.4, 9.3.0–9.3.2.

NOTES ON PRONUNCIATION

When an instructor says, "Don't diphthongize in French," he is insisting, quite rightly, that the American student avoid American

English patterns in producing vowel sounds. French [i] and [e], for example, are *not* pronounced like the "vowels" of *clean* or *eight*, which are more nearly [ij] and [ej]. However, there are legitimate diphthongs in French, that is, sequences of vowel plus semivowel or semivowel plus vowel. The semivowels are [w, ɥ, j]. [w] is a comparatively lax transitional sound similar to [u] with marked lip rounding; [ɥ] is a more tense sound, similar to [y]; [j] is similar to [i] with an obvious palatal feature: you can feel the top of your tongue touching the palate (roof of the mouth).

[w] **Oui, monsieur.**
Du moins je le croyais.
Mes amies se moquent de moi.
mademoiselle
(*This semivowel is found only* before *a vowel, thus producing a "rising diphthong."*)

[ɥ] **Il y en a huit.**
Il arrive aujourd'hui.
Ne te compare pas à lui.
N'oubliez pas le "e" muet.
(*Also only before a vowel.*)

[j] **C'est une jeune fille très fière.**
Je te conseille de te taire.
Nous t'attendions pour dîner.
les Nations Unies[1]
(*Found either before a vowel—rising diphthong, or after a vowel—falling diphthong.*)

DIALOGUE

Yvonne vient de rentrer et sa mère l'interpelle aussitôt.

MAMAN: Pourquoi rentres-tu si tard?

YVONNE: Mais maman, il n'est que 7 heures et quart! Tu me surveilles comme si j'avais dix ans. J'ai trouvé Claude à la sortie de[2] la fac[3] et nous avons bavardé en marchant. C'est curieux de voir combien nous différons sur presque tous les problèmes.

MAMAN: Ne change pas de sujet. Tant que tu fais tes études, j'entends[4] que tu aies des heures régulières et que nous sachions à quelle heure tu rentres et où tu vas. Nous t'attendions pour dîner et ton père est furieux.

YVONNE: Pourquoi si tôt? Je ne pouvais pas deviner qu'aujourd'hui on se mettrait à table avant l'heure, et tu ne m'avais rien dit.

[1] Be sure to avoid the English sound [š] before this [j]. This *tion* sequence is pronounced [sjɔ̃].
[2] **à la sortie de** on the way out; coming out of; by the door
[3] **la fac** *familiar*, faculté
[4] **j'entends (j'entends que tu aies . . .)** I expect you to . . .; I mean for you to . . .

MAMAN: Comme tu rentres d'habitude à 6 heures, il n'était pas nécessaire de te le dire, du moins je le croyais. J'insiste, Yvonne, pour que ton horaire soit stable.

YVONNE: Il m'est impossible de travailler comme ça. J'ai souvent besoin d'aller à la bibliothèque et je ne peux pas calculer d'avance combien de temps j'y passerai.

MAMAN: Aujourd'hui ce n'était pas la bibliothèque, alors?

YVONNE: Mais enfin, maman, à 19 ans il est normal d'avoir une certaine liberté. Toutes mes amies se moquent de moi, car je répète tous les jours: "Il faut que je rentre, maman m'attend." Quant aux garçons, ils s'imaginent que c'est un prétexte pour les éviter.

MAMAN: Tu pourras penser aux garçons quand tu auras ta licence.[5] C'est dommage d'avoir à te rappeler ce que ton père pense de l'éducation mixte. Je te conseille donc de ne pas provoquer de discussion.[6]

YVONNE: (*qui a les larmes aux yeux.*) Jamais je n'arrive à avoir raison dans cette maison. Si Denis était là, il prendrait au moins mon parti.[7]

MAMAN: Ne te compare pas à ton frère. Pour un garçon ce n'est pas la même chose. Moi, à ton âge, j'étais encore en pension et la discipline était bien plus stricte que celle que nous t'imposons.

YVONNE: Tu me parles toujours de ce que c'était quand tu étais jeune, comme si rien ne changeait. A ton époque, d'ailleurs, les filles poursuivaient rarement leurs études et ne pensaient qu'à se marier et à devenir des femmes d'intérieur[8] accomplies.

MAMAN: Ne me fais pas rire. Les temps changent peut-être, mais le mariage n'en reste pas moins la préoccupation essentielle des jeunes filles. Je dirais même qu'elles se marient plus jeunes.

YVONNE: En tout cas ce n'est plus le seul but. Tu vois des quantités de femmes qui, ayant une profession et leur indépendance matérielle, n'ont pas besoin de se précipiter dans les bras du premier prétendant[9] venu. Elles peuvent faire un mariage d'amour et non de convenance.

[5] **licence** La licence est le premier grade (titre, diplôme) que l'on obtient dans une université. Pour la durée des études, elle devrait correspondre au B.A. américain; pour les débouchés professionnels, elle devrait correspondre au M.A. américain. En fait, elle se situe entre les deux, car les universités françaises sont composées de "graduate schools," donc sont spécialisées dès le début. L'enseignement général se termine au lycée et est sanctionné par le baccalauréat (bachot, bac). Ainsi, lorsqu'un étudiant pourvu d'un baccalauréat français entre dans une université américaine, il est, en principe, admis en 3e année. On obtient la licence en trois ou quatre ans d'études universitaires, selon la spécialisation choisie.

[6] **discussion** argument

[7] **parti; prendre le parti de quelqu'un** to take s.o.'s side

[8] **femme d'intérieur** housewife

[9] **prétendant** suitor; **le premier prétendant venu** any old suitor

MAMAN: On croirait lire un article de revue féminine, en t'entendant. Toi qui cites si souvent les statistiques, tu devrais savoir que le nombre de jeunes filles qui ne terminent pas leurs études, pour cause de mariage, est très élevé. D'ailleurs, comme il est de plus en plus difficile de trouver des bonnes ou des femmes de ménage, quand elles se marient, il faut tout de même qu'elles s'occupent de leur foyer, donc qu'elles aient appris à le faire.

YVONNE: Oui, mais avec les appareils électro-ménagers . . .

VOIX DU PÈRE: Alors, est-ce qu'on passe à table? Non seulement mademoiselle se fait attendre, mais encore elle discute. Quelle époque!

QUESTIONS SUR LE DIALOGUE

1. Quel moyen de locomotion (de transport) Yvonne a-t-elle pris pour rentrer chez elle?

2. N'est-il pas bizarre qu'une fille de dix ans parle de la fac? Pourquoi?
3. Si le père d'Yvonne avait pu décider, où celle-ci aurait-elle fait ses études?
4. Pourquoi Yvonne tient-elle à éviter les garçons?
5. En quoi la situation des jeunes filles a-t-elle changé d'une génération à l'autre?
6. Pourquoi la mère d'Yvonne veut-elle que sa fille soit une maîtresse de maison accomplie?
7. Est-ce qu'Yvonne est fille unique?

EXERCICES ORAUX

Exercice I: Répondez aux questions suivantes à l'aide des expressions neutres ou impersonnelles *c'est* ou *il est*, suivies d'un adjectif et d'une préposition. Le verbe de la question servira d'infinitif. (Sec. 1.8.2.)

EXEMPLE: Pourquoi le portez-vous sur l'épaule? (plus commode . . . comme ça)
Parce que c'est plus commode à porter comme ça.

1. Pourquoi ne jettes-tu pas ces vieux journaux? (dommage)
2. Pourquoi ne passes-tu pas par Andorre? (impossible . . . en hiver)
3. Pourquoi ne lui dites-vous pas ce que vous pensez? (difficile)
4. Pourquoi manipule-t-il cet appareil avec tant de soins? (dangereux . . . sans précautions)
5. Pourquoi n'insistent-ils pas pour l'obtenir? (inutile)
6. Pourquoi ne l'enverrions-nous pas au bord de la mer? (préférable . . . à la montagne)
7. Pourquoi ne le faites-vous pas comme moi? (plus facile . . . de cette façon)
8. Pourquoi ne s'installe-t-on pas sur la pelouse? (interdit)

Exercice II: Faites les phrases suivantes, au temps et à la forme indiqués entre parenthèses, et en faisant suivre les expressions impersonnelles d'une préposition, s'il y a lieu.

EXEMPLE: Me sembler/les avoir déjà rencontrés quelque part. (affirmatif/imparfait)
Il me semblait les avoir déjà rencontrés quelque part.

1. Valoir mieux/ne pas s'en mêler. (affirmatif/imparfait)
2. Falloir/se faire trop d'illusions. (négatif/conditionnel)

3. Vous arriver/oublier le nom de quelqu'un que vous connaissez bien? (interrogatif/passé composé)
4. Suffire/lire le résumé pour juger l'œuvre. (négatif/présent)
5. Nous rester/lui annoncer la date de nos fiançailles. (affirmatif/futur)
6. Convenir/être prudent quand on conduit sous la pluie. (affirmatif/présent)
7. Importer peu/perdre une bataille si l'on gagnait la guerre. (affirmatif/conditionnel)
8. Faire bon/rentrer chez soi après une longue absence. (affirmatif/présent)
9. Te plaire/passer deux semaines dans une île déserte. (interrogatif/conditionnel)
10. Valoir mieux/les laisser faire à leur guise. (conditionnel/interrogatif)

Exercice III: Complétez les phrases suivantes à l'aide des expressions données entre parenthèses.

EXEMPLE: Yvonne croyait que René n'avait plus de cours à la faculté, mais —— (encore).
Yvonne croyait que René n'avait plus de cours à la faculté, mais il en avait encore.

1. J'avais peur de n'avoir plus de cigarettes, mais ____ (encore).
2. Il prétend qu'il ne fait jamais de fautes d'orthographe, mais ____ (toujours).
3. Nous avions l'impression que son travail ne l'intéressait guère, mais il affirme ____ (beaucoup).
4. Je croyais qu'il n'avait pas encore posté le courrier, mais ____ (déjà).
5. Il n'y a généralement personne au bureau à l'heure du déjeuner, mais aujourd'hui ____ (quelqu'un).
6. Je n'avais pas faim et je ne voulais rien prendre, mais elle a insisté pour ____ (quelque chose).
7. Raymond croyait que Charles n'avait pas encore lu ce roman, mais ____ (déjà).
8. Avant qu'il ne reçoive le prix Goncourt, personne ne le connaissait, mais maintenant (tout le monde).
9. Quand nous habitions en province, nous n'allions jamais au théâtre, mais maintenant ____ (souvent).
10. Comme je lui avais préparé la liste, j'espérais qu'il n'oublierait rien, mais je me suis rendu compte ____ (tout).

Exercice IV: Répondez négativement aux questions suivantes, à l'aide des éléments de négation correspondant aux mots en italiques, dans les questions.

EXEMPLE: Avez-vous *déjà* parlé à Yvonne?
Non, je *ne* lui ai *pas encore* parlé.

1. Est-ce qu'elle joue *encore* du piano?
2. Avez-vous *quelque chose* à ajouter?
3. Est-ce que vous attendez *quelqu'un*?
4. Est-ce qu'elle a *beaucoup* de temps libre?
5. Est-ce que *quelqu'un* a corrigé l'erreur de typographie?
6. Vont-elles *quelquefois* au concert?
7. Est-ce que la date de la conférence est *déjà* fixée?
8. Est-ce qu'il vous manque *encore quelque chose*?
9. Est-ce qu'ils ont *déjà* reçu ce livre à la bibliothèque?
10. Regardez bien, est-ce que vous voyez *quelque chose* de bizarre?

RÉVISION DES VERBES IRRÉGULIERS (*recevoir* et *ouvrir*)

1. Quand tu reçois un télégramme, l'ouvres-tu avec appréhension? Oui, quand j'en ____ un, je l'____ avec appréhension.
2. Quand vous recevez un télégramme, l'____ avec appréhension? Oui, quand nous en ____ un, nous l'ouvrons avec appréhension.
3. Quand ils reçoivent un télégramme, l'____-ils avec appréhension?
4. Le 1er juin nous ouvrions l'hôtel et nous recevions les premiers clients.
5. Le 1er juin, j'____ l'hôtel et je ____ les premiers clients.
6. Le 1er juin, vous ____ l'hôtel et vous ____ les premiers clients.
7. Le 1er juin, ils ouvraient l'hôtel et ils ____ les premiers clients.
8. S'il découvrait que vous l'avez trompé, il en souffrirait.
9. Si je découvrais qu'il m'a trompé, j'en ____.
10. Si vous découvriez qu'il vous a trompé, vous en ____.
11. Si nous ____ qu'il nous a trompés, nous en souffririons.
12. Si je recevais mon héritage, j'ouvrirais une galerie d'art.
13. Si nous ____ notre héritage, nous ____ une galerie d'art.
14. Si elle ____ son héritage, elle ____ une galerie d'art.
15. Si vous receviez votre héritage, ouvririez-vous une galerie d'art?

16. Hier j'ai aperçu Colette et j'ai découvert qu'elle habitait mon quartier.
17. Si les calculs sont faux,
    il vaut mieux que je m'en aperçoive et que je découvre l'erreur.
    il vaut mieux que vous vous en ____ et que vous découvriez l'erreur.
    il vaut mieux que nous nous en apercevions et que nous ____ l'erreur.
    il vaut mieux que tu t'en ____ et que tu ____ l'erreur.
18. Nous ouvrirons le bureau à 8 heures et nous recevrons les premiers arrivés.
19. Vous ouvrirez le bureau à 8 heures et vous recevrez les premiers arrivés.
20. J'ouvrirai le bureau à 8 heures et je ____ les premiers arrivés.
21. Nous ____ le bureau à 8 heures et nous recevrons les premiers arrivés.
22. Tu ouvriras le bureau à 8 heures et tu ____ les premiers arrivés.
23. Ils ouvriront le bureau à 8 heures et ils ____ les premiers arrivés.
24. Recevez-le sans cérémonie. Ouvrez la fenêtre.
25. Reçois-le sans cérémonie. Ouvre la fenêtre.
26. Recevons-le sans cérémonie. Ouvrons la fenêtre.

EXERCICES ÉCRITS

Exercice A: Répondez aux questions suivantes, en utilisant les éléments du dialogue. Donnez des réponses aussi détaillées que possible.

1. Si vous étiez à la place des parents d'Yvonne, quelles libertés lui laisseriez-vous?
2. A quoi correspond une faculté *française* dans une université américaine et quel est le sens de "faculté" pour vous?
3. Quel est votre emploi du temps habituel durant l'année scolaire?
4. Quelle discipline vos parents vous imposent-ils?
5. Décrivez la bibliothèque de votre université et dites ce que vous devez faire pour y emprunter des livres.
6. Pourquoi vos parents approuvent-ils (ou n'approuvent-ils pas) l'éducation mixte?

Exercice B: Répondez aux questions suivantes à l'aide de *c'est* ou *il est* et de l'adjectif donné entre parenthèses. Vous compléterez la phrase par un verbe à l'infinitif que vous ferez suivre, s'il le faut, d'un complément. (Sec. 1.8.2.)

EXEMPLES: *a*. Pourquoi le cachez-vous? (beau)
Parce que ce n'est pas beau à voir.
b. Pourquoi ne racontes-tu pas une autre anecdote? (bon)
Parce qu'il est bon de savoir s'arrêter à temps.

1. Pourquoi prenez-vous le train? (impossible)
2. Pourquoi ralentit-on avant un tournant? (dangereux)
3. Pourquoi restes-tu à la fenêtre? (amusant)
4. Pourquoi ne le résout-il pas par l'arithmétique? (plus facile)
5. Pourquoi n'achetez-vous pas de costumes tout faits? (préférable)
6. Pourquoi ne lui en parlerait-il pas? (trop difficile)
7. Pourquoi conduisez-vous si lentement? (inutile)
8. Pourquoi ne laissons-nous pas la voiture devant la maison? (interdit)
9. Si tu as un permis de conduire américain, pourquoi en demandes-tu un autre? (obligatoire)
10. Pourquoi ne nous faites-vous pas ce plat-là? (trop long)

Exercice C: Répondez négativement aux questions suivantes, en utilisant les éléments de négation correspondant à la question, et complétez la réponse, que vous donnez, par une explication, comme dans l'exemple.

EXEMPLE: Est-ce que vous prenez quelque chose avant le déjeuner?
Non, je ne prends rien, *car les apéritifs me . . . coupent l'appétit.*

1. Est-ce que quelqu'un a remarqué la gaffe que j'ai faite?
2. Est-ce qu'elle a encore de la fièvre?
3. Est-ce que les parents d'Yvonne sont déjà passés à table?
4. M. Denis a-t-il finalement déposé une plainte en diffamation?
5. Est-ce que vous regardez parfois les actualités télévisées?
6. Est-ce qu'on voit beaucoup de bicyclettes dans les rues de New York?
7. Est-ce qu'on peut encore mettre une lettre à la poste après 7 heures?
8. Est-ce que tu as demandé conseil à quelqu'un pour savoir ce que tu devais faire?
9. Avec tout ce qu'il nous a acheté, est-ce que nous ne lui devons pas quelque chose?
10. Est-ce que vous êtes allés au Luxembourg avec René et Julie?

Exercice D: (Exercice de composition.) Les paragraphes suivants se composent (sous forme de dialogue) de ce qui est dit par la directrice d'un foyer de jeunes filles, à Paris. Imaginez ce que Sally, une jeune américaine à laquelle la directrice s'adresse, répondrait (à la première personne, et au discours direct, bien entendu).

LA DIRECTRICE: Nous ne pouvons pas accepter que vous sortiez seule, le soir, tant que vous ne nous apporterez pas une autorisation écrite de vos parents.

SALLY: [*Sachant que les parents de Sally sont aux Etats-Unis et que celle-ci a une invitation pour ce soir, imaginez la réponse détaillée qu'elle donne.*]

LA DIRECTRICE: Nous regrettons beaucoup, mais c'est le règlement. Si nous faisions une exception pour vous, nous n'aurions plus droit à la confiance des parents qui nous envoient leurs filles.

SALLY: [*Donnez la réponse de Sally, sachant que ses parents ont toute confiance en elle et que, dans sa ville natale (donnez le nom d'une ville américaine), elle sort sans chaperon.*]

LA DIRECTRICE: Ce que vous faites à "X" n'est pas de notre ressort. Ici, vous devez faire comme les autres et vous astreindre à la même discipline. D'ailleurs vos parents savaient parfaitement à quoi s'en tenir puisque nous leur avions envoyé notre prospectus.

SALLY: [*Expliquez pourquoi (à votre avis) les parents de Sally n'ont pas pris connaissance du prospectus contenant les règlements, et pourquoi (toujours à votre avis) ils ont choisi ce foyer plutôt qu'un autre.*]

LA DIRECTRICE: Inutile de prolonger cette discussion. Pour aujourd'hui il faudra que vous téléphoniez à la personne avec laquelle vous deviez sortir et que vous vous décommandiez.

SALLY: [*Pourquoi Sally ne peut-elle pas prévenir la personne en question et pourquoi tient-elle tellement à ne pas perdre cette soirée? (Toujours d'après vous.)*]

En commentaire à ce dialogue, dites si vous croyez que la directrice finit par céder et si elle laisse sortir Sally. Dites aussi ce que vous feriez si vous étiez à la place de Sally.

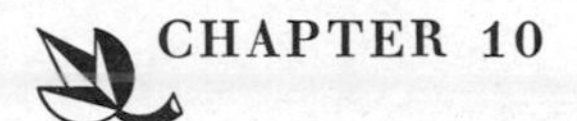

CHAPTER 10

Negative Constructions (Part II): *Ne . . . que*, Multiple Negatives, Order of Negatives; *Tout*

REVIEW NOTES

The negative-restrictive construction, *ne . . . que*, is used to express the equivalent of English *only* by placing *que* in front of an item that *is not negated* (all except this). The interesting thing about this construction is that *que* can precede many types of complements: nouns, adjectives, infinitives, adverbial modifiers. (*Seulement* also translates the English *only* but it is not always interchangeable with *ne . . . que*.)

The rule for multiple negatives is simple: *pas* prohibits the use of any other negative (except for *que* in *pas que*), while all others may be used in any logical combination of two or more. (*Ne* is not counted here among the negatives for the "multiple negative" rule.)

The order that negative particles take in the sentence is generally dictated by their principal syntactic function (that is, subject, object, adverbial modifier), but there are some complications in compound tense constructions. (Sec. 3.3.0.)

The one lexical item, *tout*, has many uses and is very common. As an adjective, it is peculiar in that it precedes the determiner (*tous mes amis*, *toute la journée*) or functions itself as a determiner (*à tout moment*). As a pronoun, it functions regularly, but the plural form *tous* is pronounced [tus], whereas the adjective, masculine plural form, is pronounced [tu]. When the antecedent of the pronoun is not known or is indefinite, the form is regularly *tout*. As an adverb, it is normally invariable (*tout essoufflée*), but it takes a feminine ending before a feminine adjective beginning with a consonant, including aspirate *h* (*toute honteuse*).

REF GRAM SEC: 3.2.3–3.4.0, 9.5.0.

NOTES ON PRONUNCIATION

In Chapters 10–14, we shall be considering all the French consonants. It is true that *r* is the only unfamiliar sound for American students, but there are a few special points about certain consonants that should be mentioned, and, in general, it is worthwhile to recall that the pronunciation of all French consonants is noticeably affected by the fact that the French speaker is physically preparing for the pronunciation of the following vowel as he pronounces a consonant. You may greatly improve your pronunciation simply by remembering this fact.

The voiceless stops [p, t, k] (vocal cords not vibrating; air flow stopped completely, then released), are the same ones as in English. The most important difference between French and American English for these sounds is that initial stops in French are *not* aspirated, that is, when the air is released, it is not "exploded."

[p] **Et vous n'avez pas réclamé?**
Je vous en prie, monsieur.
C'est le nouveau pape.
Il a fait appel au peuple.
[t] **C'est un grand homme.**
Et sans ticket, en plus!
Elle porte une étiquette.
C'est une petite valise.
[k] **Jetez un coup d'œil.**
C'est un grand lac.
Et vous n'avez pas réclamé?
Ça commence bien!

DIALOGUE

Claire, une jeune Américaine, vient d'arriver chez les Lebon, où elle va passer six mois au pair,[1] *en donnant des leçons à leur fille.*

Il y a eu erreur sur la date d'arrivée et personne n'est allé l'attendre à la gare. Seule Mme Lebon est présente. Les premières explications données, Claire raconte sa mésaventure: une de ses valises s'est perdue entre le débarquement au Havre et l'arrivée chez les Lebon.

MME LEBON: Et vous n'avez pas réclamé?
CLAIRE: Non, car je ne m'en suis aperçue qu'en descendant du taxi.
MME LEBON: Alors il faut tout de suite retourner à la gare.
CLAIRE: Oh! madame, jamais je ne saurais à qui m'adresser.
MME LEBON: Ne vous inquiétez pas; je vais vous accompagner.

[1] **au pair** with board and lodging, but no salary

CLAIRE: Ça commence bien ! A peine arrivée, je vous dérange déjà.

MME LEBON: Ce n'est rien du tout. D'ailleurs, si nous avions été là comme convenu,[2] vous ne vous seriez pas affolée[3] et vous auriez pensé à compter vos valises. Laissez-moi seulement téléphoner à mon mari. Il serait étonné de ne pas me trouver en rentrant . . .

CLAIRE: . . . Et surpris par cette invasion de valises dans le couloir.

MME LEBON: (*riant.*) C'est vrai que vous voyagez comme une vedette de cinéma.

CLAIRE: Bien contre mon gré, je vous assure. Maman avait tellement peur d'oublier quelque chose qu'elle n'a guère laissé de vêtements dans ma chambre.

MME LEBON: Je me demande comment tout cela a tenu dans un taxi.

CLAIRE: Ça n'a pas été sans mal et le chauffeur m'a fait toute une histoire,[4] mais je l'ai finalement attendri par la promesse d'un bon pourboire. (*Mme Lebon va téléphoner, puis revient.*)

MME LEBON: Eh bien ! allons-y. (*Elles arrivent au bureau de la consigne*[5] *de la gare, et s'adressent à l'employé.*)

MME LEBON: (*à l'employé.*) Dites-moi, monsieur, cette jeune fille a égaré une de ses valises. Elle est arrivée par le train transatlantique à trois heures.

L'EMPLOYÉ: Et c'est maintenant que vous venez ! Il est 6 heures et demie et c'est l'heure de la fermeture. Vous n'avez qu'à revenir demain matin.

CLAIRE: Oh ! je vous en prie, monsieur. C'est justement la valise qui contient mes affaires de toilette.

MME LEBON: Allons, soyez gentil. Si vous nous laissez jeter un coup d'œil, il est possible que nous la trouvions tout de suite. D'ailleurs nous n'avons pas de ticket de consigne pour le numéro.

L'EMPLOYÉ: Et sans ticket, en plus ! Ah ! ces femmes ! Enfin, passez. Et la reconnaîtrez-vous cette valise parmi toutes les autres ?

CLAIRE: Facilement. Elle est en cuir gris et porte une étiquette avec mon nom.

L'EMPLOYÉ: Bon, bon. Mais faites vite. (*Claire, après avoir regardé de tous côtés, se précipite sur une petite valise.*)

CLAIRE: La voilà ! Quel soulagement !

MME LEBON: Oui, vous avez de la chance. Je craignais que quelqu'un ne l'ait emportée par erreur ou qu'elle ne soit restée à quai.

[2] **comme convenu** as agreed
[3] **vous ne vous seriez pas affolée** you would not have been in a panic
[4] **il a fait toute une histoire** he made a big fuss
[5] **la consigne** cloak-room; baggage room

CLAIRE: Moi aussi.

MME LEBON: (*à l'employé.*) Vous voyez, ça n'a pas été long.

L'EMPLOYÉ: Une petite seconde, s'il vous plaît. Pouvez-vous démontrer que c'est votre valise?

CLAIRE: Certainement, voici mon passeport.

L'EMPLOYÉ: Ça va. Vous n'avez plus qu'à signer ici.

CLAIRE: Voilà, c'est fait. Merci encore, et au revoir, monsieur.

QUESTIONS SUR LE DIALOGUE

1. Quel salaire Claire a-t-elle demandé pour son travail chez les Lebon?
2. Comment savez-vous que M. Lebon a l'habitude de trouver sa femme en rentrant chez lui?
3. Par quelle ligne d'avion Claire est-elle arrivée en Europe?

4. Dans une gare ou un aéroport, comment peut-on reconnaître un acteur (ou une actrice) connu?
5. Pourquoi était-il difficile que quelqu'un confonde la valise de Claire avec les siennes?
6. Pourquoi Claire n'est-elle pas allée tout de suite à la consigne?

EXERCICES ORAUX

Exercice I: Refaites les phrases suivantes, en remplaçant *seulement* par *ne . . . que*. (Sec. 3.2.3.)

EXEMPLE: J'emporte seulement mon passeport.
Je n'emporte que mon passeport.

1. Il a seulement lu le premier chapitre.
2. Au Louvre, nous avons seulement vu les peintres de l'Ecole française.
3. Le mariage se célébrera dans l'intimité; nous inviterons seulement les proches parents.
4. Mes élèves étudient seulement avant les examens.
5. Paul passera seulement deux semaines en Italie.
6. Nous avons seulement besoin de deux chambres.
7. Il est trop jeune pour conduire; il a seulement 15 ans.
8. Charles lisait seulement les livres de la "série noire."
9. Christine ne faisait plus rien; elle pensait seulement à son voyage.
10. L'auteur a choisi cette situation seulement pour illustrer sa thèse.

Exercice II: Mettez les phrases suivantes à la forme négative. (Attention à l'article.) (Sec. 4.3.3–B–2.)

1. Il cherche du travail.
2. Nous avons encore des disques à 78 tours.
3. Ils font du bruit en montant l'escalier.
4. Je lui ai offert des cigarettes.
5. Il donne des leçons particulières.
6. Il fait du vent ce matin.

Exercice III: Mettez les phrases suivantes au passé composé. (Sec. 3.3.0.)

1. Le journal ne publie pas ses articles.
2. Nous ne sommes jamais en retard.
3. Personne ne comprend cette histoire.

4. Je ne leur demande rien.
5. Ils n'ont pas encore de nouvelles de Christine.
6. Je ne dis que la vérité.

Exercice IV: Mettez les phrases suivantes à la forme interrogative. (Sec. 3.3.0.)

1. Tu n'arrives plus jamais à l'heure.
2. Ils ne reçoivent plus personne après 5 heures.
3. Elle n'a plus rien à dire.
4. Ses déclarations n'ont eu aucune influence.
5. Tu ne les as plus revus.
6. M. et Mme Lebon ne sont pas allés chercher Claire à la gare.
7. Il ne vous en a plus jamais reparlé.
8. Elle n'a plus aucune raison de s'inquiéter.

Exercice V: Dans les phrases suivantes remplacez les mots en italiques par la forme de *tout* donnée entre parenthèses. Faites les changements nécessaires. Ajoutez ou supprimez des mots, s'il y a lieu.

EXEMPLES: *a.* J'ai interrogé *quelques-uns* de mes collègues. (tous)
J'ai interrogé tous mes collègues.
b. Il n'en connaissait *aucune.* (toutes)
Il les connaissait toutes.

1. Il n'a peur de *rien.* (tout)
2. Elle voulait que nous visitions les musées ensemble, car je n'en connaissais *aucun.* (tous)
3. Dans ce roman, *rien* n'est clairement défini. (tout)
4. *Personne* ne savait de quoi il s'agissait, sauf moi. (tout le monde)
5. Vous n'avez *aucune* raison de lui en vouloir. (toutes)
6. Il n'a prévenu *ni les uns ni les autres.* (tous)
7. Je ne me souvenais pas du *premier mot* de la fable. (toute)
8. Il n'a pas dormi *de* la nuit. (toute)
9. Est-ce que vous les ferez passer *un par un*? (tous ensemble)
10. *Rien* ne lui fait plaisir. (tout)
11. Il ne tutoie que *quelques-unes* de ses camarades. (toutes)
12. Ces réprimandes ne s'adressent à *aucun* de vous. (tous)

RÉVISION DES VERBES IRRÉGULIERS (*dormir*, *partir* et *sentir*)

1. Qu'est-ce que tu as? Je sens que je m'endors.
2. Qu'est-ce qu'elle a? Elle ____ qu'elle s'____.

3. Qu'est-ce que vous avez ? Nous sentons que nous nous ____.
4. Qu'est-ce qu'ils ont ? Ils ____ qu'ils s'endorment.
5. Avant l'opération, j'ai senti qu'on me faisait une piqûre, et tout de suite après, je me suis endormi.
6. Je dormirai encore quand tu partiras.
7. Vous dormirez encore quand nous partirons.
8. Elle dormira encore quand ils ____.
9. Tu ____ encore quand je ____.
10. Est-ce que tu dormirais plus tranquille si je partais avec eux ? Oui, je ____ plus tranquille si tu ____ avec eux.
11. Est-ce que vous ____ plus tranquille si nous partions avec eux ? Oui, nous dormirions plus tranquilles si vous ____ avec eux.
12. Est-ce qu'elles ____ plus tranquilles s'il ____ avec eux ?
13. Il ne faut pas que je m'endorme pendant le concert.
14. Il ne faut pas que vous vous endormiez pendant le concert.
15. Il ne faut pas que nous nous ____ pendant le concert.
16. Il ne faut pas qu'elle ____ pendant le concert.
17. Il ne faut pas que tu t'endormes pendant le concert.
18. Il est normal que vous ressentiez les effets de la crise.
19. Il est normal que nous ____ les effets de la crise.
20. Il est normal que tu ressentes les effets de la crise.
21. Il est normal que je ____ les effets de la crise.
22. Il est normal qu'ils ____ les effets de la crise.
23. Pars sans crainte.
24. Partez sans crainte.
25. Partons sans crainte.

EXERCICES ÉCRITS

Exercice A: Répondez aux questions suivantes, en utilisant les éléments du dialogue. Donnez des réponses détaillées.

1. Imaginez qu'on vous offre un emploi au pair dans une famille française. Dites pourquoi vous accepteriez (ou refuseriez).
2. Si personne ne vous attendait à la gare, à votre arrivée dans une ville étrangère, que feriez-vous ?
3. Quelles raisons donneriez-vous pour justifier votre choix si, pour un long voyage, vous preniez le bateau plutôt que l'avion ?

4. Il paraît que vous n'emportez jamais plus d'une valise. Dites pourquoi.
5. Que feriez-vous si, après le départ du train dont vous êtes descendu, vous vous aperceviez que vous n'aviez que votre valise? (En montant dans le train, vous aviez aussi un sac de voyage.)

Exercice B: Répondez aux questions suivantes, en utilisant *ne . . . que*. Fournissez vous-même les éléments d'une réponse logique . . . et négative. (Sec. 3.2.3.)

EXEMPLE: Emportez-vous aussi la malle?
Non, je n'emporte que mes deux petites valises grises.

1. Avez-vous assez d'argent pour payer l'addition?
2. Pourquoi ont-ils invité Claire sans inviter les Lebon?
3. Ont-ils acheté tous les livres dont ils avaient besoin?
4. Est-ce que tu laisses tes deux valises à la consigne?
5. Etes-vous sorti tous les soirs, la semaine dernière?
6. Est-ce qu'elle a aussi parlé de ses projets à ses parents?
7. Pouvez-vous me changer cent dollars en francs?
8. Est-ce que, dans ces phrases, nous devons aussi changer de personne?
9. Est-ce que vous avez aussi lu ses essais?
10. Est-ce que nous devons aussi faire les exercices de la page 6?

Exercice C: Répondez aux questions suivantes, en employant *ni . . . ni*. Fournissez vous-même les éléments de la réponse.

EXEMPLE: Est-ce que vous vous sentez mieux?
Non. Je n'ai ni fièvre ni maux de tête, mais j'ai mal partout.

1. Est-ce que vous avez tout ce qu'il vous faut pour le voyage?
2. Est-ce qu'elle a répondu aux dix questions?
3. Est-ce que vous aviez invité tous vos camarades?
4. Ont-ils retrouvé tout ce qu'ils avaient perdu?
5. Est-ce qu'il s'intéresse à toutes les formes de l'art?
6. Est-ce que tout est compris dans le prix du menu?
7. Est-ce que vous avez acheté tout ce qu'il fallait pour le déjeuner?
8. Pourquoi est-ce que vous n'aimez pas habiter en banlieue?
9. Pourquoi est-ce que tu ne peux pas prévenir Jean?
10. Pourquoi ne veulent-ils pas louer cet appartement?

Exercice D: Répondez aux questions suivantes en employant une forme de *tout*. Fournissez les éléments de la réponse (négative ou affirmative). (Sec. 3.2.4.)

EXEMPLE: Qu'est-ce qu'il confond?
Il confond tout ce qu'il a vu dans les musées.

1. Avez-vous compris?
2. A-t-il dit la vérité?
3. Avez-vous ce qu'il vous faut?
4. Est-ce qu'elle passe ses journées à la bibliothèque?
5. Est-ce que vous partirez le même jour?
6. Est-ce que tu passes l'été en famille?
7. Est-ce que ceux-ci vont être mis en vente?
8. Qu'est-ce que vous avez entendu?
9. Est-ce qu'une maladie contagieuse doit être déclarée?
10. Est-ce que les étudiants doivent passer une visite médicale?
11. Les avez-vous invités?
12. Sont-ils arrivés à l'heure?

Exercice E: (Exercice de composition.) Ecrivez le texte suivant sous forme de dialogue, entre un camarade, que vous nommerez, et vous; puis entre le serrurier et vous. Vous reviendrez ensuite à un échange entre votre camarade et vous.

En arrivant chez vous avec ce camarade, vous vous apercevez que vous avez perdu ou égaré la clef de votre appartement. Comme vous regardez autour de vous, votre camarade vous demande ce que vous cherchez et vous lui répondez. Il vous conseille de bien chercher dans toutes vos poches et d'aller voir dans l'escalier. Vous lui répondez qu'il ferait mieux de vous aider à chercher la clef plutôt que de donner des conseils.

Finalement, votre camarade vous conseille de téléphoner à un serrurier et vous trouvez qu'il a raison. Au téléphone, le serrurier vous demande votre adresse. Vous la lui donnez. Il vous annonce qu'il ne pourra venir que d'ici une heure ou deux car il a un travail urgent à terminer. Or, vous avez une classe dans une demi-heure et il faut que vous preniez vos livres et un essai que vous devez rendre aujourd'hui à votre professeur—ce que vous dites au serrurier, mais sans succès. Vous raccrochez, furieux, en commentant que, lorsque vous avez besoin de quelqu'un, vous ne trouvez personne. Votre camarade vous fait remarquer que vous avez toujours tendance à exagérer et que vous n'avez aucune raison d'en vouloir en serrurier qui a d'autres clients que vous à servir.

Machinalement vous mettez la main dans la poche de votre veston et vous dites, surpris, que votre doublure est trouée. Vous découvrez votre clef. Votre camarade dit alors que vous auriez mieux fait de bien regarder au lieu de vous mettre en colère. Vous lui demandez d'aller téléphoner au serrurier pour lui dire de ne pas venir, et de lui dire pourquoi.

CHAPTER 11

Relative Constructions; Interrogative Constructions (Part I): Interrogative Pronouns, *Est-ce que*, Inversion

REVIEW NOTES

Because certain words (*qui*, *que*, *lequel*, *où*) may be used either as interrogatives or as relatives, this chapter will include exercises on both types of constructions. Specific details on the interrogative pronoun are given in Section 3.2.0, on the relative pronoun in Section 4.0.0.

The following general remark should be kept in mind: relative pronouns must be used in French whenever the sentence contains a relative construction, even though a relative pronoun may not be used in the equivalent sentence in English. (For example, "That large building you see over there is the law school." *Ce grand bâtiment* <u>*que*</u> *vous voyez là-bas est la faculté de droit*.)

Don't be afraid to use *est-ce que* to form questions. It is perfectly correct and frequently more common in spoken French than is inverted word order.

REF GRAM SEC: 5.0.0–5.4.0, 2.0.0–2.3.1.

NOTES ON PRONUNCIATION

The voiced stops [b, d, g] (vocal cords vibrating; air flow stopped completely, then released) are also similar to their English counterparts. Because, in initial position, the American voiceless stops are regularly aspirated (see Chapter 10), whereas the voiced stops are *not*, we actually distinguish, for example, initial [p] from [b] by the feature of aspiration rather than the voiced/voiceless feature. Therefore, it is necessary in French, where there is no aspiration for either the voiced or voiceless initial stops, to develop your ability to distinguish each of these pairs of sounds without the extra hint given by aspiration. Compare for instance: *le pain est chaud: le bain est chaud* with "this bill is no good": "this pill is no good." In other positions and contexts, aspiration is not a factor in either language.

[b] **Ils bavardent dans la chambre.**
C'est une vieille robe.
J'ai l'habitude d'y aller.
Mettons-nous à table.
[d] **Donnez-le-moi.**
C'est un ancien camarade.
Ce sont deux étudiantes françaises.
Ce n'est pas drôle.
[g] **Chacun à son goût.**
J'ai la bosse des langues.
Le tigre est grand.
Il joue du triangle.

DIALOGUE

Yves, un jeune ingénieur français, frais émoulu[1] *de l'école nationale des télécommunications, est depuis hier l'hôte*[2] *de l'Université de Californie où, grâce à une bourse, il va suivre un cours supérieur d'électronique. Nous le trouvons en train de bavarder avec son camarade de chambre.*

DICK: Ouf! Je suis rassuré. On m'avait annoncé l'arrivée d'une espèce de génie et je voyais déjà un raseur,[3] vieilli avant l'âge et qui ferait l'important.

YVES: Ça alors! Mais qui est-ce qui vous avait parlé de moi?

DICK: Un de nos conseillers. Vous savez qu'on nous recommande d'être aimables avec les nouveaux-venus, de les mettre à l'aise, enfin de leur faire les honneurs de l'université. Et, pour que je sache à quoi m'en tenir,[4] le conseiller m'avait prévenu que vous aviez été reçu parmi les premiers de votre promotion,[5] que vous étiez promis au plus bel avenir . . .

[1] **frais émoulu** fresh out of
[2] **l'hôte** the guest (*also*, host)
[3] **un raseur** a bore
[4] **pour que je sache à quoi m'en tenir** for me to know what to expect
[5] **promotion** class; all students in the same year

YVES: Et vous en avez conclu que je vous regarderais de haut.[6] Soyez tranquille, je fais partie du commun des mortels. J'ai la bosse des[7] mathématiques comme d'autres ont celle des lettres ou du commerce et je n'y suis pour rien. Ça vous fait rire?

DICK: (*souriant*). C'est votre réaction qui m'amuse, car, hier justement, nous commentions avec des camarades les différences qu'il y a entre Français et Américains.

YVES: A propos de quoi?

DICK: De deux étudiantes françaises qui sont ici pour un semestre. Chaque fois qu'une des filles ou un des garçons de leurs classes leur font un compliment sur leur toilette, elles prennent un air modeste et répondent en minaudant:[8] "Oh! c'est une vieille robe que j'ai depuis trois ans," ou encore: "C'est un machin[9] que j'ai acheté pour dix fois rien."

YVES: Je reconnais mes compatriotes. Il faut ajouter que si "ce petit machin" n'avait pas été remarqué, la propriétaire aurait été très déçue.[10] Mais est-ce que les Américaines ne réagissent pas comme cela?

DICK: Du tout. Elles ne minimisent pas leurs atouts[11] et vous remercient très ouvertement du compliment fait.

YVES: A propos d'étudiantes, je suis étonné d'en voir autant. On dirait qu'elles sont plus nombreuses que les garçons, à l'université. Est-ce vrai?

DICK: Pas sur le nombre total d'étudiants, mais dans certaines écoles, pardon, je voulais dire dans certaines facultés, oui.

YVES: Ne vous excusez pas, j'avais parfaitement compris. Je suis d'ailleurs éberlué[12] de vous entendre parler le français aussi couramment. Et ce n'est pas un compliment que je vous fais là.

DICK: (*paraphrasant*). Que voulez-vous? J'ai la bosse des langues comme d'autres, que je connais, ont celle des maths, et je n'y suis pour presque rien.

YVES: (*amusé*). Et que veut dire ce *presque* dont je ne m'étais pas servi?

DICK: Cela veut dire quatre ans passés à Paris, dans un lycée français. Un simple détail, comme vous voyez.

[6] **je vous regarderais de haut** I would look down on you
[7] **J'ai la bosse de** I have a knack for; I like and I am good at
[8] **minauder** simper, act "affected"
[9] **machin** *a very useful catch-all term, meaning*: gadget, thing-a-ma-jig, etc.
[10] **déçue** (*see:* **déception,** *Chapter 5.*)
[11] **atouts** trumps (*from cards*), *hence*, attractive qualities, *such as articles of clothing, hair-do, etc.*
[12] **éberlué** flabbergasted

YVES: En effet. Je crois, Dick, que nous n'allons pas nous ennuyer tous les deux. Quelle chance de vous avoir pour camarade de chambre.

DICK: Oui, vous auriez pu tomber plus mal[13] (hum! . . .). Nous avons un certain nombre de bonnets de nuit[14] dans cette résidence, et l'humour ne règne pas à tous les étages.

YVES: Ça c'est pareil partout. Dites-moi, pourquoi est-ce qu'on ne se tutoierait pas?

[13] **tomber plus mal** have worse luck; it could be worse (*also*, be inopportune)
[14] **bonnet de nuit** dull, humorless, sad

DICK: Si vous voulez. Mais ne faites pas attention si le *vous* m'échappe de temps à autre. L'habitude de tutoyer, que j'avais très facilement prise à Paris, ne me reviendra pas d'un seul coup.[15]

YVES: Bien sûr. Et si on passait aux choses pratiques. Il paraît qu'il y a plusieurs restaurants à l'université? Est-ce qu'il faut s'inscrire à l'un d'eux?

DICK: Non, absolument pas. Tu y vas comme dans un restaurant ordinaire, à cette différence près[16] que celui où j'ai l'habitude d'aller est "self-service," c'est-à-dire que l'on va s'asseoir après avoir mis sur un plateau ce que l'on va manger, et après avoir payé.

YVES: Oui, oui, je connais ça. Nous en avons déjà quelques-uns à Paris, qu'on appelle aussi "self-service." Encore un exemple de cette fameuse invasion de mots américains dont se plaignent nos puristes.

DICK: C'est vrai que les journaux et les magazines français en font une grande consommation. Et comment les Français ont-ils accueilli ces restaurants, eux qui aiment tant prolonger les repas?

YVES: Les jeunes sont enthousiastes. Les autres ont d'abord rechigné[17] car cela rappelle un peu la popote[18] de l'armée, mais ils s'y font.[19] Et comme on tend de plus en plus à réduire le temps consacré au déjeuner, dans le commerce et l'industrie, il faut reconnaître que les repas sont plus vite expédiés avec ce système.

(*On entend frapper à la porte. Dick commence par répondre en français, mais il se ravise. Comme nous ne parlons pas anglais, nous allons les laisser.*)

QUESTIONS SUR LE DIALOGUE

1. Yves pourrait-il déjà exercer sa profession? Comment le savez-vous?
2. Pourquoi Dick redoutait-il l'arrivée d'Yves?
3. Quel diplôme Yves va-t-il recevoir de l'Université de Californie?
4. Comment savez-vous qu'Yves est (ou n'est pas) vaniteux?
5. En quoi Dick se distingue-t-il de certains de ses camarades?
6. Quelle différence y a-t-il entre un "self-service" et un restaurant ordinaire?
7. Comment Dick sait-il que l'on trouve beaucoup de mots américains dans les journaux français?

[15] **d'un seul coup** at one go; right away; at once
[16] **à cette différence près** with this one difference
[17] **ils ont . . . rechigné** they took it with bad grace
[18] **la popote** field mess
[19] **ils s'y font** they get used to it

EXERCICES ORAUX

Exercice I: Transformez les phrases suivantes, en commençant par "C'est . . ." suivi du pronom ou des mots en italiques (Sec. 5.1.0–5.1.2–4.5.1-A-2.)

EXEMPLES: *a.* Nous *lui* avons écrit.
C'est à lui que nous avons écrit.
b. *Nous* lui avons écrit.
C'est nous qui lui avons écrit.

1. On parle *surtout de la guerre.*
2. *Il* est responsable de vos ennuis.
3. Je lui ai dit *ça.*
4. Ils veulent voir *mes notes d'examens.*
5. *Tu* n'as pas tenu ta promesse.
6. La direction a convoqué *les ingénieurs.*
7. Nous avons fait leur connaissance *sur le paquebot.*
8. *Elle* a décidé d'interrompre ses études.
9. Il voulait *me* rendre service.
10. *Vous* l'avez insulté sans raison.
11. On *l'*a recommandé pour une bourse.
12. *Nous* n'avons pas provoqué la discussion.

Exercice II: Réunissez les paires de phrases en une seule phrase, à l'aide d'un pronom ou d'un adverbe relatif. Supprimez les mots devenus inutiles. (Sec. 5.1.0–5.4.0.)

EXEMPLES: *a.* Nous lui apportons un bouquin. Il nous l'a demandé.
Nous lui apportons un bouquin qu'il nous a demandé.
b. Comment appelle-t-on ces nouveaux restaurants? On s'y sert soi-même.
Comment appelle-t-on les nouveaux restaurants où l'on se sert soi-même?

1. Passez-moi le briquet. Je l'ai laissé sur la commode.
2. Il m'avait recommandé un livre. Je n'ai pas pu le trouver.
3. Ils organisent des réunions. Nous y allons souvent.
4. C'est ça. J'ai dit cela.
5. Yves est à l'Université de Californie. Il va y suivre un cours d'électronique.
6. J'ai engagé une jeune secrétaire. Ses références sont excellentes.
7. Par la fenêtre, je surveille les enfants. Ils sont en train de jouer.

8. Nous n'avons pas encore vu cette pièce. On nous en a dit grand bien.
9. Ils vont publier un bulletin hebdomadaire. Ils y donneront le résumé des activités de la semaine.
10. Nous avons reçu la visite d'un inspecteur. Il nous a longuement interrogés.
11. Le cambrioleur est entré par une fenêtre. On avait oublié de la fermer.
12. Nous avons invité de lointains parents. Nous leur devions une invitation.

Exercice III: Donnez les questions correspondant aux réponses suivantes. (Sec. 2.2.0–2.2.1.)

a. EXEMPLE: Elle raconte *ses souvenirs de voyage.*
Que raconte-t-elle? ou: Qu'est-ce qu'elle raconte?

1. J'ai téléphoné *à Yves.*
2. Ils vont jouer *au bridge.*
3. Nous parlions *des différences entre Français et Américains.*
4. Elle se moquait *de moi.*
5. C'est *un restaurant où l'on se sert soi-même.*
6. Il ressemble *à son frère aîné.*
7. J'ai hérité *d'une grand-tante.*
8. Ils sont en train de faire *leurs valises.*
9. C'est *l'auteur du dernier prix Goncourt.*

b. EXEMPLE: Je n'ai corrigé que *ceux de la troisième.*
Lesquels avez-vous corrigés? ou: Lesquels est-ce que vous avez déjà corrigés?

1. J'aurais choisi *celui qui ne coûtait que dix francs.*
2. Il s'est adressé *à celui qui porte un uniforme.*
3. Je parle *de ceux qui ont déjà fait leur service militaire.*
4. On a refusé *celles qui n'offraient aucune garantie.*
5. Il s'agit *du plus jeune des deux.*
6. Il faut le donner *à la plus aimable des deux.*
7. Il n'adresse plus la parole *à celles qui ont refusé de danser avec lui.*
8. Vous devez prendre *celle qui passe derrière l'église.*

Exercice IV: Mettez les phrases suivantes à la forme interrogative (a) avec l'inversion; (b) avec *est-ce que*; (c) simplement avec l'intonation. (Sec. 2.1.1–2.1.3.)

EXEMPLE: Vous vous disputiez souvent.
a. Vous disputiez-vous souvent?
b. Est-ce que vous vous disputiez souvent?
c. Vous vous disputiez souvent?

1. Vos parents m'ont réservé une chambre à l'hôtel.
2. Elle l'a envoyé chercher le journal.
3. Je dois leur expliquer ce qui se passe.
4. Il est vraiment doué pour les langues.
5. Vous connaissez l'Université de Californie.
6. Ils s'étaient donné rendez-vous ici.
7. Il n'a pas l'habitude de circuler dans Paris.
8. Ses parents l'ont menacé de le mettre en pension.
9. Vous comprenez pourquoi je suis rassuré.
10. Les filles sont plus nombreuses que les garçons.

RÉVISION DES VERBES IRRÉGULIERS (*croire* et *boire*)

1. Que tu le croies ou non, je ne bois que de l'eau.
2. Que vous le croyiez ou non, nous ne buvons que de l'eau.
3. Qu'elle le ____ ou non, ils ne boivent que de l'eau.
4. Qu'ils le ____ ou non, vous ne ____ que de l'eau.

5. Je croyais que tu ne buvais rien avant le déjeuner.
6. Nous ____ que vous ne ____ rien avant le déjeuner.
7. Ils croyaient que nous ne buvions rien avant le déjeuner.
8. Elle ____ que je ne ____ rien avant le déjeuner.
9. Tu ____ qu'ils ne ____ rien avant le déjeuner.

10. Crois-moi, il n'est pas bon que tu boives tant.
11. Croyez-moi, il n'est pas bon que vous ____ tant.
12. Nous vous croyons; il n'est pas bon que nous ____ tant.

13. Le croirais-tu, s'il te le disait? Non, je ne le ____ pas.
14. Le croiriez-vous, s'il vous le disait? Non, nous ne le ____ pas.
15. Le ____-elle, s'il le lui disait?

16. Que boirais-tu, s'il n'y avait pas de bière? Je ____ de l'eau.
17. Que boiriez-vous, s'il n'y avait pas de bière? Nous ____ de l'eau.
18. Que boiraient-ils, s'il n'y avait pas de bière?

19. Pour ne pas faire d'histoires, nous boirons comme tout le monde.

20. Pour ne pas faire d'histoires, je boirai comme tout le monde.
21. Pour ne pas faire d'histoires, elle ____ comme tout le monde.
22. Pour ne pas faire d'histoires, vous ____ comme tout le monde.
23. Pour ne pas faire d'histoires, ils boiront comme tout le monde.

24. Je le croirai, quand je le verrai.
25. Nous le ____ quand nous le verrons.
26. Ils le ____ quand ils le ____.
27. Tu le croiras, quand tu le ____.

28. Je l'ai cru sur parole.

29. Heureusement que nous n'en avons pas bu !

30. Buvons à sa santé.
31. Buvez à sa santé.
32. Bois à sa santé.

EXERCICES ÉCRITS

Exercice A: Répondez aux questions suivantes, en utilisant les éléments du dialogue.

1. Si vous étiez aussi doué pour les sciences exactes (maths, physique ou chimie) que pour les lettres, quels seraient les motifs qui vous dicteraient le choix d'une carrière ?
2. A votre avis, pourquoi les jeunes Françaises semblent-elles embarrassées quand on leur fait un compliment ?
3. Pourquoi les restaurants universitaires américains ont-ils adopté le système du "self-service" ?
4. Qu'est-ce qui empêcherait une femme ou une jeune fille coquette de porter une robe "vieille de trois ans" ?
5. Imaginez le bel avenir auquel Yves est promis, et décrivez-le.

Exercice B: Répondez aux questions suivantes, en mettant la préposition donnée entre parenthèses devant le pronom interrogatif de la question ; ce pronom deviendra relatif dans votre réponse. Vous fournirez les éléments qui justifieront votre réponse. (Sec. 5.1.4.)

EXEMPLE : Lequel de ces vases choisissez-vous ? (dans)
Je choisis celui-ci, *dans lequel on peut mettre des fleurs.*

1. Voilà la liste. Lesquels de ces étudiants recommandez-vous pour une bourse ? (pour)
2. Laquelle de ces concurrentes auriez-vous éliminée ? (à)

3. Lesquelles de ces pièces va-t-on enlever du répertoire? (dans)
4. Ils avaient plusieurs terrains à vendre. Lequel ont-ils vendu? (sur)
5. On m'a dit que certains de vos voisins vous dérangeaient. Lesquels? (chez)
6. Il y a plusieurs revues intéressantes. A laquelle vous abonnerez-vous? (dans)
7. Laquelle de ces maisons avez-vous l'intention de louer? (derrière)
8. Il paraît qu'un des journaux va disparaître. Lequel? (contre)

Exercice C: Transformez les phrases suivantes, en commençant par le membre de phrase donné entre parenthèses. Ajoutez le pronom relatif qui conviendra et supprimez les expressions devenues inutiles. (Sec. 5.1.0–5.1.5.)

EXEMPLES: *a.* J'ai perdu une petite valise grise; elle porte une étiquette avec mon nom. (la petite valise grise)
La petite valise grise, que j'ai perdue, porte une étiquette avec mon nom.

b. Pierre était en train de raconter une de ses farces à Georges; ce dernier ne pouvait pas s'arrêter de rire. (Georges)
Georges, à qui Pierre était en train de raconter une de ses farces, ne pouvait pas s'arrêter de rire.

1. Le nouveau-venu va partager la chambre de Dick; ce dernier s'attendait à voir un garçon vieilli avant l'âge. (Dick)
2. Avant d'ouvrir la fenêtre, nous entendions à peine le vent; celui-ci s'engouffra alors bruyamment dans la pièce. (le vent)
3. Les jeunes filles pensent trop au mariage; celui-ci les empêche souvent de terminer leurs études. (le mariage)
4. M. Féron s'est adressé à un rédacteur; ce dernier ne savait pas de quoi il parlait. (le rédacteur)
5. Les trois camarades parlaient d'un roman à thèse; celui-ci avait fait beaucoup de bruit lors de sa parution. (le roman à thèse)
6. Mon carnet de notes portait des observations peu flatteuses; celles-ci me valaient les réprimandes de mes parents. (les observations peu flatteuses)
7. On était sans nouvelles de Marc depuis trois mois; il a finalement donné signe de vie. (Marc)
8. L'explosion s'est produite en face de l'Hôtel de la Gare; ce dernier a subi de gros dégâts. (l'Hôtel de la Gare)

9. Yves est arrivé hier à l'Université de Californie; celle-ci est réputée, entre autres, pour ses laboratoires de recherches. (l'Université de Californie)
10. Il causait, sans façons, avec la femme du ministre; celle-ci avait l'air de s'amuser de ses propos. (la femme du ministre)

Exercice D: (Exercice de composition.) Imaginez qu'un jeune Français ait obtenu une bourse pour passer un an dans votre université et que vous soyez son camarade de chambre. C'est vous qui allez lui fournir tous les renseignements concernant son enregistrement à l'administration, son inscription aux cours; l'endroit où il faut aller pour les repas et les heures de service; les règlements de votre résidence. Vous lui direz où il peut acheter ou emprunter des livres et comment il doit s'y prendre; vous lui parlerez des rapports entre professeurs et étudiants.

Il vous demandera certainement (et vous le ferez alors parler à la première personne, directement, comme dans un dialogue) quelle est l'attitude à adopter avec les étudiantes; ce qu'on peut faire et où on peut aller en dehors de l'université. Et vous lui répondrez.

Vous lui parlerez aussi des activités théâtrales, cinématographiques et sportives et de la façon d'y participer ou d'y assister.

(Si vous êtes vous-même une étudiante, vous parlerez à une jeune Française et vous changerez alors ce qu'il faut dans le texte.)

Il ne s'agit pas de faire une énumération, mais de construire des phrases complètes, des paragraphes cohérents et de varier les verbes employés. Evitez autant que possible (sauf comme auxiliaires) les verbes *être* et *avoir*. Par exemple, au lieu de dire: "*Nous avons* un restaurant" ou "*Il y a* un restaurant," vous pourriez dire: "*L'université dispose* d'un restaurant où l'on se sert soi-même."

CHAPTER 12

Interrogative Constructions (Part II): Interrogative Adverbs and Expressions; Time Expressions

REVIEW NOTES

Interrogative adverbs and expressions offer no particular problems of word order. They usually open the sentence and are followed by *est-ce que* + declarative word order, or by a simple inversion. You should also review the use of *depuis* and the present tense in the "past-to-present, inclusive" construction. (Chapter 1 and Sec. 1.14.0.)

Clock time is expressed in nearly the same way in spoken French as it is in English. "A.M." and "P.M." are not used, but *du matin*, *de l'après midi*, and *du soir* are. In timetables, the P.M. hours are normally written as: 13, 14, . . ., 24. We include in this chapter an exercise that will help you recall other expressions of time, such as *le lendemain*.

REF GRAM SEC: 2.0.0–2.4.0, 9.2.0.

NOTES ON PRONUNCIATION

We have grouped all of these fricatives (partial obstruction of the flow of air) together because they present very little difficulty for the American student. Remember to pronounce all consonants as you prepare to say the following vowel (see Chapter 10), and don't forget that French *ch*, and *g* and *j* are never pronounced [tš] or [dž].

[s] **Qu'est-ce qui se passe, Nancy?**
Etes-vous bien installée?
Ça donne une mauvaise impression.

[z] **Zut!**
C'est votre réaction qui m'amuse.
C'est une longue phrase.

[š] **Avez-vous réservé une chambre?**
On ne peut pas te faire marcher.
As-tu mis les billets dans ta poche?
[ž] **Ça suffit, Gérard.**
C'est dommage.
A qui pourrais-je en parler?
[f] **Il ne faut pas y aller.**
Ils étouffent.
Il fait froid.
[v] **Les voilà, tes billets !**
Vlan !
Etes-vous allé dans la cave?

DIALOGUE

La scène se passe dans la chambre de Roberte, avec cette dernière, Nancy —une jeune Américaine—et Gérard, le frère de Roberte.

ROBERTE: Qu'est-ce qui se passe, Nancy? Vous êtes toute silencieuse aujourd'hui.

NANCY: Oh! rien . . . Pourtant si, et à qui pourrais-je en parler si ce n'est à vous?

ROBERTE: Vous savez bien que vous pouvez compter sur nous. Avez-vous des ennuis?[1]

NANCY: Absolument pas. Mais, voilà: êtes-vous sûrs tous les deux que vos parents connaissent bien l'hôtel où ils m'ont réservé une chambre?

GÉRARD: Ça, je vous le garantis. Depuis le temps qu'ils y retiennent des chambres[2] pour tous les amis de passage à Paris, ils peuvent le recommander comme s'ils en étaient propriétaires.

NANCY: Alors je ne comprends pas. Je n'ai pas osé l'écrire à mes parents, car ils me diraient sans doute de déménager.

ROBERTE: Cette fois, c'est nous qui ne comprenons plus. De quoi s'agit-il? N'êtes-vous pas bien installée?

NANCY: Ce n'est pas cela. Evidemment il n'y a qu'une salle de bains par étage, mais je le savais avant de venir. Non, ce qui me trouble c'est que dans ma chambre, en plus d'un lavabo, j'ai droit à cet ustensile de toilette qu'on appelle bidet[3] . . .

[1] **des ennuis** problems
[2] **depuis le temps qu'ils y retiennent des chambres** ever since they have been reserving rooms there . . .
[3] **bidet** bidet; bathroom fixture

GÉRARD: Eh bien! Continuez . . . ne nous laissez pas en suspens!

NANCY: Mais . . . c'est tout. Cela ne vous étonne pas? N'est-ce pas là une indication du genre d'hôtel où il ne faut pas aller si on ne cherche pas d'aventures?

(*Roberte et Gérard éclatent de rire et ne peuvent répondre tout de suite, car ils étouffent.*)

NANCY: Qu'est-ce que vous avez? Qu'est-ce que j'ai dit de si drôle? Répondez-moi, je vous en prie. J'étais déjà assez embarrassée comme cela, mais si vous réagissez en vous moquant . . .

ROBERTE: Excusez-nous, Nancy, et ne rougissez pas. Mais c'était tellement inattendu. Nous imaginions déjà que vous aviez trouvé des insectes ou une souris, enfin, n'importe quoi, mais certainement pas ça. Que voulez-vous, l'ustensile en question est aussi normal qu'un lavabo et bien plus répandu que la baignoire dans nos pays "arriérés."

GÉRARD: Emmène-la à la salle de bains pour qu'elle s'en convainque par elle-même. Pauvre Nancy qui s'imaginait déjà que maman l'avait envoyée dans un endroit mal famé![4]

(*Au bout de quelques minutes, Roberte et Nancy reviennent.*)

NANCY: (*confuse et consciente d'avoir fait une gaffe*[5]). C'est vraiment impardonnable de ne pas savoir ces choses-là. J'ai l'air d'une campagnarde qui n'est jamais sortie de son patelin.[6] Vous imaginez la tête de vos parents si je leur en avais parlé?

GÉRARD: C'est aussi notre faute, Nancy. Nous aurions dû nous souvenir que ce n'était pas très courant aux Etats-Unis, puisque les Français ont la surprise inverse quand ils y vont. Ils soutiennent d'ailleurs que l'hygiène n'y est pas respectée.

NANCY: Je suis vraiment trop bête. Avec cela en tête, de plus, j'avais l'impression que les gens que je croisais[7] dans l'escalier me jetaient des regards furtifs, gênés, et qu'ils auraient préféré que je ne les voie pas.

GÉRARD: (*moqueur*). Nancy, Nancy, comment pouvez-vous penser des choses pareilles? Ah! non, ne recommencez pas à rougir. . . .

ROBERTE: Ça suffit, Gérard, laisse-la tranquille. (*Regardant sa montre.*) Eh, mes enfants, il est déjà huit heures. Je vous rappelle que la séance[8] commence à huit heures et demie précises. As-tu mis les billets dans ta poche?

[4] **mal famé** of ill repute
[5] **une gaffe** a blunder; a faux-pas
[6] **patelin** (*familier*) village
[7] **je croisais** I met; I passed s.o.
[8] **la séance** the performance; the program

GÉRARD: Les billets, voyons, les billets. Attends, qu'est-ce que j'en ai fait ? Quand est-ce que tu me les as donnés ?

ROBERTE: Ne fais pas le clown ; tu les avais à la main il y a dix minutes.

GÉRARD: On ne peut pas te faire marcher,[9] tu prends toujours tout mal. Tiens ! Les voilà tes billets !

[9] **faire marcher quelqu'un** kid with someone

ROBERTE: Alors, filons.[10] Quand on arrive en retard, les chansonniers[11] vous prennent à partie[12] et moi, ça m'intimide.

GÉRARD: Oui, ma fille, mais tu te tords de rire quand un retardataire attire leurs saillies.[13]

NANCY: (*les interrompant, car les disputes la gênent*). On dit qu'ils sont souvent difficiles à comprendre. Croyez-vous que j'y arriverai?

GÉRARD: Ce que vous risquez de ne pas saisir ce sont les allusions politiques, car il faut être au courant des événements pour goûter leur satire ou leurs parodies.

ROBERTE: Ne vous en faites pas,[14] Nancy, ce n'est pas aussi compliqué qu'il le dit. A l'entendre, on le prendrait pour un initié, et on en est loin.

GÉRARD: Vlan! Un coup de pied en traître. Toi, je te rattraperai au tournant.[15] Alors, on y va?

(*Ils sortent.*)

QUESTIONS SUR LE DIALOGUE

1. Pourquoi Nancy a-t-elle été surprise de ne pas avoir de salle de bains dans sa chambre?
2. Quels sont les ennuis que Nancy confie à Roberte et à Gérard?
3. Pourquoi Gérard et Roberte ne rassurent-ils pas tout de suite Nancy?
4. Quel récital de chant nos trois amis vont-ils entendre?
5. Dans quel patelin Nancy est-elle née et habite-t-elle?
6. Quelle a été la réaction des parents de Roberte lorsque Nancy leur a raconté ses inquiétudes?
7. Est-ce que les Français sont saisis d'admiration devant les salles de bain américaines? Pourquoi (pas)?
8. Comment Roberte s'efforce-t-elle de faire briller son frère devant Nancy?

[10] **filons** (*familier*) let's go quickly

[11] **les chansonniers** auteurs et exécutants de chansons dont la mélodie ne fait, en somme, que rythmer un texte humoristique ou satirique. On dit "aller chez les chansonniers." Ils présentent leurs spectacles dans de petits théâtres. Les personnalités politiques, littéraires ou mondaines, ainsi que les événements sont la source d'inspiration des chansonniers.

[12] **prendre à partie** to pick on someone

[13] **saillies** sally; flash of wit; cracks

[14] **Ne vous en faites pas** (**ne pas s'en faire**) Don't worry

[15] **Je te rattraperai au tournant** I'll get even with you; I'll get back at you.

EXERCICES ORAUX

Exercice I: Les questions et réponses de cet exercice se feront entre trois étudiants: (Sec. 2.4.0.)

1er étudiant: Vous posez une question à un autre étudiant.
2e étudiant: Vous répondez négativement au 1er étudiant, puis vous posez directement la question, indirectement posée par le 1er étudiant, (*attention au temps en passant de la question indirecte à la question directe*) à un 3e étudiant.
3e étudiant: Vous répondez à la question posée par le 2e étudiant, en fournissant les éléments de la réponse.

EXEMPLE: 1er étudiant: Savez-vous avec qui Nancy est sortie?
2e étudiant: Non, je ne le sais pas. Avec qui est-elle sortie?
3e étudiant: Elle est sortie avec Gérard et Roberte.

1. Est-ce que vous savez combien d'argent je lui dois?
2. Vous ont-ils dit à quelle heure ils partaient?
3. Est-ce que vous savez depuis combien de temps les gens font la queue?
4. Savez-vous de quelle époque (ou de quel siècle) date cette église?
5. Savez-vous pourquoi il ne veut plus me parler?
6. Vous a-t-il dit quand la réunion aurait lieu?
7. Vous a-t-il dit ce qu'il fallait faire pour demain?
8. Est-ce que vous lui avez demandé comment il ferait le voyage?
9. Savez-vous pourquoi Nancy était tellement silencieuse, hier soir?
10. Vous a-t-il dit de quel livre nous avions besoin pour le cours?
11. Savez-vous par quelle route il faut passer pour aller à B*** (donner le nom d'une ville)?
12. Savez-vous combien de temps dure le spectacle des chansonniers?
13. Vous a-t-il dit dans quelle ville on fabriquait la plupart des autos américaines?
14. Vous a-t-il dit où nous devions nous inscrire?
15. Lui avez-vous demandé à quelle date il fallait que nous nous inscrivions pour le deuxième semestre?
16. Vous a-t-il dit pourquoi il avait peur de ne pas comprendre les chansonniers?

Exercice II: Donnez les questions correspondant aux réponses suivantes. (Sec. 2.1.2–2.4.0.)

EXEMPLE: Je l'ai ouvert avec une pince.
Comment avez-vous fait pour l'ouvrir?
Ou:
Comment l'avez-vous ouvert?

1. Ils sont officiellement fiancés depuis le premier mars.
2. Je n'en emporte que trois, mais le livre de B*** compte pour deux.
3. Nous nous arrêterons à la sortie de Nîmes, pas avant.
4. On dicte le texte du télégramme à la téléphoniste.
5. Je te promets que je cesserai de fumer la semaine prochaine.
6. Nous en avons trouvé chez un bouquiniste.
7. Il faut que vous en preniez quatre, car Nancy veut voir la pièce avec nous.
8. Ils sont arrivés à 5 heures du matin, et sans prévenir encore.
9. Elles y resteront jusqu'au 15 mai.
10. Je le sais parce qu'il me l'a dit.

Exercice III: Dans les phrases suivantes remplacez les vides par des expressions de temps (adverbes ou noms).

EXEMPLES: *a.* Hier, nous sommes sortis; ____ nous restons donc chez nous.
Hier, nous sommes sortis; aujourd'hui nous restons donc chez nous.

b. Il n'est resté à la clinique que 24 heures. On l'avait opéré ce jour-là et ____ il est rentré chez lui.
Il n'est resté à la clinique que 24 heures. On l'avait opéré ce jour-là et, le lendemain, il est rentré chez lui.

1. Nous nous voyons tous les jours. Je l'ai vu ____, je vais le voir ____ et je le verrai encore ____.
2. Quand il était malade, je suis allé lui rendre visite trois jours de suite. Le premier jour, il n'a presque pas parlé, mais ____ et ____ il a été de très bonne humeur.
3. Je les ai surpris 24 heures à l'avance. Au lieu d'arriver au jour dit, je me suis présenté ____.
4. A un jour près, cela n'a pas d'importance. Si tu ne peux pas le faire ce matin, tu le feras ____.
5. Les coutumes changent. De nos jours, les enfants ont beaucoup plus de liberté que ____.
6. J'ai remis mon rendez-vous de 48 heures. Au lieu d'aller chez le dentiste aujourd'hui, j'irai ____.

Exercice IV: Complétez les phrases suivantes par une expression de temps. Différentes heures sont données pour chaque phrase. (Sec. 9.2.0.)

1. L'horloge marque dix heures cinq (9 h. 55–0 h. 50–7 h. 25), mais elle avance de dix minutes. Il n'est donc que ____.
2. Il faut un quart d'heure pour y aller. Si je pars d'ici à midi et quart (midi moins le quart—midi et demi—12 h. 20), j'y arriverai à ____.
3. Il n'est malheureusement pas arrivé à 1 h. de l'après-midi (midi—2 h. 30 de l'après-midi), il est arrivé à ____ quand tout le monde dormait.
4. L'avion avait une demi-heure de retard. Au lieu d'atterrir à 8 heures vingt (10 h. 10—9 h. 35—8 h. 55), il a atterri à ____.
5. Il lui faut huit heures de sommeil. Pour se lever à 8 h. (à 6:30—9 h.—10:30), il doit donc se coucher à ____.
6. Il y a un départ toutes les deux heures pour Meaux. Comme le dernier train est parti à onze heures vingt-cinq (10 h. 40—18 h. 50—13 h. 30), le prochain partira à ____.

RÉVISION DES VERBES IRRÉGULIERS (*suivre*)

1. Quel cours suis-tu? Je ____ un cours de phonétique.
2. Quel cours suivez-vous? Nous ____ un cours de phonétique.
3. Quel cours suivent-ils? Jean ____ un cours de phonétique et elle ____ un cours de littérature.

4. Si tu suivais la bonne méthode, tu n'aurais pas tant de mal.
5. Si nous ____ la bonne méthode, nous ____ pas tant de mal.
6. Si vous suiviez la bonne méthode, vous ____ pas tant de mal.
7. Si je ____ la bonne méthode, je n'aurais pas tant de mal.
8. S'ils ____ la bonne méthode, ils ____ pas tant de mal.

9. Il m'a suivi jusqu'à la maison.

10. Si tu m'écoutais, tu suivrais son exemple.
11. Si vous m'écoutiez, vous suivriez son exemple.
12. Si nous l'écoutions, nous ____ son exemple.
13. Si elle ____, elle suivrait votre exemple.
14. Si je t'____, je ____ son exemple.

15. Pars devant, je te suivrai.
16. Partez devant, nous vous suivrons.
17. Partons devant, ils nous ____.

18. Je pars devant, vous me ____.
19. Pars devant, elle te suivra.
20. Je pars devant, tu me ____.

21. Il est indispensable que je suive les cours de la bourse.
22. Il est indispensable que tu ____ les cours de la bourse.
23. Il est indispensable que vous suiviez les cours de la bourse.
24. Il est indispensable qu'il ____ les cours de la bourse.
25. Il est indispensable que nous ____ les cours de la bourse.
26. Il est indispensable qu'ils ____ les cours de la bourse.

27. Suis bien ses indications.
28. Suivez bien ses indications.
29. Suivons bien ses indications.

30. Les coups de téléphone s'étaient suivis sans interruption.
31. Nous suivîmes la rivière pour ne pas nous perdre.
32. Je suivis la rivière pour ne pas me perdre.
33. Ils suivirent la rivière pour ne pas se perdre.

EXERCICES ÉCRITS

Exercice A: Répondez aux questions suivantes en utilisant les éléments du dialogue.

1. Quelle différence y a-t-il entre un chanteur et un chansonnier?
2. Quelle aurait été votre réaction si, allant à Paris pour la première fois, vous étiez descendu(e) dans le même hôtel que Nancy?
3. Que feriez-vous si vous trouviez des insectes ou des souris dans une chambre d'hôtel?
4. Que répondriez-vous à un Français qui s'étonnerait de ne pas trouver de bidet dans les hôtels (ou chez les gens) de votre pays?
5. A votre avis, pourquoi Nancy n'habite-t-elle pas chez les parents de Roberte et de Gérard, pendant son séjour à Paris?
6. Dans votre pays, que faut-il connaître pour apprécier l'humour des chansonniers?

Exercice B: Lisez le texte suivant, et tirez-en toutes les questions possibles. Ensuite, répondez vous-mêmes à ces questions, comme si on vous les avait posées. (Sec. 2.0.0–2.4.0.)

EXEMPLE: Je suis né à Lyon, le 16 août 1946. J'habite avec mon frère dans une grande chambre située au 6e étage d'un vieil immeuble.

Questions: Où êtes-vous né? Quelle est votre date de naissance? Avec qui habitez-vous? Où habitez-vous? A quel étage se trouve votre chambre?

Réponses personnelles de l'étudiant, par exemple: Je suis né à New York, le 3 décembre 1947. J'habite avec un camarade, dans une des résidences de l'université. Notre chambre se trouve au premier étage.

Je suis à Paris depuis le 1er septembre. J'habite avec mes parents, dans un grand appartement, au rez-de-chaussée d'un immeuble, situé 15 rue des Saladiers. Je vais au lycée Henri IV et je suis en classe de philo (*last class before the* "bac"). Nos professeurs sont extrêmement sévères et ne nous laissent pas beaucoup de temps libre. Dans la classe de M. C***, je suis assis au premier rang, et je ne sais pourquoi, il regarde souvent de mon côté. Je suis obligé de faire très attention à ce qu'il dit, parce qu'il a la fâcheuse habitude de poser des questions au hasard, sur ce qu'il vient d'expliquer. Quand l'un de nous ne sait pas répondre, M. C*** explose, littéralement. Nous avons parfois du mal à comprendre ce qu'il nous demande de tirer d'un texte et, lorsque nous lui demandons des explications, il fait comme s'il n'avait pas entendu et passe à autre chose. Je tremble en pensant aux examens, car il nous a prévenus qu'il notait sans indulgence aucune. La semaine prochaine nous allons avoir une composition et nous disposerons de deux heures pour développer le sujet qu'il nous donnera. Si j'obtiens la moyenne, je m'estimerai satisfait. Mon frère, qui a trois ans de plus que moi, est inscrit à la faculté de Droit et quand je le vois plongé dans ses livres, je me dis que jamais je n'arriverai à suivre son exemple. Il m'a pourtant affirmé que la première année d'université lui avait semblé plus facile que la dernière année du bac.

Exercice C: (Exercice de composition.) Vous allez composer une lettre à vos parents, qui, pour la circonstance, sera en français, et vous leur raconterez votre arrivée et votre première nuit en France.

Arrivée à Orly avec trois heures de retard. Correspondance pour C***, où vous deviez vous rendre directement, manquée. Il est 11 heures du soir. Très peu d'argent sur vous. Vos parents vous ont ouvert un compte en banque à C***, mais ici, cela ne vous sert à rien. Décision d'aller passer la nuit dans un hôtel bon marché. Vous avez sommeil. Arrivée à l'hôtel où un seul employé est de garde. Une chambre au troisième étage, sans ascenseur (vous avez deux valises). Une chambre mal éclairée. Pas de savon pour faire votre toilette (on vous avait pourtant prévenu avant votre départ). Comme boisson, l'eau du robinet. Un parquet qui craque, des bruits qui semblent bizarres. En résumé, une "bonne nuit."

Le lendemain, retour à Orly, départ pour C***, où, heureusement, tout est différent.

Voilà de quoi faire une lettre qui comprendra au moins trois paragraphes de 20 lignes. A la description des faits devra s'ajouter celle de vos impressions, de votre état d'esprit.

CHAPTER 13

Nonquestion Inversions; Mixed Exercises on Verb Forms; Determiners (Part I): Articles

REVIEW NOTES

Certain conjunctions are regularly followed by inverted word order. This hardly seems an important point, particularly if you are still making basic errors of tense and word order, but American students often fail to make these inversions and the resulting constructions can be confusing. Inverted word order is also found after the first part of a quote, when we insert: "said he" or "said the president"—*dit-il*, *dit le président*.

Even though we have already grouped many different verb constructions in exercises in preceding chapters, we feel it is important to present you with mixed exercises so that you can determine whether or not you have complete active control of all important forms—and not just an ability to reproduce the basic elements of model sentences for any given construction. Please note: We recognize very well that there is often ambiguity in mixed exercises. You should form a grammatically correct, sensible sentence using the elements given, more or less like the model sentence. Your instructor may then indicate that another construction would be *better* in the particular context.

A "determiner" is a particle, such as the definite article, which opens a noun phrase. The purpose of the exercises on determiners in this and the following chapter is to remind you that French usage differs from English not only as to particular forms used, but also as to when one type of determiner is used rather than another.

REF GRAM SEC: 4.2.0–4.3.8, 8.1.0.

NOTES ON PRONUNCIATION

The nasal consonants [m] and [n] are very similar to their English counterparts. The consonant [ɲ], however, is not like the *ng* of English *hang*, as is reflected in the different phonetic symbol used for the latter: [ŋ]. French [ɲ] is a palatal sound (like [j], see Chapter 9) and has a "glide" quality (from vowel to [ɲ] to vowel) even when the following vowel is not pronounced.

[m] **C'est un manque de courtoisie.**
C'est entendu, mais tout de même. . . .
Ton sarcasme ne va pas loin.
Elle nous a tous charmés.
[n] **Non, mais c'est la règle.**
Je lui donne des leçons.
Je ne l'ai pas prévenue.
C'est un joueur acharné.
[ɲ] **Elle n'est pas digne de toi.**
Qu'est-ce qu'il enseigne?
Je n'aime pas les oignons.

DIALOGUE

En sortant de la Faculté, François aperçoit Jacques et court pour le rattraper.

FRANÇOIS: (*criant*). Jacques! (*Jacques se retourne en entendant son nom.*) Attends-moi, j'ai quelque chose à te raconter.

JACQUES: Qu'est-ce qui t'arrive? Tu as l'air furieux.

FRANÇOIS: Et je le suis. Tu te souviens que Simone m'avait demandé de lui donner des leçons trois fois par semaine?

JACQUES: Bien sûr, puisque c'est moi qui lui en avais parlé.

FRANÇOIS: Eh bien! Nous devions commencer aujourd'hui, à 2 heures. A 2 heures 10, sa mère me téléphone pour me dire que Simone regrettait mais qu'elle ne pourrait pas venir comme convenu; qu'elle m'appellerait demain pour confirmer la leçon de jeudi.

JACQUES: Et c'est pour cela que tu fais cette tête?[1] Est-ce qu'il ne t'est jamais arrivé de décommander un rendez-vous à la dernière minute?

FRANÇOIS: Non, jamais. J'estime[2] que c'est un manque de politesse et je lui demanderai de payer cette leçon, puisque mon heure lui était réservée et que je l'ai perdue de toute façon.

JACQUES: Est-ce que c'était entendu comme ça? Je veux dire, l'avais-tu

[1] **tu fais cette tête** you make a long face
[2] **J'estime** I think; in my opinion

prévenue que si elle ne t'avertissait pas d'avance, tu lui compterais ton heure ?

FRANÇOIS : Non, mais c'est l'usage. D'ailleurs, quand nous nous sommes mis d'accord, je lui ai demandé de payer un mois d'avance, seulement elle n'avait pas d'argent sur elle.

JACQUES : Je trouve que tu exagères. Il n'y a aucune raison pour que tu te mettes dans un pareil état. Tu ne trouveras plus d'élèves si tu es aussi intransigeant. Si encore elle t'avait fait faux bond[3] deux ou trois fois, je . . .

FRANÇOIS : (*l'interrompant*). Oh ! toi, tu es toujours prêt à tout excuser. Vous êtes fiancés, c'est entendu, mais tu pourrais malgré tout juger impartialement.

[3] **faire faux bond** to cancel an appointment without notice

JACQUES: S'il s'agissait de n'importe qui, je te dirais la même chose. Je te répète que tu exiges trop des autres. Je ne sais pas si cela vient de la rigidité de ton éducation, mais vraiment: ponctualité, correction absolue, à cheval sur[4] les principes, tout y est. Tu devrais pourtant te rendre compte que nous ne mettons pas la même ardeur que toi à éviter le moindre faux-pas.

FRANÇOIS: Ce n'est certainement pas une raison pour que je cède à la tendance générale. Je n'ai jamais entendu dire que la bonne éducation[5] nuisait à la vie en société. A mon avis, ce serait plutôt le contraire.

JACQUES: Tu confonds tout et tu pars tout de suite sur[6] des généralités. Personne ne te dit que la bonne éducation soit gênante. Mais toi, tu donnes l'impression de consulter ton manuel au moindre prétexte. Je ne suis pas seul à le dire. Tiens, l'autre jour, quand tu nous as quittés après la discussion, les copains ont fait remarquer que tu avais raté ta vocation. Ils te voyaient très bien . . .

FRANÇOIS: (*lui coupant la parole*) . . . dans le rôle du moraliste officiel, mieux encore, dans celui du Misanthrope.[7] Si tu crois que je ne sais pas ce qui se dit derrière mon dos. Je te parlais sérieusement et tu viens avec des racontards.[8]

JACQUES: Mais, justement, ce n'est pas sérieux. Avec toi le plus petit incident prend des proportions énormes. Tu finiras par te rendre insupportable.

FRANÇOIS: Moralité: laissons-nous aller; suivons la foule pour être bien vus. Imitons Jacques l'optimiste, Jacques-le-tolérant, et nous serons accueillis à bras ouverts.

JACQUES: Ton sarcasme ne va pas loin. On dirait que tu prends plaisir à irriter tout le monde, à te montrer sous ton jour le plus défavorable.[9] Enfin, calme-toi et on en reparlera demain.

QUESTIONS SUR LE DIALOGUE

1. Dans quelle classe François est-il allé chercher Jacques?
2. Quel genre de leçons Simone devait-elle donner à François?
3. Quel lien de parenté y a-t-il entre Simone et Jacques?

[4] **à cheval sur** a stickler for
[5] **la bonne éducation** good upbringing, good manners
[6] **tu pars tout de suite sur** and at once you are off on
[7] **Misanthrope** character in Molière's play of the same name
[8] **racontards** old wives' tales
[9] **te montrer sous ton jour le plus défavorable** to give the worst impression of yourself; to show your worst side

4. Quel rôle du répertoire classique François pourrait-il interpréter et pourquoi ?
5. Comment savez-vous que François n'a pas beaucoup d'amis ?
6. Quelle excuse Simone a-t-elle donné à François quand elle lui a téléphoné ?
7. Quelle réaction Jacques aurait-il eu à propos d'une autre jeune fille ?
8. D'après Jacques, d'où peut venir l'intransigeance de François ?

EXERCICES ORAUX

Exercice I: Dans les phrases suivantes, remplacez les expressions en italiques par celles qui sont données entre parenthèses et faites l'inversion qui s'impose. (Sec. 8.1.0.)

EXEMPLE: J'aurais *tout* fait pour l'obtenir. (que "négatif")
Que n'aurais-je pas fait pour l'obtenir !

1. Nous avions *tout juste* déjeuné que le téléphone sonna. (à peine)
2. *Il est possible qu*'il s'installe prochainement ici. (peut-être) (*Attention au changement de temps.*)
3. Ce n'était pas assez de lui expliquer nos raisons; il fallait *de plus* qu'il les accepte. (encore)
4. *Je crois qu*'elle se méfiait de cet excès d'amabilité. (sans doute)
5. Je vous *l*'avais *bien* dit. (que)
6. Si j'ai échoué dans cette entreprise, j'y ai *au moins* gagné de l'expérience. (du moins)
7. Son manuscrit était couvert de ratures; il a *donc* fallu le retaper. (aussi)
8. Il change de trottoir *dès qu*'il m'aperçoit. (à peine)
9. Elle s'imagine *probablement* qu'il faut être au courant de tout. (sans doute)
10. Il ne suffit pas d'avoir la bosse des langues; il faut *de plus* avoir l'occasion d'en apprendre. (encore)

Exercice II: Transformez les phrases suivantes, à l'aide des verbes donnés entre parenthèses. Vous les intercalerez dans les phrases ou les mettrez à la fin des phrases, sous forme d'inversion.

EXEMPLES: Yvonne s'étonna: "Pourquoi si tôt?" (demander)
"Pourquoi si tôt?" demanda-t-elle.
Mme Lebon rit. "C'est vrai que vous voyagez comme une vedette de cinéma." (dire)
"C'est vrai," lui dit-elle, "que vous voyagez comme une vedette de cinéma."

1. Le rédacteur eut l'air étonné. "Mais, Monsieur, il est clair qu'il s'agit d'une erreur." (répondre)
2. Jean continuait: "Il faut dire aussi que ma conduite ne poussait pas à l'indulgence." (ajouter)
3. Il s'est retourné: "Est-ce qu'on se revoit mardi?" (demander)
4. Ann rit: "Tu es incorrigible. Lorsque tu ne peux en faire à ta tête, tu critiques tout." (répliquer)
5. Elle se redressa: "Zut! Déjà 2 heures 10. Dépêchons-nous." (s'exclamer)
6. Pierre a entendu la question: "On s'amuse à regarder des badauds et à les voir gesticuler." (répondre)
7. Raymond reprit la parole: "N'oublions pas qu'il s'agit de deux êtres exceptionnels." (faire remarquer)
8. Julie eut un sourire: "Ne cherchez pas de compliments." (répliquer)
9. Il semblait sérieux: "Et s'ils avaient fini par y découvrir un noyé?" (ajouter)
10. Sa mère n'était pas contente: "Tant que tu fais tes études, j'entends que tu aies des heures régulières." (riposter)

Exercice III: Dans les phrases suivantes, mettez les verbes, donnés à l'infinitif, au temps convenable et ajoutez les mots qui manquent.

EXEMPLE: Chaque fois que nous allions chez eux/se tromper de chemin.
Chaque fois que nous allions chez eux, nous nous trompions de chemin.

1. Je vous prêterai ce livre dès que/le finir.
2. Elle s'est fâchée parce que vous/répondre avec insolence.
3. Je voudrais que vous/faire cette démarche avec tact.
4. Si on me téléphone/répondre et dire/me rappeler à 5 heures. (*familier*)
5. Je le lui ferai recommencer jusqu'à ce que/le faire sans aucune faute.
6. Pendant mon séjour à Paris/prendre le métro plus souvent que l'autobus.
7. Quand il m'en a parlé/ne pas vouloir lui dire que/le savoir déjà.

8. Toute la salle s'est levée pendant que l'orchestre/jouer l'hymne national.
9. Nous aurions pu prendre l'avion si/retenir nos places à temps.
10. Il lui a dit que/ne pas être content et/préférer donner sa démission.
11. Nous hisserons la voile quand/y avoir assez de vent.
12. Tous les soirs, je lui raconte ce que/faire dans la journée.

Exercice IV: Dans les phrases suivantes, remplacez le pronom en italiques par l'expression donnée entre parenthèses que vous ferez précéder d'un article défini, indéfini, partitif ou d'une simple préposition, selon les besoins. (Sec. 4.3.1–4.3.3.)

EXEMPLES: *a.* Je n'*en* ai pas. (monnaie)
Je n'ai pas de monnaie.
b. Sois tranquille, je *la* ferai en rentrant. (vaisselle)
Sois tranquille, je ferai la vaisselle en rentrant.

1. Je n'*en* ai acheté qu'un kilo. (cerises)
2. Nous *l'*avons croisée en sortant du cinéma. (sœur de Charles)
3. *Elle* ne part pas toujours d'un élan du cœur. (charité)
4. Les enfants *l'*aiment mieux que le café. (lait)
5. J'*en* ai vu qui poursuivaient les manifestants. (agents de police)
6. *Ils* sont toujours à l'heure et font remarquer leur ponctualité. (Dupont)
7. Nous *lui* avons demandé qu'elle fasse une exception. (directrice)
8. J'*en* prends assez souvent avec le café. (cognac)

Exercice V: Répondez aux questions suivantes, à l'aide des éléments donnés entre parenthèses et de l'article ou de la préposition que vous fournirez. (Sec. 4.3.1–4.3.3.)

EXEMPLE: Que faites-vous le soir, avant de vous coucher? (prendre/bain chaud)
Je prends un bain chaud.

1. Qu'est-ce qui est, dit-on, nuisible à la peau? (savon)
2. Qu'y a-t-il dans ces caisses? (bouteilles de vin)
3. Que prendrez-vous comme boisson? (eau)
4. Quelle fleur vas-tu mettre à ta boutonnière? (rose rouge)
5. Où puis-je me faire couper les cheveux? (coiffeur de l'hôtel) (*Mettez "chez."*)
6. Qu'est-ce que tu dis? (ne pas avoir assez/timbres)

7. Qu'est-ce que vous cherchez? (clef du tiroir)
8. Avec qui allez-vous chez les chansonniers? (parents de ma fiancée)
9. Qu'est-ce que vous avez trouvé? (billet de loterie)
10. Qu'est-ce que tu fais ici? (acheter/souvenirs pour mes amis)

RÉVISION DES VERBES IRRÉGULIERS (*mourir*)

1. Si tu meurs dans un accident, ta famille touchera-t-elle l'assurance? Oui, si je ____ dans un accident, ma famille touchera l'assurance.
2. Si vous mourez dans un accident, votre famille touchera-t-elle l'assurance? Oui, si nous ____ dans un accident, notre famille touchera l'assurance.
3. S'ils meurent dans un accident, leur famille touchera-t-elle l'assurance?

4. Il racontait des histoires à jet continu, et nous mourions de rire.
5. Il racontait des histoires à jet continu, et je ____ de rire.
6. Il racontait des histoires à jet continu, et vous ____ de rire.
7. Il racontait des histoires à jet continu, et tu mourais de rire.
8. Il racontait des histoires à jet continu, et elle ____ de rire.

9. On m'a dit que je mourrais jeune.
10. On lui a dit qu'il ____ jeune.
11. On nous a dit que nous mourrions jeunes.
12. Vous a-t-on dit que vous ____ jeunes?
13. T'a-t-on dit que tu ____ jeune?

14. Vous mourrez de froid si vous allez dans ce pays.
15. Nous ____ de froid si nous allons dans ce pays.
16. Tu mourras de froid si tu vas dans ce pays.
17. Je mourrai de froid si je vais dans ce pays.
18. Il ____ de froid s'il va dans ce pays.

19. Il n'est pas étonnant que je meure d'ennui dans ce trou.[10]
20. Il n'est pas étonnant que tu ____ d'ennui dans ce trou.
21. Il n'est pas étonnant que vous mouriez d'ennui dans ce trou.
22. Il n'est pas étonnant que nous ____ d'ennui dans ce trou.
23. Il n'est pas étonnant qu'ils meurent d'ennui dans ce trou.

[10] **trou** isolated, dead place

24. Le roi est mort. . . . Vive le roi!
25. Je serais morte de peur si j'avais rencontré cet individu.
26. "Meurs dignement!" lui dit son camarade au moment de leur exécution.
27. "Mourons pour la patrie!" eut-il le temps de crier.

EXERCICES ÉCRITS

Exercice A: Répondez aux questions suivantes de façon cohérente, en utilisant les éléments du dialogue.

1. Lorsque vous vous trouvez avec des camarades qui n'ont pas la même éducation que vous, leur imposez-vous vos "principes"? Pourquoi (pas)?
2. Combien prendriez-vous pour donner des leçons particulières et comment vous feriez-vous payer?
3. Quel est le rôle du moraliste dans une société? Donnez un exemple avec commentaire à l'appui.
4. Auquel des deux camarades donneriez-vous raison et pourquoi?
5. A quoi s'engagent une jeune fille et un jeune homme lorsqu'ils sont officiellement fiancés?
6. Lorsque vous voulez plaire à quelqu'un, sous quel jour vous montrez-vous?

Exercice B: Mettez les phrases suivantes au discours direct (entre guillemets) et ajoutez le membre de phrase, qui introduit le discours indirect, sous forme d'inversion. (Sec. 1.16.0.)

EXEMPLE: Il m'a dit qu'il ne tolérait pas le manque de politesse.
"Je ne tolère pas le manque de politesse," m'a-t-il dit.

1. Je lui ai répondu qu'il devenait insupportable. (*familier*)
2. Il a déclaré qu'il ne nous inviterait jamais plus.
3. Elle a murmuré qu'elle ne s'était jamais tellement ennuyée.
4. Il a soutenu que nous ne lui avions pas dit toute la vérité.
5. Il m'a dit de faire ce que je pourrais et de laisser le reste.
6. Elle a grommelé que, chez les jeunes, la politesse se perdait.
7. Ils ont précisé que tout ce que nous ferions pendant le semestre compterait pour l'examen final.
8. Il paraît qu'il avait un rendez-vous d'affaires.
9. Il suggère que nous nous adressions au doyen de la faculté.

10. Il a insinué qu'il savait ce qu'on disait de lui derrière son dos.
11. Je leur ai recommandé de lire ce chapitre attentivement et de retenir les faits importants.
12. Elle m'a encore répété qu'elle me paierait un mois d'avance.

Exercice C: Transformez les phrases suivantes, à l'aide des expressions données entre parenthèses, dont vous vous servirez, soit pour commencer les phrases, soit pour remplacer d'autres expressions dans les phrases. Vous supprimerez, s'il y a lieu, les expressions devenues inutiles et vous modifierez, comme il convient, les temps des verbes.

EXEMPLE: Hier, j'ai joué au tennis (dans ma jeunesse/tous les jeudis).
Dans ma jeunesse, je jouais au tennis tous les jeudis.

1. Tu devrais prendre des vacances. (il faudrait que)
2. Je t'en donnerai parce que tu me l'as demandé gentiment. (si)
3. Elle l'avertira à temps. (il demande)
4. N'y vas pas. (je t'avais interdit de)
5. Comment peux-tu faire des choses pareilles? (je me demandais)
6. Voir ce qu'il dira avant que la nouvelle ne soit annoncée. (après que)
7. Pourquoi faites-vous tant d'histoires? (je ne savais pas)
8. Ils vous téléphonera dès qu'il aura les résultats. (je lui ai dit de)
9. Il se met à faire ses devoirs aussitôt qu'il rentre de l'école. (hier)
10. Si elle était plus raisonnable, nous pourrions compter sur elle. (quand)
11. Que faites-vous de 5 à 7 heures et où peut-on vous trouver? (je lui ai demandé)
12. Avant, j'écrivais les éditoriaux et je revoyais les articles. (à partir du mois prochain)
13. Je vais d'abord m'inscrire au cours d'histoire et je le rejoindrai ensuite au café. (il insiste pour que)
14. Ce matin, quand je suis arrivé au bureau, la dactylo avait déjà tapé la liste des cours. (demain matin)
15. Elle vient de se réveiller et elle a déjà mis son phono en marche. (quand je suis allé l'appeler)
16. Si elle ne m'avertissait pas à temps, elle devrait payer la leçon de toute façon. (je vais la prévenir que)

Exercice D: (Exercice de composition.) Dialogue entre un professeur français et un étudiant américain, dans une université américaine. Vous écrirez les répliques au discours direct, et vous présenterez votre composition sous la forme des dialogues que vous avez dans chaque chapitre.

Le professeur s'étonne: lorsqu'il entre dans une classe, aucun des étudiants ne se lève. Ils continuent tous les conversations engagées, comme si de rien n'était, en attendant que le professeur commence son cours. Le professeur est aussi choqué par le laisser-aller, la tenue souvent débraillée, l'absence de cravate. Il se demande si c'est lui qui en est la cause.

L'étudiant répond (environ six lignes à la machine, ou plus, car il doit, à la fois, défendre ses camarades et faire comprendre au professeur que leur attitude est la même avec tous les membres du corps enseignant). Vous fournissez les éléments de sa réponse.

Puisqu'il en est au chapitre des renseignements, le professeur demande alors comment il se fait que, lorsqu'un des élèves est absent, personne dans la classe n'est capable de dire pourquoi. Il dit qu'en France, lorsque, par hasard, un professeur remarque l'absence d'un élève, et qu'il en demande la raison, il se trouve toujours un camarade pour fournir l'explication ou l'excuse.

L'étudiant répondra en expliquant pourquoi ce n'est pas comme ça dans une université américaine, compte tenu de l'organisation, de la dispersion des étudiants dans diverses classes (nous parlons des quatre premières années d'université) et diverses facultés. (Encore une fois, environ six lignes à la machine.)

Le professeur remercie l'étudiant de ses explications, mais il insiste: il aimerait obtenir que les étudiants lui marquent un certain respect. D'après ce que lui a dit l'étudiant, il a l'impression que les élèves n'ont pas grand respect pour leurs professeurs.

L'étudiant va répondre avec une certaine chaleur pour démontrer que ce respect existe au moins autant que dans les écoles et universités françaises, encore que sous d'autres formes. (Vous parlerez des rapports étudiants-professeurs, entre autres choses.)

CHAPTER 14

Determiners (Part II): Possessive, Demonstrative, and Indefinite Adjectives; Possessive, Demonstrative, and Indefinite Pronouns

REVIEW NOTES

Remember—particularly as you use the possessive, demonstrative, and indefinite adjectives—that determiners are mutually exclusive in the same noun phrase.

Possessive adjectives generally indicate by their form both the person and number of the possessor and also the gender and number of the thing possessed. The American student must remember, therefore, that "her father" is *son père*, the gender of *son* being determined by the object "possessed." The demonstratives simply "point" and rarely are used with the *-ci* and *-là* particles attached to the noun to distinguish, as English regularly does, between "*this* thing" and "*that* thing."

The demonstrative pronoun *celui* (*celle*, *ceux*, *celles*) cannot stand alone. It must be followed either by *-ci* or *-là*, *de* + complement, or a relative clause. *Ce*, *ceci*, *cela*, and *ça* are independent forms, that is, constitute complete noun phrases in themselves.

With both the demonstrative and indefinite pronouns, students often develop the habit of using a favorite form in all constructions, to the exclusion of other forms. After preparing the exercises in this chapter, you should check Sections 4.5.4. and 4.5.5 to be sure you are using the correct form in each context.

REF GRAM SEC: 4.3.4–4.3.7, 4.5.4–4.5.6.

NOTES ON PRONUNCIATION

In both English and French [l] is very much affected by the vowels preceding and/or following it. Keeping this in mind, we may say that, in pronouncing French [l], the front of the tongue is *relatively* farther forward (on the alveolar ridge or the upper teeth) than it would be for an English [l] in the same position and context.

French [r] (we do not use a more precise phonetic symbol because there is no need to distinguish various *r*'s in French) is pronounced by many Frenchmen as a uvular trill. Your instructor and the tapes can best demonstrate this for you: a written description does not seem useful. However, we do feel it is worth noting that it is also possible and correct to pronounce the *r* in French as a tongue trill, similar to Spanish *rr*. Students who have difficulty with the uvular trill should certainly try the tongue trill, which is preferable to a poor uvular trill or to an American pronunciation.

[l] **A quelle heure ?**
C'est la seule chose qui m'amuse.
Elles se sont insultées.
Il habite loin d'ici.
A-t-il lu ce livre ?

[r] **Il décroche le récepteur.**
La cliente criait plus fort que la marchande.
Il faut le reconnaître.
Vive le roi !
Le croupion doit être tendre.

DIALOGUE

Donald est seul dans sa chambre, en train de lire. Le téléphone sonne et Donald décroche le récepteur. Nous n'allons entendre que ce que dit notre jeune Américain.

Allo! Allo, Paul! Non, je ne dormais pas, je lisais. Mais tu ne me déranges pas du tout, au contraire. Allons, Paul, qu'est-ce que tu vas chercher là?[1] Je t'assure que c'est ma voix de toujours. Hélas oui, et j'aurais préféré rester seul que de sortir pour ça. Ah! là! là! Quelle matinée, mon vieux! Imagine-toi que Suzanne m'a appelé ce matin pour me demander si j'étais libre, et moi, comme un imbécile, j'ai répondu que oui avant de savoir pourquoi. Et sais-tu ce qu'elle avait trouvé? Non, tu n'y es pas.[2] Que ce serait intéressant de voir un marché parisien. Que

[1] **Qu'est-ce que tu vas chercher là?** What gave you that idea?
[2] **Tu n'y es pas** you are all at sea; you don't get the point

voulais-tu que je réponde ? Oui, après coup[3] c'est facile, mais malheureusement j'ai l'esprit de l'escalier.[4]

Je ne te dis pas le contraire et moi aussi je la trouve charmante. Si seulement je pouvais sortir seul avec elle, je ne me plaindrais pas, mais nous sommes constamment chaperonnés par sa mère. Oui, plusieurs fois déjà. Eh bien, au Salon de l'Auto,[5] à la Foire aux Puces,[6] aux Grands Magasins.[7] . . . Je ne sais pas si elles me prennent pour un négociant en quête d'idées[8] nouvelles, mais vraiment Paris a d'autres attraits que ceux-là.

Oui, nous sommes allés à celui de la place Maubert. Pour un peu il aurait fallu que je m'extasie sur les tas de tomates, de salades, de pommes et autres fruits. Et devant chacun des étalages,[9] elles me demandaient si on trouvait la même chose aux Etats-Unis (comme s'il s'agissait d'un village quelconque) ; si nos prix étaient plus élevés, enfin cela n'en finissait pas.

Mais non, ce n'était pas la première fois que j'en voyais. Je n'y vais pas exprès bien sûr, mais je passe souvent place Monge et je m'amuse à observer acheteuses et marchandes, à écouter leurs échanges.

Tiens, l'autre jour j'ai assisté à une petite scène qui m'a bien fait rire. Après avoir regardé le contenu d'un sac de papier, une dame l'a jeté à la tête de la fruitière, en prétendant que ses pêches étaient pourries, et cette dernière a bondi de derrière son étal.[10] Elles se sont insultées à qui mieux mieux :[11] la cliente prenait les autres ménagères à témoin de la malhonnêteté des commerçants, de la cherté de la vie, de l'exploitation des travailleurs. Enfin, elle a fait un véritable exposé de revendications[12] sociales, pendant que la marchande gesticulait et tâchait de couvrir sa voix en criant plus fort qu'elle.

Oh ! non. Je n'ai pas tout compris car leur langage n'avait pas grand-chose de commun avec celui qu'on nous enseigne, mais mes lacunes ont été comblées[13] par leurs gestes et leurs grimaces. Je crois bien que si

[3] **après coup** after the event; after-thought
[4] **avoir l'esprit de l'escalier** to think of a retort when it is too late
[5] **Le Salon de l'Auto** *une fois par an, toutes les marques de voitures, françaises et étrangères sont exposées au Grand Palais (exhibition hall).*
[6] **La Foire aux Puces** flea market
[7] **Les Grands Magasins** the large department stores
[8] **en quête de** looking for; searching for
[9] **étalages** displays
[10] **étal** stall
[11] **à qui mieux mieux** in an attempt to outdo one another
[12] **revendications** demands
[13] **comblées** filled in

un agent n'était arrivé à ce moment-là, elles en seraient venues aux mains.[14]

Oui, évidemment; je sais, depuis ce matin, que si un poisson est frais, ses ouïes[15] sont rouges; qu'on tâte le croupion[16] des poulets pour savoir s'ils sont jeunes. J'ai aussi appris qu'il faut regarder de près les écriteaux ou les ardoises,[17] car, à côté du prix, on trouve souvent en tout petits caractères: les 100 gr. ou le 1/2 kilo au lieu du "kilo" auquel on pourrait s'attendre. Dans ce cas, la distraction[18] vaut une surprise désagréable, au moment de payer. Et on m'a dit de surveiller les marchands, parce qu'ils vous refilent[19] aisément fruits et légumes de derrière le tas, et que

[14] **elles en seraient venues aux mains** they would have come to blows
[15] **ouïes** gills
[16] **croupion** rump
[17] **les ardoises** pieces of slate
[18] **la distraction** inattention
[19] **refiler** to "palm off"

ce sont les moins beaux. Mais ça c'est pareil partout. Tu crois vraiment que cela valait une matinée?

Oui, avec plaisir, je n'ai rien à faire ce soir. A quelle heure? Entendu: 8 heures devant le guichet.

QUESTIONS SUR LE DIALOGUE

1. Pourquoi Donald a-t-il accepté l'invitation de Suzanne?
2. Comment savez-vous que Donald n'a pas la repartie facile?
3. Comment les fruits et les légumes sont-ils présentés sur les marchés parisiens?
4. A quelle réunion politique Donald a-t-il assisté?
5. Dans quel magasin d'alimentation Donald a-t-il assisté à la scène?
6. La marchande et la cliente se sont-elles battues? Comment le savez-vous?
7. Comment Donald démontre-t-il qu'il est sensible au goût avec lequel les commerçants disposent leurs étalages?
8. La matinée de Donald a-t-elle été totalement perdue? Comment le savez-vous?

EXERCICES ORAUX

Exercice I: Mettez les phrases suivantes au singulier. Faites tous les changements nécessaires. (Sec. 4.3.4–4.3.5.)

EXEMPLE: Ces jeunes gens passent leur vie à la terrasse des cafés.
Ce jeune homme passe sa vie à la terrasse des cafés.

1. Ces autos consomment trop d'essence.
2. Est-ce que ces appartements sont déjà vendus?
3. Ce sont ces marchands qui ont porté plainte.
4. Leur innocence reconnue, ces accusés furent remis en liberté.
5. Il y a deux personnages insupportables dans la pièce et ce sont ces grincheux-là qui déclenchent l'action.
6. Quand on leur fait des compliments, ces jeunes filles ont l'air d'être embarrassées.
7. Ces coutumes sont mentionnées dans de vieux documents.
8. Ces jeunes gens la trouvent charmante.
9. Il fallait que je m'extasie sur ces étalages.
10. Ces marchés en plein air sont montés trois fois par semaine.

Exercice II: Remplacez les mots en italiques par un adjectif possessif et, s'il y a lieu, faites les changements nécessaires. (Sec. 4.3.4.)

EXEMPLE: Où sont *les* cigarettes *que je viens d'acheter*?
Où sont mes cigarettes?

1. *L'*auto *que vous m'avez vendue* est encore en excellent état.
2. C'est *la* fille *de M. et Mme Lebon.*
3. Pourrions-nous louer *la* maison *dont il a hérité*?
4. C'est un *des* frères *de maman.* (Employez aussi l'adjectif *maternel.*)
5. Ne vous asseyez pas là, c'est *le* fauteuil *de mon père.*
6. Elle doit me payer *les* leçons *que je lui ai données.*
7. Je te rends *les* livres *que tu m'avais prêtés.*
8. Je connais Claudine, oh! oui, je la connais même très bien; c'est *la* fille . . . *de mes parents.*
9. Nous sommes constamment chaperonnés par *la* mère *de Simone.*
10. Je cherche *les* billets *que nous venons d'acheter.*
11. La cliente prenait les autres à temoin de *la* malhonnêteté *des commerçants.*
12. *Le* vocabulaire *que tu possèdes* ne te permettrait pas de comprendre les chansonniers.

Exercice III: Dans les phrases suivantes, remplacez les expressions en italiques par celles qui sont données entre parenthèses. Faites attention à l'ordre des mots, qui peut varier. (Sec. 4.3.7.)

EXEMPLE: Il a lu le dictionnaire *du commencement à la fin.* (tout)
Il a lu tout le dictionnaire.

1. Est-ce que ce grand magasin a *beaucoup de* succursales? (plusieurs)
2. Cette situation pose *des* problèmes. (certains)
3. *Il y a quelques jours*, les ménagères ont manifesté contre la cherté de la vie. (l'autre jour)
4. On ne peut rien lui dire quand il est dans une colère *semblable.* (telle)
5. Il a *un peu* tardé avant de nous répondre. (quelques secondes)
6. Je n'ai *pas du tout* envie d'entendre leurs récriminations. (aucune)
7. *D'année en* année, il ajoutait une perle au collier de sa femme. (chaque)
8. Je vais à la piscine *le mardi.* (toutes les semaines)

9. C'était un village *comme un autre*, rien ne le distinguait. (quelconque)
10. Elles insistaient pour qu'on s'arrête à *un* étalage, *puis au suivant.* (chaque)

Exercice IV: Complétez les phrases suivantes à l'aide d'un pronom possessif. (Sec. 4.5.6.)

EXEMPLE: Je vois que tu as déjà fini ton bifteck, veux-tu aussi ____?
Je vois que tu as déjà fini ton bifteck, veux-tu aussi le mien?

1. Toi, tu connais mes parents, mais moi, je ne connais pas ____.
2. Si tu n'as pas d'imperméable, prends ____.
3. Amenez votre sœur; j'amènerai aussi ____.
4. Occupe-toi de tes affaires et laisse-moi m'occuper ____.
5. Votre professeur nous semble plus sévère que ____.
6. Jean ne parlait pas de ton rôle, il parlait ____.
7. Tu ne t'entends pas, je t'assure; ma voix est beaucoup plus grave que ____.
8. Ils se sont fâchés quand je leur ai dit que mes principes étaient plus fermes que ____.
9. Quoi que vous disiez, nos prix sont moins élevés que ____.
10. Nancy m'a demandé mes jumelles pour aller au théâtre, car elle avait oublié ____.

Exercice V: Complétez les phrases suivantes à l'aide d'un pronom démonstratif. (Sec. 4.5.4.)

EXEMPLES: *a.* Est-ce que votre professeur est aussi ____ de Robert?
Est-ce que votre professeur est aussi celui de Robert?
b. Pouvez-vous prendre l'autre sans prendre aussi ____?
Pouvez-vous prendre l'autre sans prendre aussi celui-ci?

1. Je me suis trompé de leçon; j'ai étudié ____ qui était pour la semaine prochaine.
2. Vous n'êtes pas faite pour ce rôle; ____ de Clothilde vous irait beaucoup mieux.
3. Entre celui-ci et ____, il n'y a qu'une différence de prix, pas de qualité.
4. Ce n'est pas cela qui me gêne, c'est plutôt ____ qu'ils en penseront.
5. Compare les grands magasins de Paris et ____ de New York.
6. Si vous prenez les deux, je vous ferai un rabais sur ____.
7. Voilà! C'est exactement ____ que je cherchais.

8. Je n'entends aucune différence entre ces disques-là et ____.
9. L'autre marchande est beaucoup plus aimable que ____.
10. Ce n'est pas le mien, c'est ____ de Paul.
11. Tu confonds; les chansonniers que nous allons voir sont ____ qui ont tant de succès.
12. Il sait quantité de petites histoires et ____ qu'il nous a racontées hier étaient hilarantes.

RÉVISION DES VERBES IRRÉGULIERS (*plaindre, craindre, peindre*)

1. De quoi vous plaignez-vous? Nous nous plaignons de la nourriture.
2. De quoi te plains-tu? Je me ____ de la nourriture.
3. De quoi se ____-ils?
4. Il craignait que je ne peigne toutes les pièces en bleu.
5. Je ____ que tu ne ____ toutes les pièces en bleu.
6. Nous craignions que vous ne peigniez toutes les pièces en bleu.
7. Vous craigniez qu'ils ne ____ toutes les pièces en bleu?
8. Je me plaindrai tant que vous ne ____ pas la façade.
9. Il se ____ tant que tu ne repeindras pas la façade.
10. Nous nous ____ tant qu'ils ne repeindront pas la façade.
11. Si les prix n'étaient pas aussi élevés, te plaindrais-tu du service?
12. Si les prix n'étaient pas aussi élevés, vous plaindriez-vous du service?
13. Si les prix n'étaient pas aussi élevés, nous ne nous ____ pas du service.
14. Si les prix n'étaient pas aussi élevés, je ne me ____ pas du service.
15. Si les prix n'étaient pas aussi élevés, ils ne se ____ pas du service.
16. Un beau jour, elle se plaignit de fortes douleurs, et nous craignîmes le pire.
17. Il a peint ce tableau en 1930.
18. Si je n'avais pas craint de lui déplaire, j'aurais peint son portrait.

EXERCICES ÉCRITS

Exercice A: Répondez aux questions suivantes en utilisant les éléments du dialogue.

1. Qu'auriez-vous répondu à Suzanne, si vous aviez été à la place de Donald?
2. Si un commerçant français, "en quête d'idées nouvelles," venait ici, où l'emmèneriez-vous?
3. D'après le texte, en quoi les marchés américains diffèrent-ils des marchés français?
4. De quelles méthodes les commerçants américains, et en particulier les propriétaires de postes d'essence au bord des routes, se servent-ils pour annoncer leurs prix?
5. Si vous aviez assisté à une scène semblable à celle que décrit Donald, auriez-vous compris de quoi il s'agissait, sans comprendre ce qui se disait? Pourquoi (pas)?

Exercice B: Complétez les phrases suivantes, à la forme interrogative, négative ou affirmative, en vous servant d'un pronom démonstratif ou possessif correspondant aux mots en italiques de la première partie de la phrase. (Sec. 4.5.4–4.5.6.)

EXEMPLES: *a.* Tu as peut-être raté *ta vocation*, mais moi ____.
Tu as peut-être raté ta vocation, mais moi je n'ai certainement pas raté la mienne.

b. Je croyais que *tous les marchés* étaient couverts; mais ____.
Je croyais que tous les marchés étaient couverts, mais ceux de Paris sont à l'air libre. (en plein air)

1. Dites-moi, Jacques: Robert m'a déjà rendu *son essai*, quand ____?
2. Je n'avais pas la même chance que toi. *Tes parents* voulaient que tu développes tes muscles, alors que ____.
3. Les Lebon vous envient: *votre appartement* est si clair, si spacieux, tandis que ____.
4. Je n'y comprends plus rien. Il m'avait demandé *ce dossier*, et quand je le lui ai apporté, il m'a dit que ____.
5. On m'avait dit que *les pommes de terre de Hollande* étaient les meilleures du monde, mais je trouve que ____.
6. Je suis désolé de vous déranger, mais j'ai quantité de lettres à taper et *ma dactylo* est malade aujourd'hui. Est-ce que ____.
7. Regarde à ta droite, Pierre. Connais-tu *ces deux filles*? Pas toutes les deux, mais ____.
8. Nous n'avons pas les mêmes idées que vous sur l'éducation; aussi *vos enfants* sont-ils très strictement tenus, alors que ____.

9. On ne peut pas comparer les deux immeubles. *Les locaux du premier* sont pourvus de tout le confort moderne, tandis que ____.
10. Il m'a laissé choisir entre ces deux gravures; *l'autre* n'était pas numérotée et ne portait pas la signature du peintre. Par contre ____.
11. Tu trouves que dans *ton université* la discipline est trop stricte et que vous n'avez pas assez de liberté. Eh bien! ____.
12. Je ne suis pas d'accord avec les critiques. *La pièce de B**** est originale, très bien écrite et très drôle, alors que ____.

Exercice C: Répondez aux questions suivantes, à l'aide des expressions données entre parenthèses. Vous fournirez le verbe conjugué, s'il y a lieu. (Sec. 4.5.5.)

EXEMPLES: *a.* Pourquoi voulez-vous le voir? (quelque chose à dire)
Parce que j'ai quelque chose à lui dire.
b. Vous manque-t-il quelque chose? (rien)
Non, il ne me manque rien.

1. Pourquoi tardez-vous tant à engager du personnel? (pas n'importe qui)
2. Est-ce que les agents ont tiré sur la foule? (aucun)
3. Pourquoi met-elle des pages à part? (plusieurs à corriger)
4. Pourquoi préparez-vous tant de plats? (chacun)
5. Est-ce que vous aviez déjà appris la nouvelle? (quelqu'un)
6. Pourquoi retirez-vous votre candidature? (certains)
7. Que faut-il que j'apprenne pour être au courant? (tout)
8. Pourquoi n'as-tu pas réparé le lavabo? (autre chose à faire)
9. Est-ce que tous les étalages sont disposés de la même façon? (chacun)
10. Est-ce que ces deux-là ne vous plaisent pas? (l'une, l'autre)
11. J'en étais sûr. Il l'a raconté à quelqu'un? (personne)
12. Pourquoi laissez-vous tous ces tableaux sans les accrocher? (aucun)
13. Quel est ce dicton, à propos des voleurs? (quiconque)
14. Pourquoi hésitez-vous tant à choisir un cadeau pour lui? (n'importe quoi)
15. Pourquoi est-ce que ces gens-là reçoivent une indemnité? (tous "au chômage")
16. Est-ce que je peux présenter mon texte tel quel? (rien à changer)

Exercice D: (Exercice de composition.) Dans la conversation que Donald a par téléphone avec Paul, nous n'avons entendu que le récit de Donald.

Vous allez donc vous mettre à l'autre bout du fil et jouer le rôle de Paul. Relisez attentivement tout ce que dit Donald et voyez quelles sont les phrases qui répondent à des questions ou à des commentaires de Paul.

Vous présenterez vos questions et vous donnerez au-dessous la réponse de Donald.

EXEMPLE: PAUL: Est-ce que tu dormais? Est-ce que je t'ai réveillé?
DONALD: Non, je ne dormais pas, je lisais.

CHAPTER 15

Personal Pronouns: Conjunctive, Disjunctive, Reflexive; Pronominal Adverbs *Y* and *En*

REVIEW NOTES

You should be completely familiar with the forms of the personal pronouns by now, but you may need some reviewing of your ability to *use* these forms. Although the table and description in Section 4.5.3 will help you determine the correct order of conjunctive object pronouns, fluency in using these forms is best attained by constant practice. If you have difficulty with the oral exercises in this chapter, you definitely must return to the workbook exercises.

Be sure to use the correct person-number form of the reflexive pronoun in all circumstances. There is a tendency among American students to use *se* with all infinitive constructions, such as: *J'ai essayé de me lever*. (It is not *se* with the subject *je*.)

An important reminder about *y* and *en*. Do not forget to *use* them: *y* is often forgotten in favor of an easier and usually incorrect *là*; *en* is often omitted completely because the equivalent English sentence does not require such a complement (*J'en ai trois.*—"I have three.").

REF GRAM SEC: 4.5.0–4.5.3.

NOTES ON PRONUNCIATION

Syllabification and *liaison* present few problems and, except for certain instances of *liaison*, most students at the intermediate level have a good control of both processes.

Most French monosyllables are of the form, CV (consonant followed by vowel): *chat* [ša]. (Note, of course, that we are referring to actual vowel and consonant *sounds*, not to the written language.) Other possible monosyllables are V, CVC, or VC: *ou* [u], *lac* [lak], *île* [il].

Polysyllables are regularly divided after vowels, before consonants: *midi* [mi-di], *présentant* [pre-zã-tã], *découvert* [de-ku-vɛr]. When two consonants are together within a word, they usually go in separate syllables: *dernière* [dɛr-njɛr], *exaspéré*[1] [ɛg-zas-pe-re], *nostalgique* [nɔs-tal-žik]. However, when the second consonant is [l] or [r], and the first one is *not*, the consonant cluster is not split: the two consonants start the new syllable: *remplit* [rã-pli], *géographie* [že-o-gra-fi]. Three-consonant sequences follow a similar pattern. They are quite rare. *Written* double consonants (same one twice) normally indicate an actual double-consonant situation even though we would not say we *hear* two consonants. Contrast *jetons* [žə-tɔ̃] with *mettons* [mɛt-tɔ̃], where the first *t* of *mettons* "checks" the *e* and causes it to be pronounced [ɛ].

In normal speech, when a word ending with a consonant is followed, in the same breath phrase, by a word beginning with a vowel sound, that consonant is "linked" to the following vowel, opening a new syllable: *tu devais être* [ty-də-ve-zɛtr], *il est arrivé* [i-lɛ-ta-ri-ve], *le lac est grand* [lə-la-ke-grã]. This process is called *liaison* when the final consonant would ordinarily not be pronounced; *enchaînement* when the final consonant would be pronounced even if there were no following vowel (as in *lac*). (Note that, in the case of *enchaînement*, the "displaced" consonant still has its checking effect on the preceding vowel: *que met-on* [kə-mɛ-tɔ̃], *not* with a schwa or a close [e].)

Potential *liaison* sequences are described by phoneticians as obligatory, optional, and forbidden. Most of the rules are reasonably clear and consistent, but there are too many to list here. If you make *liaisons* between words in the same immediate structure and avoid them between clearly separate structures, you will not err too frequently. To test yourself, you may mark the *liaisons* that you expect to hear in the following dialogue before listening to the tape. (It would be good to do the same thing with a number of the past dialogues.) Please do not ever pronounce the *t* of *et*! It never "links" with a following vowel.

DIALOGUE

Gisèle et Marcel parlent de sports d'hiver.

GISÈLE: A partir de midi, le bar de l'hôtel se remplissait. On se serait cru dans un salon de grand couturier, au moment de la présentation des

[1] The letter *x* is equivalent to *ks*, and is pronounced [gz] before vowels, [ks] before voiceless consonants, for example, *exemple* [ɛgzãplə], *excès* [ɛksɛ], *extrême* [ɛkstrɛm].

modèles de ski et d'après-ski, plutôt que dans une station de sports d'hiver, en pleine saison.

MARCEL: Et ces soi-disant amateurs[2] ne font que descendre de leur chambre pour s'exhiber. On pourrait compter sur les doigts de la main ceux qui ont skié dans la matinée.

GISÈLE: Skier! Tu ne voudrais pas![3] C'est bon pour les enragés. Eux, pendant ce temps, font les Tartarins[4] et parlent de leur style, de leurs accidents (ils ont tous eu des fractures qui sont leurs lettres de noblesse), puis vont sur la terrasse, car ils ne peuvent regagner la capitale sans ce visage bronzé qui atteste leur séjour.

MARCEL: On dirait que tu brosses un portrait des Savary. L'année dernière, je m'y suis laissé prendre,[5] et je suis allé aux Houches[6] avec eux et toute une bande du même acabit. A les entendre, pas une piste ne leur résistait et c'est tout juste s'ils n'en remontraient pas aux moniteurs.[7]

GISÈLE: Oh! On les retrouve partout ceux-là. Ils étaient aussi avec nous cette année. Bon, quand je dis avec nous, je veux dire au même hôtel, car on ne les a pas vus plus d'une fois sur les pistes.

MARCEL: Ils aiment trop flirter et s'amuser pour ça. Et comme ils ont beaucoup de succès auprès des filles, ils se pavanent[8] au milieu de la gent féminine.[9] Au début, innocemment, j'allais les réveiller le matin, et ils bredouillaient[10] qu'ils avaient sommeil, qu'ils s'étaient couchés très tard parce qu'ils avaient dansé. Ils me disaient de partir devant; qu'ils me rejoindraient.

GISÈLE: Evidemment, tu ne les revoyais plus de la journée?

MARCEL: Non, mais le premier jour, ne sachant pas encore à quoi m'en tenir, je les ai attendus au télé-ski. Je me suis vite lassé et ensuite je les ai laissés tomber. Tu comprends, mes moyens ne me permettent pas de passer plus de dix jours aux sports d'hiver, et j'entends en profiter. Et encore, cette année je n'ai pas pu y aller.

GISÈLE: C'est dommage, car on a eu une quinzaine exceptionnelle. La

[2] **amateurs** sport fans (participants or spectators)
[3] **Tu ne voudrais pas!** You don't mean that! You ask too much!
[4] **Tartarins** (décrit ceux qui se vantent). Nom d'un personnage de roman: *Tartarin de Tarascon*, d'Alphonse Daudet, qui exagérait ses exploits ou les inventait
[5] **Je m'y suis laissé prendre** I fell for it, I let myself get caught.
[6] **Les Houches** station de sports d'hiver, proche de Chamonix, dans les Alpes
[7] **en remontraient . . . aux moniteurs** would give advice, lessons to the ski instructors
[8] **ils se pavanent** they strut about
[9] **la gent féminine** *ironically*, members of the feminine sex.
[10] **ils bredouillaient** they mumbled

neige était poudreuse à point[11] et c'était si beau que, pour parler comme ma concierge, on aurait dit une carte postale en couleur.

MARCEL: Je ne sais pas pourquoi je viens de repenser aux illustrations que je découpais.

GISÈLE: Quoi? C'est ma concierge qui t'y fait penser?

MARCEL: Non. Cela a été comme un déclic. Imagine-toi que papa avait une collection de "Géographie Universelle," un magazine où abondait de très belles photos. J'étais fasciné, en particulier, par les paysages de montagne sous la neige. Or, à l'école communale,[12] l'instituteur nous encourageait à illustrer nos cahiers de géographie, et je n'avais rien trouvé de mieux que de découper ces magazines en cachette.

GISÈLE: Et ton père a découvert le massacre?

MARCEL: Et comment. Il m'a accusé à grands cris d'avoir commis un sacrilège, puis, pour se calmer, il m'a flanqué[13] deux gifles sonores—et il n'avait pas la main douce. Comme cela lui semblait insuffisant comme punition, il a couronné le tout en me privant de cinéma pendant un mois. Il me connaissait bien, car je n'ai plus recommencé.

GISÈLE: Est-ce que tu n'étais jamais allé en montagne?

MARCEL: Si, mais en été. Mes parents louaient un chalet en Savoie et je m'y ennuyais, d'ailleurs, comme un rat mort.[14] Papa prétendait qu' ainsi on achetait de la santé pour toute l'année et qu'on n'avait donc pas besoin d'aller faire le casse-cou[15] sur des morceaux de bois (sa définition des skis). Au fond, c'était sa façon de me faire comprendre que c'était trop cher pour nous.

GISÈLE: C'est vrai que les sports d'hiver sont devenus plus abordables.[16] Avant, seuls les gens riches ou vraiment aisés y allaient, tandis que maintenant même les bourses relativement modestes peuvent se les permettre.

MARCEL: Il n'y a qu'à voir les trains de neige.[17] Ils sont encore plus bondés que pendant les grandes vacances. Et comme ce sont en général des gens de notre âge qui les prennent, l'ordre n'y règne pas.

GISÈLE: Ne m'en parle pas. Dans les couloirs on bute sur les sacs à dos,

[11] **à point** just right

[12] **l'école communale** primary school, at the municipal or county level (also called "école primaire")

[13] **flanquer** to throw; **Il m'a flanqué une gifle** He slapped my face.

[14] **s'ennuyer comme un rat mort** to be bored to death

[15] **casse-cou** dare-devil; reckless fellow

[16] **abordables** reasonably priced

[17] **trains de neige** surnom donné aux trains qui desservent les grandes stations de sports d'hiver et qui sont beaucoup plus nombreux qu'autrefois.

on se cogne à l'équipement des skieurs et on a un mal fou à trouver une place. Et, avec ça, les gens s'interpellent d'un bout à l'autre du wagon.

MARCEL: N'empêche que cela vaut tous les désagréments du voyage. Reconnais-le. Je ne vois rien de comparable à cette sensation de dominer la montagne, de se dépasser soi-même en glissant sur une piste, surtout si elle est difficile.

GISÈLE: C'est vrai, je crois, pour ceux qui ont dépassé le stade de débutants. Moi, je n'arrive pas encore à oublier la technique.

MARCEL: Ça viendra, et tu verras, si tu as la chance de devancer les autres, tôt le matin, quelle griserie[18] tu éprouves, dans ce silence, dans la solitude de ce paysage qui n'est humain que par ta propre présence. On rêve alors d'une pente interminable. . . .

[18] **quelle griserie!** what an exhilaration; what an excitement!

GISÈLE: Arrête-toi, sinon tu vas glisser sur la pente du lyrisme, et qui sait où cela te mènera.

MARCEL: Tu aurais dû me laisser continuer; je m'y croyais presque. . . .

QUESTIONS SUR LE DIALOGUE

1. Quel est le grand couturier qui présentait ses collections?
2. Comment savez-vous que les skieurs étaient peu nombreux le matin?
3. Pourquoi les skieurs se vantent-ils de s'être cassé la jambe?
4. Pourquoi Gisèle parle-t-elle de sa concierge à propos de ski?
5. Est-ce que le père de Marcel l'aidait à découper les illustrations?
6. Combien de films Marcel a-t-il vus après la découverte du "massacre"?
7. Comment savez-vous que les Savary ne sont pas des skieurs enragés?
8. A quel moment Marcel se sent-il plus grand que nature?
9. Comment savez-vous que Gisèle aime ses aises?

EXERCICES ORAUX

Exercice I: Dans les phrases suivantes, remplacez les mots en italiques par des pronoms personnels. (*Attention à l'accord du participe passé.*) (Sec. 4.5.1–4.5.3.)

EXEMPLES: *a.* J'ai attendu *les Savary* au télé-ski.
Je les ai attendus au télé-ski.
b. C'était une façon de me dire *que c'était trop cher.*
C'était une façon de me le dire.

1. Je ne sais plus où j'ai mis *les billets.*
2. On ne revoyait plus *les skieurs* de la journée.
3. La punition semblait insuffisante *à mon père.*
4. L'instituteur encourageait *Marcel* à illustrer ses cahiers.
5. Il a flanqué deux gifles *à son fils.*
6. Moi, je n'arrive pas encore à oublier *la technique.*
7. Pas une piste ne résistait *à ces enragés du ski.*
8. Tu ne peux pas en vouloir *au chef de groupe.*
9. J'ai bien regretté d'abandonner le terrain *à Rateau.*
10. Est-ce que cette situation a permis *à l'auteur* d'exposer sa thèse?

11. Est-ce que vous avez fait faire *ces exercices* par écrit?
12. Leur avez-vous fait croire *qu'il y avait un noyé*?
13. N'ont-ils pas emmené *Nancy*?
14. A-t-il laissé tomber *ses camarades*?
15. T'avaient-ils dit *qu'ils te rejoindraient*?
16. Papa ne m'avait pas prêté *sa collection de magazines*.
17. Je n'avais pas demandé la permission *à mon père*.
18. Il ne lui a pas épargné *la punition*.

Exercice II: Répondez aux questions suivantes, à l'aide d'un adverbe pronominal qui remplacera l'expression en italiques, et des expressions données entre parenthèses. (Sec. 4.5.2.)

EXEMPLE: Combien d'*ouvriers* ont-ils renvoyés? (70)
Ils en ont renvoyé soixante-dix.

1. Combien de temps resterez-vous *aux Houches*? (une dizaine de jours)
2. Etes-vous allé seul *au Salon de l'Auto*. (non/avec plusieurs personnes)
3. Est-ce qu'il *n*'a rapporté *que cette statuette-là* (non/plusieurs)
4. Avez-vous revu *vos anciens camarades de lycée*? (quelques-uns)
5. Ont-ils mentionné *des noms*? (certains)
6. Combien *de vrais skieurs* y avait-il à l'hôtel? (à peine 20)
7. Faut-il répondre *à cette lettre*? (tout de suite)
8. Avant d'agir, est-ce que tu penses *aux conseils de prudence que te donnait ton père*? (à chaque fois)
9. Est-ce qu'il y a *assez de neige* pour skier? (presque pas)
10. Qu'est-ce qu'on voit *sur les ardoises*? (un certain poids en petites lettres)
11. Est-ce qu'ils ont loué *tout le wagon*? (ne . . . qu'une partie)
12. Avez-vous découpé *tout le melon*? (ne . . . que quelques tranches)

Exercice III: Dans les phrases suivantes, remplacez les mots en italiques par un pronom personnel ou un adverbe pronominal. (Sec. 4.5.1–4.5.3.)

EXEMPLE: J'ai mis *la lettre dans ma poche*.
Je l'y ai mise.

1. Il m'a privé *de cinéma* pendant un mois.
2. Vous a-t-elle récité *ses leçons*?
3. Je te répète *que tu exiges trop des autres*.
4. Ne vous ai-je pas fait voir *de photos de nos vacances*?

5. Il ne faut pas poser *les verres mouillés sur la table*; cela fait des taches.
6. Elle a oublié de donner *son numéro de téléphone à René.*
7. La cliente lui a jeté *le contenu du sac à* la tête.
8. Je n'ai pas dit *aux Savary que je les avais attendus.*
9. Ils ne se sont pas aperçus *de mon absence.*
10. François ne veut plus donner *de leçons à Simone.*
11. Ne pourriez-vous pas verser une partie *de la somme au propriétaire?*
12. Je m'ennuyais terriblement *en Savoie.*

Exercice IV: Répondez aux questions suivantes, en remplaçant les mots en italiques par des pronoms. (Sec. 4.5.1-B-3.)

EXEMPLE: Est-ce que tu te souviens *de Jean et de Robert?*
Non, je ne me souviens plus d'eux.

1. Est-ce que tu pensais *à Colette*, pour cette place?
2. Etes-vous allées *au marché avec Donald?*
3. Est-ce que c'est grâce *à Simone* que vous avez découvert *le Vieux Paris?*
4. Ont-elles fait tout *ce scandale* devant *l'agent?*
5. Es-tu allé *aux Houches avec les Savary?*
6. Est-ce à cause *de Gisèle* qu'ils ont manqué *leur train?*
7. Est-ce à cause *de vos parents* que vous faites moins *de sport?*
8. C'est vous qui avez donné *ces conseils à François?*
9. Est-ce vraiment *pour Geneviève* que vous avez fait *cette folie?*
10. Est-ce que *votre fille* songe encore *à Gilbert?*

Exercice V: Dans les phrases suivantes, remplacez les verbes et les mots en italiques par la forme convenable du verbe donné entre parenthèses. Faites les changements nécessaires. Il peut s'agir d'objets ou de personnes. (Sec. 1.10.1.C–4.5.1A-1.)

EXEMPLES: *a.* Je lui *ai parlé.* (s'adresser)
Je me suis adressé à lui.
b. Ils les *néglige totalement.* (ne pas s'occuper) (objet)
Il ne s'en occupe pas.

1. Est-ce que vous la *croyez honnête?* (se fier) (personne)
2. Je vais la *recevoir régulièrement.* (s'abonner)
3. Il l'*a complètement oublié.* (ne pas se souvenir) (objet)
4. Est-ce que vous l'*avez gardé* pour vous? (se réserver)
5. Elles le *feront* à leur retour. (s'occuper)

6. Je ne les *ai* pas *oubliés*. (se souvenir) (personnes)
7. Ils y *ont emmenagé*. (s'installer)
8. Je me les *rappelle* très clairement. (se souvenir) (personnes)
9. Il *s'en repentira*. (se reprocher)

Exercice VI: Mettez les phrases suivantes, qui expriment un refus courtois, une autorisation donnée ou un conseil, à l'impératif et remplacez les mots en italiques par des pronoms. (Sec. 4.5.3, surtout C.)

EXEMPLES: *a.* Si tu veux, tu peux aller au *Luxembourg* avec les *Clément*.
Vas-y avec eux, si tu veux.
b. Je préférerais que tu ne me parles pas des *trains de neige*.
Ne m'en parle pas.

1. Vous pourriez nous lire *ce que vous avez écrit*.
2. Il vaudrait mieux que vous me redonniez *votre adresse*.
3. Il serait préférable de ne pas vous asseoir *sur cette chaise*; elle est bancale.
4. Vous feriez mieux de savoir *ce dialogue* par cœur.
5. Ce n'est pas la peine que vous fassiez plusieurs *menus*.
6. Tu ne peux pas me reprocher *mon silence*.
7. Je ne voudrais pas que vous mentiez *à ces braves gens*.
8. Il faudrait que tu choisisses *quelques tomates* bien mûres.
9. Pouvez-vous me donner un peu plus *de vin*?
10. Tu ne dois pas oublier de remettre *les clefs sous le paillasson*.

RÉVISION DES VERBES IRRÉGULIERS (*envoyer*)

1. Pourquoi la renvoyez-vous? Nous la ____ parce qu'elle ne sait rien faire.
2. Pourquoi la renvoies-tu? Je la ____ parce qu'elle ne sait rien faire.
3. Pourquoi la ____-ils?

4. Est-ce que vous lui enverrez une carte de Noël? Oui, nous lui en enverrons une.
5. Lui ____-tu une carte de Noël? Oui, je lui en enverrai une.
6. Est-ce qu'ils lui enverront une carte de Noël?

7. Au Jour de l'An, il nous envoyait toujours une boîte de chocolats.
8. Au Jour de l'An, nous lui ____ toujours une boîte de chocolats.

9. Au Jour de l'An, vous nous ____ toujours une boîte de chocolats.
10. Au Jour de l'An, tu nous ____ toujours une boîte de chocolats.
11. Au Jour de l'An, je leur envoyais toujours une boîte de chocolats.

12. Il a demandé qu'on lui envoie un télégramme.
13. Il a demandé que vous lui envoyiez un télégramme.
14. Il a demandé que nous lui ____ un télégramme.
15. Il a demandé qu'elle lui ____ un télégramme.
16. Il a demandé que tu lui ____ un télégramme.

17. Si je pouvais, j'enverrais tout promener.
18. Si tu ____ tu ____ tout promener.
19. Si elle ____ elle ____ tout promener.
20. Si vous pouviez, vous enverriez tout promener.
21. Si nous ____, nous ____ tout promener.
22. S'ils ____, ils enverraient tout promener.

23. Il a été renvoyé du lycée pour mauvaise conduite.
24. Nous lui avons envoyé nos condoléances.

25. Après la débâcle, on renvoya les soldats dans leurs foyers.
26. Après la débâcle, ils renvoyèrent les soldats dans leurs foyers.

EXERCICES ÉCRITS

Exercice A: Répondez aux questions suivantes, en vous servant des éléments du dialogue.

1. En quoi les stations de sports d'hiver américaines diffèrent-elles des stations françaises ou en quoi leur ressemblent-elles?
2. Si vous alliez faire du ski, qui imiteriez-vous? Les Savary ou Marcel?
3. En parlant de ski, comment pouvez-vous décrire une mauvaise saison?
4. Qu'emporteriez-vous si vous alliez aux sports d'hiver?
5. Quelles sont vos sensations, vos impressions lorsque vous vous trouvez seul en montagne (en été ou en hiver).
6. De quoi dispose-t-on, comme moyen de transport, dans les stations de sports d'hiver?

Exercice B: Répondez aux questions suivantes, à l'aide du verbe donné entre parenthèses, des pronoms qui remplaceront les mots en italiques et des éléments que vous fournirez. (Sec. 1.10.1.C–4.5.1–4.5.3.)

EXEMPLE: Est-ce que *tes mains* sont propres? (se laver)
Oui, elles sont propres, je me les suis lavées avant de venir à table.

1. Est-ce que vous êtes intervenu dans *cette affaire*? (ne pas vouloir s'en mêler)
2. Est-ce que *la nouvelle* l'a surpris? (s'attendre/*imparfait*)
3. Pourquoi *Nancy* est-elle fâchée avec eux? (se moquer)
4. Est-ce qu'ils ont déjà fait *la traduction*? (venir de se mettre)
5. Où as-tu acheté *ce costume de ski*? (se faire soi-même)
6. Pourquoi ne t'es-tu pas fait couper *les cheveux*? (se laisser pousser)
7. Est-ce qu'on va visiter *Avignon*? (ne pas s'arrêter)
8. Pourquoi ne voulais-tu pas que *nous lui disions ce que nous pensions* de son attitude? (se repentir)
9. Pourquoi avez-vous été déçu par *François*? (s'imaginer)
10. Pourquoi lui avez-vous posé tant de questions sur *la politique*? (s'intéresser)

Exercice C: Complétez les phrases suivantes, à l'aide de l'impératif du verbe donné entre parenthèses et des pronoms remplaçant les mots compléments. (Sec. 4.5.3, surtout C.)

EXEMPLE: Ces livres m'intéressent; si tu les as déjà lus ____. (prêter)
Ces livres m'intéressent; si tu les as déjà lus, prête-les-moi

1. Si tu n'as pas encore lu son livre ____. (rendre/*négatif*)
2. Son médecin ne veut pas qu'il sache ce qu'il a ____. (parler/*négatif*)
3. Je t'avais dit que je voulais voir les épreuves ____. (montrer)
4. Si le français peut être utile à votre fils ____. (faire apprendre)
5. Jean nous avait dit qu'il n'avait plus de cigarettes ____. (oublier/acheter)
6. Ils en ont assez de vous fournir des exemples ____. (demander/*négatif*)
7. Nous aimons tant entendre vos petites histoires ____. (raconter)
8. Si votre dactylo tape aussi mal les lettres ____. (faire taper/*négatif*)
9. Si votre fille a vraiment envie de faire du ski ____. (laisser faire)
10. Moi, ça me sert toujours; si vous n'avez plus besoin de votre costume de ski ____. (donner)

Exercice D: (Exercice de composition.) Imaginez que vous êtes l'un des deux frères Savary. Vous allez présenter votre version des vacances passées avec Marcel. Vous parlerez au nom de votre frère et au vôtre, au discours direct.

Je vous rappelle que: vous aviez de plus longues vacances que Marcel; vous avez trouvé de charmantes jeunes filles; à votre avis, Marcel est jaloux (vous direz pourquoi); Marcel est sauvage (vous direz pourquoi); dans une station de sports d'hiver on n'est pas obligé de skier jusqu'à épuisement (vous raconterez ce qu'on peut faire d'autre); Marcel ne peut pas savoir ce que vous faisiez dans la journée (vous direz quoi); vous n'êtes pas insensible à la beauté du paysage (vous expliquerez); rentrer, comme Marcel, pour aller se coucher et recommencer le lendemain, ce n'est pas pour vous. . . .

Ce ne sont là que des indications.

Votre "version" demandera au moins 30 lignes, à la machine.

CHAPTER 16

Cardinal and Ordinal Numerals; Expressions of Quantity; Adjectives: Form and Agreement, Position, Comparison

REVIEW NOTES

The numerals should be memorized and used frequently in class. They are of most importance to you orally, of course, as numerals are usually not spelled out in French much more than they are in English. Expressions of quantity should also be learned as lexical items: except for the use of the partitive with them (Section 4.3.3-B-3), they are not interesting grammatically.

In order to use an adjective correctly, you must (1) know the gender of the noun it modifies; (2) know which adjectives regularly precede the noun. (There are not many, but they occur frequently.) Rules for the formation of feminine and plural forms are given in Section 4.4.1, but most of these forms should already be familiar to you. As for comparative and superlative forms, there are just a few irregular constructions.

REF GRAM SEC: 9.4.0–9.4.3, 4.4.0–4.4.3, 4.3.3-B-3.

NOTES ON PRONUNCIATION

In the last three chapters we will present again some of the vowels and semivowels already considered earlier. You should note particularly, in the examples, the contrast in the pronunciation of each member of the sets that are indicated at the left. They are sounds that are *similar*, but must be distinguished for proper pronunciation. It may help you at this point to think of the English sounds that are also similar to each set and note how the contrasts in French differ from those in English.

[i] : [j] **Aimez-vous la viande?** [ɛme-vu-la-vjɑ̃d]
Chantons "La Vie en rose." [la-vi-ɑ̃-roz]
Ils l'y ont mis. [il-li-ɔ̃-mi]
C'est un lion féroce. [sɛ-tœ̃-ljɔ̃-fe-rɔs]
Note: **Il a créé des liens.** [i-la-kre-e-de-ljɛ̃]
(*not* *kre-je)

[i] : [e] : [ɛ] **Il faut aspirer.** [il-fo-tas-pi-re]
Il faut espérer. [il-fo-tɛs-pe-re]
Je n'espère pas. [žə-nɛs-pɛr-pa]
Que crie-t-il? [kə-kri-til]
Que crée-t-il? [kə-kre-til]
As-tu de la craie? [a-ty-dla-krɛ]

DEUX LETTRES

Daniel Lecourtois vient pour la première fois à Paris, la ville natale de son père. Il a été invité à dîner par les Lachanal et envoie une lettre de remerciements à Madame Lachanal.

Chère Madame:

Je suis bien trop timide et gauche pour vous dire, de vive voix,[1] combien l'accueil que vous m'avez tous réservé m'a touché. On répète aisément que les Français reçoivent seulement les membres de leur famille, ou leurs vrais amis, dans l'intimité. Or, je ne suis que le fils d'un ancien camarade de Monsieur Lachanal, un camarade perdu de vue[2] depuis de longues années et vous m'avez cependant ouvert votre porte. Je pourrai donc, grâce à vous, réfuter cette affirmation.

Il faut pourtant que je vous dise mon embarras et que je vous en explique la raison. Lorsque nous étions à table, vous avez, à plusieurs reprises, regardé de mon côté, d'un air à la fois étonné et réprobateur[3] et j'ai rougi en me demandant quelle faute j'avais bien pu commettre. J'avais tout simplement oublié que le savoir-vivre[4] n'est pas universel et que ce qui est de rigueur[5] dans un pays, passe pour un manque d'éducation dans un autre. Ne me prenez surtout pas pour un rustre.[6] Mon père

[1] **de vive voix** personally
[2] **perdu de vue** out of touch (with someone)
[3] **un air réprobateur** a reproving expression
[4] **le savoir-vivre** good manners
[5] **de rigueur** compulsory, obligatory, indispensable
[6] **un rustre** a boor

a, comme vous le savez, épousé une Américaine et si, depuis mon enfance, on m'a obligé à parler aussi bien le français que l'anglais, les bonnes manières m'ont été enseignées par ma mère et sont donc américaines.

Aux Etats-Unis, le bon usage veut que le "jeu des mains" soit réduit au minimum. Les Américains coupent la viande d'une seule fois et reposent ensuite le couteau dont ils ne se serviront plus. La fourchette est reprise de la main droite, tandis que la gauche disparaît sur les genoux. Je vous donne là une simple esquisse, car mon propos n'était pas d'entrer dans les détails. Ma mère étant très stricte sur le chapitre[7] du savoir-vivre, c'est en pensant à elle que je tiens à ne pas vous laisser sur une mauvaise impression.

En vous remerciant encore de votre généreuse hospitalité et de ce dîner de gourmet, je vous prie, chère Madame, d'accepter mes respectueux hommages.

Daniel Lecourtois

Lucie, la fille des Lachanal, répond à la lettre de Daniel.

Mon cher Daniel:

Maman m'a fait lire votre lettre et m'a demandé de vous écrire à sa place, car elle a dû s'absenter pour la fin de la semaine.

[7] **sur le chapitre** on the question of; concerning

Nous sommes toutes deux désolées que vous ayez pris une innocente curiosité pour une marque de désapprobation. Si vous nous connaissiez mieux, vous sauriez qu'il n'y avait pas de quoi rougir et encore moins de fournir une explication. Vous m'obligez ainsi à vous décrire notre "jeu de mains," comme vous l'appelez. Il est certes plus actif que le vôtre.

Chez nous, la bonne tenue exige que l'on coupe la viande au fur et à mesure[8] qu'on la mange, et que la fourchette fasse alors le va-et-vient entre l'assiette et la bouche, dans la main gauche. Elle repasse à droite pour tout autre plat, mais la gauche n'en reste pas moins sur la table. Et comme nous ne savons pas manger sans pain et que, bien que cela soit proscrit par les manuels de savoir-vivre, nous aimons en tremper de petites bouchées dans la sauce, les mains sont rarement au repos. Dois-je croire que, comme nous tenons la cuiller à soupe, pointe tournée vers la bouche, vous nous prenez pour des paysans?

Nous sommes sans doute convaincus que nos bonnes manières sont les meilleures du monde . . . mais nous admettons qu'il y ait dans les autres pays des gens bien élevés, même s'ils n'ont pas eu la chance d'avoir été éduqués en France. . . . Soyez donc tranquille.

J'espère, Daniel, que vous ne me prendrez pas au sérieux. Dommage que votre timidité vous ait poussé à écrire, sinon nous aurions pu nous amuser à faire des comparaisons. Puisque vous avez l'impression d'avoir été reçu en ami, traitez-nous comme tels et ne faites pas une affaire d'Etat de la moindre vétille.[9]

Maman m'a dit de vous rappeler que nous vous attendions jeudi prochain. Il y aura aussi cette jeune Espagnole dont je vous ai parlé.

Amicalement
Lucie Lachanal

QUESTIONS SUR LE TEXTE DES LETTRES

1. Est-ce par manque de franchise que Daniel n'a pas parlé de son embarras à Madame Lachanal? Sinon, pourquoi?
2. Dans quelle école Daniel a-t-il appris à parler et à écrire le français?
3. Comment savez-vous que Daniel a fait un bon repas chez les Lachanal?
4. Combien de fois Daniel est-il allé chez les Lachanal?
5. Pourquoi Daniel a-t-il eu l'impression qu'on le prenait pour un rustre?

[8] **au fur et à mesure** as; progressively
[9] **vétille** trifle

6. Qu'est-ce que les bonnes manières françaises interdisent de faire, à table?
7. De quoi les Français ne peuvent-ils se passer?
8. Pourquoi Madame Lachanal a-t-elle fait lire la lettre de Daniel à sa fille?
9. Quel livre peut-on consulter pour éviter une entorse au "protocole"?

EXERCICES ORAUX

Exercice I: Dans les phrases suivantes, mettez les adjectifs numéraux donnés entre parenthèses. Ils s'ajouteront à un article ou à un adjectif, ou le remplaceront, suivant les cas. (Sec. 4.3.6, 9.4.0, 9.4.3.)

EXEMPLES: *a.* Faites les premiers exercices. (2)
Faites les deux premiers exercices.
b. J'ai pris des livres à la bibliothèque. (4)
J'ai pris quatre livres à la bibliothèque.

1. Je connais très bien les frères Savary. (2)
2. Maman a dû s'absenter pour quelques jours. (3)
3. Il reste encore des places dans les derniers rangs. (6) (2)
4. C'est une histoire de la Guerre Mondiale. (2e)
5. Il lui reste encore beaucoup de pages à taper. (81)
6. Le bon roi Henri est devenu une légende. (IV)
7. Au début du siècle, on ne pouvait prévoir que les événements se précipiteraient. (XIXe)
8. Je t'avais demandé d'acheter des enveloppes. (50)
9. Je vous parlais des fautes que vous aviez faites. (12)
10. Voilà! J'ai disposé les livres en piles sur la table. (2)

Exercice II: Dans les phrases suivantes, remplacez le mot en italiques par le mot donné entre parenthèses et faites les changements qui s'imposent. (Sec. 4.4.1.)

EXEMPLE: Je n'ai pas encore vu les nouveaux *appareils.* (l'avion)
Je n'ai pas encore vu le nouvel avion.

1. Ce *billet* est faux. (signature)
2. Cette vieille *dame* travaille encore. (ouvrier)
3. Ils ont de beaux *meubles* anciens. (tapisserie)
4. Il ne regarde jamais en face; *il* n'est pas franc. (elle)

5. Les *frères* jumeaux sont, dit-on, inséparables. (sœurs)
6. Nous avons eu un *été* sec. (saison)
7. Le *savoir-vivre* n'est pas universel. (bonnes manières)
8. *Elle* se conduit comme si elle était folle. (Colin)
9. Je vous remercie de votre généreuse *hospitalité*. (appui)
10. On nous a servi des *légumes* frais. (crème)
11. Quand le *sol* est mou, on marche avec peine. (terre)
12. C'est une *réflexion* stupide. (commentaires)
13. Le *velours* est doux au toucher. (soie)
14. Vous avez des *réflexes* vifs. (réactions)
15. Il a les *cheveux* roux. (barbe)
16. C'est un loyal *serviteur*. (serviteurs)

Exercice III: Transformez les phrases suivantes, en ajoutant les adjectifs donnés entre parenthèses. Les adjectifs peuvent précéder ou suivre le nom, suivant l'usage. Faites les accords qui s'imposent. (Sec. 4.4.1–4.4.2–4.3.3-B-3.)

EXEMPLES: *a.* Le centre de la pièce est occupé par une table. (rond/énorme)
Le centre de la pièce est occupé par une énorme table ronde.
b. C'est une histoire. (long/pénible)
C'est une longue et pénible histoire.
c. Il passe ses journées dans un réduit. (humide/sombre)
Il passe ses journées dans un réduit sombre et humide.

1. Je me suis acheté une robe. (gris/ravissant)
2. C'est charmant les mains d'un bébé. (minuscule/potelé)
3. J'ai découvert ce fauteuil dans le grenier. (vieux/éventré)
4. C'est un pauvre garçon. (gauche/timide)
5. Sa chevelure flotte au vent. (blond/long)
6. On m'a raconté une bonne histoire. (écossais/petit)
7. Je déteste entendre son rire. (gros/vulgaire)
8. Elle m'a jeté un regard. (réprobateur/étonné)
9. C'est une écurie qu'ils ont aménagée. (ancien/abandonné)
10. Il envoie des chroniques au journal. (sportif/bref)
11. Les portes sont cachées par des tentures. (lourd/rouge)
12. L'orateur a exposé ses théories. (bizarre/politique/économique)
13. Il a déniché des gravures. (beau/anglais)

14. Le ciné-club nous a passé un film dont le titre m'échappe. (muet/curieux)
15. Son déguisement comporte une barbe. (blanc/faux)
16. Nous avons invité une institutrice. (espagnol/jeune)

Exercice IV: Répondez aux questions suivantes, en vous servant de termes d'égalité, d'infériorité ou de supériorité, pour les adjectifs. (Sec. 4.4.3.)

EXEMPLES: *a.* Est-ce que vos notes sont aussi mauvaises que les miennes? (supériorité)
Non, elles sont plus mauvaises que les vôtres.
b. Est-ce que le vin est aussi bon là-bas qu'ici? (nette supériorité)
Non, ici il est bien meilleur que là-bas.

1. Est-ce que son éducation est meilleure que la mienne? (infériorité)
2. Est-ce que le climat de la Bretagne est moins humide que celui de l'Angleterre? (égalité)
3. Est-ce que nos routes sont meilleures que les vôtres? (nette infériorité)
4. Est-elle aussi intelligente que sa sœur? (nette supériorité)
5. Est-ce que vous avez moins froid maintenant? (égalité)
6. La situation est-elle aussi bonne qu'avant? (nette supériorité)
7. Est-ce que la deuxième année d'université vous semble aussi difficile que la première? (infériorité)
8. Est-ce que la Loire est aussi navigable que la Seine? (nette infériorité)
9. Est-ce qu'à table, le "jeu de mains" des Français est moins actif que celui des Américains? (nette supériorité)
10. Est-ce que les restaurants "self-service" sont plus nombreux à Paris qu'ici? (nette infériorité)

Exercice V: Transformez les phrases suivantes, en remplaçant le pronom *en* par les mots donnés entre parenthèses. Faites les changements nécessaires. (Sec. 4.3.3-B-3.)

EXEMPLE: Donnez-m'en trois cornets. (glace à la vanille)
Donnez-moi trois cornets de glace à la vanille.

1. Mettez-en deux carafes sur la table, cela suffira. (eau)
2. Je n'en prends qu'une cuillerée. (sucre)
3. Il m'en reste un kilo. (farine)

4. Je lui en ai offert un grand flacon. (parfum)
5. Nous en avions emporté une cartouche par peur d'en manquer. (cigarettes)
6. Il en a mangé toute une boîte, dans l'après-midi. (bonbons)
7. Tu en as déjà pris trois tranches. (rosbif)
8. Avec ton rhume, il vaut mieux que tu en emportes deux douzaines. (mouchoirs)
9. J'en ai utilisé une centaine, ce mois-ci. (enveloppes)
10. Il m'en faut un gros morceau. (bœuf)
11. Tu dois en acheter au moins trois mètres. (taffetas)
12. Selon les instructions, il en faut six pelotes pour ce gilet. (laine)
13. Elle n'en a même pas pris tout un verre et elle est déjà pompette. (vin)
14. Je n'en ai acheté qu'un demi-litre, car avec la chaleur, il tourne. (lait)
15. Elle en a cassé une bouteille à demi pleine. (eau de cologne)
16. Ils nous en ont envoyé une caisse pour Noël. (champagne)
17. J'en ai jeté tout un tas. (chiffons)
18. Il lui en a offert un énorme bouquet. (roses roses)
19. Elle lui en a jeté un sac à la figure. (pêches)
20. Il suffit d'en mettre une pincée. (poivre)

RÉVISION DES VERBES IRRÉGULIERS (*courir*)

1. Pourquoi cours-tu? Je ____ parce que je ne veux pas manquer l'autobus.
2. Pourquoi courez-vous? Nous ____ parce que nous ne ____ pas manquer l'autobus.
3. Pourquoi courent-elles?

4. J'ai rêvé que je courais derrière lui sans pouvoir le rattraper.
5. Elle a rêvé qu'elle ____ derrière lui sans pouvoir le rattraper.
6. J'ai rêvé que vous couriez derrière lui sans pouvoir le rattraper.
7. J'ai rêvé que nous ____ derrière lui sans pouvoir le rattraper.
8. J'ai rêvé qu'ils couraient derrière toi sans pouvoir te rattraper.

9. Il ne courra aucun danger s'il est prudent.
10. Tu ne ____ aucun danger si tu es prudente.
11. Vous ne courrez aucun danger si vous êtes prudent.
12. Nous ne ____ aucun danger si nous sommes prudents.

13. Ils ne ____ aucun danger s'ils sont prudents.
14. Je ne courrai aucun danger si je suis prudent.

15. Si tu avais besoin de moi, j'accourrais à l'instant.
16. Si vous aviez besoin de nous, nous accourrions à l'instant.
17. Si vous aviez besoin d'eux, ils ____ à l'instant.
18. Si elle avait besoin de toi, tu ____ à l'instant.
19. Si elle avait besoin de vous, vous ____ à l'instant.

20. Il ne veut pas que vous couriez le cent mètres.
21. Il ne veut pas que nous ____ le cent mètres.
22. Il ne veut pas que tu ____ le cent mètres.
23. Il ne veut pas que je coure le cent mètres.

24. Ils attendaient anxieusement et nous courûmes leur porter la bonne nouvelle.
25. Ils attendaient anxieusement, et je courus leur porter la bonne nouvelle.

26. Il les a secourus dans le malheur.

27. Courez les avertir.
28. Cours les avertir.
29. Courons les avertir.

EXERCICES ÉCRITS

Exercice A: Répondez aux questions suivantes, de façon cohérente, en utilisant les éléments du texte des lettres.

1. Si vous aviez été à la place de Daniel, qu'auriez-vous fait ?
2. Si des gens, que vous connaissez peu, vous invitaient à dîner chez eux, comment les remercieriez-vous ?
3. D'après ce que vous savez, les repas français sont plus longs que les repas américains. Pourquoi ?
4. Que feriez-vous avant d'aller chez des étrangers dont vous ignorez les coutumes ?
5. En dehors des manières à table, quelles différences avez-vous pu remarquer chez des étrangers que vous avez eu l'occasion de rencontrer ? (Nous parlons de coutumes.)
6. Si vous receviez quelqu'un dont les manières vous semblaient bizarres, que feriez-vous pour qu'il ne se rende pas compte de votre étonnement ?

Exercice B: Répondez aux questions suivantes, en vous servant d'adjectifs numéraux (cardinaux ou ordinaux, suivant le cas). (Sec. 9.4.0–9.4.3.)

EXEMPLE: Combien d'années ont duré vos études secondaires (*high school*)? Et de quel âge à quel âge les avez-vous faites?
Mes études secondaires ont duré six ans. Je les ai faites de 12 à 18 ans.

1. Combien de sénateurs et de députés (*representatives*) y a-t-il au Congrès des Etats-Unis? Et pour combien de temps sont-ils élus?
2. Quel est le roi d'Angleterre dont vous connaissez le mieux l'histoire? Pourquoi?
3. En quelle année d'université commencez-vous à préparer votre "master"?
4. Quel est, approximativement, le nombre d'habitants de votre pays?
5. Est-ce que vous en êtes à votre premier semestre de français?
6. Au cours de quelle semaine passe-t-on les examens semestriels? (Donnez un numéral ordinal.)
7. En quel siècle la Guerre Civile américaine a-t-elle eu lieu et combien de temps a-t-elle duré?
8. Quel âge faut-il avoir et quelles conditions faut-il remplir pour pouvoir voter dans votre pays (dans votre état)?
9. En chiffres ronds, combien paieriez-vous d'impôts sur un salaire annuel de 5.000 dollars, et comment feriez-vous pour les payer?
10. Quelles chaînes de télévision préférez-vous et pourquoi? (numéral ordinal)

Exercice C: Répondez aux questions suivantes, en vous servant de termes de comparaison. (Sec. 4.4.3.)

EXEMPLE: J'ai perdu dix kilos; est-ce que cela se voit?
Non, tu as l'air d'être aussi gros qu'avant.

1. Cet exercice est difficile, c'est vrai; et l'autre?
2. Est-ce qu'Yvonne et Denis ont le même âge?
3. Si l'autre avocat était bon, pourquoi avez-vous pris celui-ci?
4. Est-ce qu'en préparant leurs étalages, les commerçants mettent les mêmes fruits devant que derrière?
5. On dit que les cigarettes sont mauvaises pour la santé; et la pipe?
6. Il a fait très chaud toute la journée; quel temps annonce-t-on pour demain?

7. Je trouve que c'est un très bon journal. Comment était-il sous la direction de D***?
8. Par ordre de grandeur, quelle est l'importance de New York, aux Etats-Unis?
9. Nous avons vu que François était obsédé par les convenances; et Daniel?
10. Est-ce que Daniel est vraiment bilingue?

Exercice D: (Exercice de composition.) Vous allez écrire deux lettres à la première personne, au discours direct.

1. Lucie écrit à une Américaine qu'elle ne connaît que par correspondance et qu'elle vouvoie. Elle lui raconte que Daniel est venu chez elle (chez ses parents) et elle lui explique comment s'est passée la soirée. Elle lui parle ensuite de la lettre que Daniel a envoyé à sa mère et des explications qu'elle contient. Lucie continue en parlant de la réponse qu'elle a envoyé à Daniel et elle dit brièvement pourquoi elle a écrit. Lucie parle ensuite de la soirée que Daniel et elle ont passé à une surprise-partie chez des amis. Ils y ont dansé et Lucie explique comment dansent les Américains. Elle trouve que Daniel est très différent quand il est détendu (elle dit comment elle le trouve) et elle termine sa lettre en disant qu'elle a envie de le revoir.

2. Daniel écrit à ses parents et leur raconte sa soirée chez les Lachanal, son embarras, etc. Il raconte ensuite la soirée passée avec Lucie et il explique pourquoi il a envie de la revoir.

CHAPTER 17

Adverbs: Formation, Position, Comparison; *Avoir* Expressions; Weather Expressions; Weights and Measures

REVIEW NOTES

Students at the intermediate and higher levels worry about the position of adverbs in the sentence, and unfortunately we cannot give a clear and concise set of rules to follow. We have, however, constructed exercises that present most examples of adverbial context types. In fact, position is not such a serious problem in the actual use of adverbs, even though it is one for the linguist attempting to describe the language. Comparative and superlative forms of the adverbs are simple except for a few irregular ones which must be learned.

Most students learn weather expressions early in their studies but then forget some of the less frequent idioms as more pressing grammatical matters are considered. See Section 9.1.0 if you do not know what the weather will be.

We have gathered many *avoir* expressions together in one exercise to emphasize the importance of these constructions, usually different from equivalent ones in English. There is also an exercise that reviews many useful expressions concerning weights and measures.

REF GRAM SEC: 6.0.0–6.4.0, 9.1.0.

NOTES ON PRONUNCIATION

Please see the notes in Chapter 16.

[u] : [w] **Ils louent l'acteur.** [il-lu-lak-tœr]
Tu l'as loué. [ty-la-lwe]

[u] : [y] : [i] **Que dites-vous?** [kə-dit-vu]
Nous l'avons vu. [nu-la-vɔ̃-vy]
C'est la vie. [se-la-vi]
D'où vient-il? [du-vjɛ̃-til]
C'est du vin blanc. [se-dy-vɛ̃-blã]
Qu'a-t-il dit? [ka-til-di]

[ɛ] : [a] : [ɑ] : [ɔ] **Le pont traverse la Seine.**
[lə-pɔ̃-tra-vɛrs-la-sɛn]
Attention au mâtin.
[a-tã-sjɔ̃-o-mɑ-tɛ̃]
Il viendra demain matin.
[il-vjɛ̃-dra-dmɛ̃-ma-tɛ̃]
La cloche sonne.
[la-klɔš-sɔn]

DIALOGUE

Conversation entre Michel et Denise qui sont frère et sœur.

DENISE: Quand on pèse 80 kilos, comme toi, on ne peut pas se permettre de manger à toutes les heures du jour.

MICHEL: D'après le tableau des poids correspondant à la taille et à l'âge, je n'ai que deux kilos de trop. N'oublie pas que je mesure un mètre soixante-dix-huit (1,78 m.). A t'entendre, on croirait que je suis obèse.

DENISE: Mais tu l'es presque, même si ton tableau te dit le contraire, car tu as plus de graisse que de muscles et que cela pèse moins lourd. Tu n'as qu'à voir le volume que tu occupes.

MICHEL: Comparé à toi qui n'as que la peau sur les os, évidemment. C'est l'envie qui te fait parler, ma vieille. . . .

DENISE: Ce n'est pas ce que tu dis quand j'arrive la première en haut de l'escalier. Enfin! Michel, sois raisonnable! On sort à peine de table que tu as déjà des bonbons ou du chocolat dans la bouche. A croire que tu as la boulimie![1]

MICHEL: C'est la croissance, tout simplement. D'ailleurs, maman insiste pour que je mange.

DENISE: Oh! maman, bien sûr. Elle te voit encore comme un poupon joufflu[2] et elle se gonfle d'orgueil en te voyant reprendre de la viande ou du dessert. Elle n'aime pas qu'on fasse la fine bouche[3] devant ses

[1] **la boulimie** morbid hunger
[2] **Un poupon joufflu** chubby-cheeked baby
[3] **faire la fine bouche** to pick at one's food

plats et elle nous gave[4] comme si elle devait nous vendre au poids.[5]

MICHEL: Admettons. Mais, qu'est-ce que tu veux, moi, j'ai faim. Je ne peux pourtant pas jeûner. On recommande d'ailleurs aux jeunes gens de ne pas suivre de régime amaigrissant[6] tant qu'ils n'ont pas atteint leur plein développement.

DENISE: Quel avocat tu fais dès qu'il s'agit de ton estomac! Qui te parle de régime? Encore que dans ton cas ce ne serait pas contre-indiqué. Je te demande seulement de ne pas te bourrer de friandises. Tu crois que ça me fait plaisir de voir de quel œil t'observent[7] mes amies? Moi qui rêvais d'exhiber mon frère aîné, je suis servie[8]. . . .

MICHEL: Là, nous sommes sur un pied d'égalité, car les sourires en coin[9] de mes camarades en disent long[10] sur l'impression que tu leur produis. Avec cette fâcheuse manie que vous avez toutes de vous peindre (je ne dis même pas maquiller) le visage de toutes les couleurs, de vouloir à tout prix suivre la mode, alors qu'elle vous va comme si votre pire ennemi l'avait choisie. . . .

DENISE: Tu t'arranges toujours pour dévier la conversation. De toute façon, si je ne plais pas à ta suite,[11] je n'en tomberai pas malade. Je me débrouille parfaitement sans eux, et tu ne m'as jamais entendu me plaindre d'être délaissée, n'est-ce pas?

MICHEL: Tu t'en garderais bien, car ça blesserait ta vanité. Je remarque que le téléphone sonne surtout pour moi, un point c'est tout.

DENISE: C'est ça, fanfaronne maintenant. D'ici que tu me racontes tes conquêtes, il n'y a pas loin. Ah! A propos de conquêtes, j'ai justement besoin de la biographie d'Alexandre le Grand. Tu avais raison, on y trouve beaucoup plus de détails que dans le M***.

MICHEL: Hourrah! Pour une fois tu reconnais que tu as eu tort. Je te le disais, dans le M*** il y a plus de bla-bla-bla qu'autre chose. Il en arrive même à nous démontrer quel rôle la pluie et le beau temps ont joué dans les campagnes d'Alexandre, à nous faire croire que ses hommes, épuisés par la chaleur qu'il faisait, par la soif qu'ils avaient, sabotaient ses plans de bataille.

DENISE: Il y a peut-être du vrai là-dedans. C'est un aspect dont on ne

[4] **gave, gaver** to stuff someone with food; to feed someone forcibly
[5] **nous vendre au poids** sell us by weight
[6] **régime amaigrissant** reducing diet
[7] **de quel œil t'observent; observer d'un œil critique,** etc. How they look at you!
[8] **je suis servie** what a disappointment! It could not be worse!
[9] **sourire en coin** ironic smile
[10] **en disent long** speak volumes about something
[11] **ta suite** your group; your gang

parle que dans les batailles contemporaines, mais dont on ne tient pas compte pour l'histoire ancienne.

MICHEL : Ecoute, ce sont les historiens ou les chroniqueurs de l'époque qui n'en tenaient pas compte, en tout cas. Si les participants n'en parlent pas, comment veux-tu que nous sachions s'il pleuvait, s'il neigeait, s'il tombait de la grêle ?

DENISE : Oui, évidemment. Pour écrire l'histoire des guerres de notre époque les futurs historiens disposeront d'une masse de documents. Les classiques n'avaient pas autant de chance.

MICHEL : Bon ! Laissons-là Alexandre et allons goûter. D'après mon estomac, c'est l'heure.

DENISE: Ça y est ! Si un jour tu deviens Président de la République, tu interrompras un Conseil de ministres parce que ton tube digestif te rappellera l'heure.

MICHEL: Et mes ministres m'en seront très reconnaissants, j'en suis sûr. Allez ! Viens.

QUESTIONS SUR LE DIALOGUE

1. Michel est-il plus agile que Denise ? Comment le savez-vous ?
2. Quand Michel a-t-il atteint l'âge adulte ?
3. D'après Michel, Denise a-t-elle beaucoup de succès auprès des garçons ? Comment l'explique-t-il ?
4. Quelle cause Michel plaide-t-il ?
5. Comment se manifeste la boulimie ?
6. Comment savez-vous que Denise est vexée de ce que lui dit Michel ?
7. Comment savez-vous que leur mère vit dans le passé ?
8. A propos de quoi Michel et Denise parlent-ils du climat ?
9. Quelle montre Michel regarde-t-il pour savoir qu'il est l'heure de manger ?

EXERCICES ORAUX

Exercice I: Transformez les phrases suivantes, en ajoutant l'adverbe ou la locution adverbiale convenable pour modifier le verbe, l'adverbe ou l'adjectif en italiques dans les phrases. (Sec. 6–6.4.0.)

EXEMPLES: *a.* C'est *impardonnable* de ne pas savoir ces choses-là.
C'est vraiment impardonnable de ne pas savoir ces choses-là.
b. Ils se *sont retrouvés* à la piscine.
Ils se sont retrouvés, par hasard, à la piscine.

1. Tu te *trompes*.
2. La chaleur nous unissait *plus* étroitement.
3. L'amour est un bien qui n'*est* pas *donné*.
4. J'étais *satisfait* en pensant que je lui plaisais.
5. Il *a défini* la situation.
6. Le moment est *mal* choisi pour présenter des revendications.
7. Il s'agit de deux êtres *exceptionnels*.

8. Nous sommes *chaperonnés* par sa mère.
9. Je ferai d'abord le tour des vieux quartiers et j'*irai* rejoindre Nora.
10. Il *perdrait* le fil de son discours si on l'interrompait.
11. Maintenant tu *viens nager*, sans que personne t'y oblige.
12. La vie est *moins* chère à la campagne que dans les villes.
13. Elle *se débrouille* sans eux.
14. Comme il dépassait rarement la mesure, les rieurs *étaient* de son côté.

Exercice II: Répondez aux questions suivantes, en utilisant les expressions données entre parenthèses.

EXEMPLES: *a.* Qu'est-ce que vous avez envie de faire? (aller skier)
J'ai envie d'aller skier.
b. De quoi as-tu envie? (d'un bon rôti de veau)
J'ai envie d'un bon rôti de veau.

1. Pour qui a-t-il un faible? (son fils aîné)
2. Qu'est-ce que vous avez l'habitude de faire à cette heure-ci? (lire le journal du soir)
3. Dans cette situation, à qui auront-elles recours? (au tribunal d'arbitrage)
4. Toi, avoir pitié de quelqu'un! De qui? (ce pauvre garçon qui travaille toute la nuit)
5. Est-ce que vous avez encore froid? (seulement aux pieds)
6. En qualité de quoi a-t-il droit à une place assise? (mutilé de guerre)
7. De quoi ai-je l'air? (quelqu'un qui ne sait où donner de la tête)
8. Où avais-tu hâte d'aller? (voir si la neige était à point)
9. Qu'est-ce que j'aurais tort de faire? (agir sans réfléchir)
10. Voyons, à ton avis, qu'est-ce qu'ils auraient raison de faire? (exiger une augmentation)
11. C'est vite dit. Quelle chance est-ce que j'ai? (avoir des parents compréhensifs)
12. A part cela, de quoi avons-nous encore besoin? (chaussures de ski)

Exercice III: Répondez négativement ou affirmativement aux questions suivantes, à l'aide de l'expression donnée entre parenthèses (le verbe *avoir* devra, bien entendu, être conjugué à la personne et au temps indiqués dans la question). S'il le faut, fournissez les éléments qui manquent pour que les réponses soient complètes.

EXEMPLE: Pourquoi es-tu sorti ? (avoir envie)
Je suis sorti parce que j'avais envie de prendre l'air.

1. Pourquoi ne reprends-tu pas de purée ? (avoir faim)
2. Pourquoi ne veut-elle pas rester seule, le soir ? (avoir peur)
3. Pourquoi lui avez-vous emprunté de l'argent ? (avoir besoin)
4. Pourquoi n'êtes-vous pas venu à la conférence de D*** ? (avoir envie)
5. Est-ce que je te verse un peu plus de lait ? (avoir soif)
6. Comment se fait-il, si tu n'y es pour rien, que tu sois le premier de ta classe ? (avoir la chance)
7. Pourquoi a-t-il répondu aussi sèchement ? (avoir l'air)
8. Pourquoi réclame-t-il sa part d'héritage ? (avoir droit)
9. Pourquoi était-il si indulgent avec sa nièce ? (avoir un faible)
10. Il n'est que dix heures. Pourquoi partez-vous déjà ? (avoir l'habitude)
11. Nous avons encore dix minutes. Pourquoi ne vous asseyez-vous pas ? (avoir hâte)
12. Pourquoi ne vouliez-vous pas me montrer votre travail ? (avoir honte)
13. Que ferez-vous si vous n'obtenez pas satisfaction ? (avoir recours)
14. Pour quelle raison le ménage-t-elle ? (avoir pitié)
15. Vous tremblez; est-ce que vous avez de la fièvre ? (avoir froid)
16. Pourquoi as-tu pris son parti contre moi ? (avoir raison)

Exercice IV: Répondez aux questions suivantes, en commençant par un "non," mais sans donner à vos réponses une forme négative. Vous utiliserez l'adverbe ou la locution adverbiale qui conviendra à chaque cas. (Sec. 6.0.0–6.4.0.)

EXEMPLES: *a.* Est-ce qu'il s'en rend compte ?
Non, mais il s'en rendra compte plus tard.
b. Est-ce que tu te souviens de son nom ?
Non, je l'ai complètement oublié.

1. Est-ce que j'ai tort ?
2. Est-ce que vous tarderez à le faire ?
3. As-tu dit cela pour plaisanter ?
4. Est-ce que c'est comme cela qu'il l'a fait ?
5. Est-ce que le rouge me va moins bien que le vert ?
6. Est-ce que tu ne le trouves exceptionnel qu'au point de vue physique ?
7. Faut-il retirer le bouchon petit à petit ?

8. Est-ce que vous avez dû payer pour les brochures qu'on vous a envoyées?
9. Est-ce que tu comprendrais mieux leur réaction s'ils étaient plus jeunes?
10. Est-ce qu'ils sont aussi mal logés que vous?
11. Est-ce que je dois acheter du papier à lettres?
12. S'exprime-t-il avec difficulté?
13. Est-ce qu'on trouve autant de détails dans cette biographie que dans l'autre?
14. Est-ce que Denise se maquille très légèrement?

RÉVISION DES VERBES IRRÉGULIERS (*vivre*)

1. Comment vivez-vous? Nous vivons chichement, d'une petite rente.
2. Comment vis-tu? Je ____ chichement, d'une petite rente.
3. Comment vivent-ils?

4. De quoi vivrez-vous? Nous ____ du peu que nous gagnons.
5. De quoi vivras-tu? Je ____ du peu que je gagne.
6. De quoi vivront-elles?

7. Par goût, où vivriez-vous? Nous ____ à la campagne.
8. Par goût, où ____-tu? Je ____ à la campagne.
9. Par goût, où vivrait-elle?

10. On a dit que vous viviez à ses crochets.
11. On a dit que nous ____ à ses crochets.
12. On a dit que je vivais à ses crochets.
13. On a dit qu'il ____ à ses crochets.
14. On a dit que tu ____ à ses crochets.
15. On a dit qu'ils vivaient à ses crochets.

16. Il serait temps que vous ____ tranquilles.
17. Il serait temps que nous ____ tranquilles.
18. Il serait temps que tu vives tranquille.
19. Il serait temps que je ____ tranquille.
20. Il serait temps qu'elles ____ tranquilles.

21. Pendant l'occupation, elle vécut à l'écart de la société.
22. Pendant l'occupation, ils vécurent à l'écart de la société.
23. Pendant l'occupation, nous vécûmes à l'écart de la société.

24. Elle a survécu à tous les membres de sa famille.
25. Elle avait vécu parmi de grands artistes ... en ignorant qui ils étaient.
26. Vis sans t'inquiéter du "qu'en dira-t-on."
27. Vivons sans nous inquiéter du "qu'en dira-t-on."
28. Vivez sans vous inquiéter du "qu'en dira-t-on."

EXERCICES ÉCRITS

Exercice A: Répondez aux questions suivantes, d'une façon cohérente, en utilisant les éléments du dialogue.

1. Comment décririez-vous une personne très maigre?
2. Qu'est-ce que vous avez l'habitude de prendre entre les repas?
3. Dans quels cas doit-on se mettre au régime et sous quelle surveillance?
4. Quelle serait votre réaction si des camarades se moquaient, pour une raison quelconque, de votre sœur (de votre frère)?
5. Votre sœur est au téléphone depuis une demi-heure et vous avez un coup de fil urgent à donner. Que faites-vous?
6. Décrivez la mode actuelle, pour les jeunes gens comme pour les jeunes filles.

Exercice B: Transformez les phrases suivantes (1) en remplaçant l'adjectif souligné par l'adverbe correspondant; (2) en mettant à la place du verbe et du nom en italiques, un verbe correspondant à ce nom; (3) en changeant l'ordre des mots. (Sec. 6.0.0–6.4.0.)

EXEMPLE: Si *votre explication était claire*, je comprendrais peut-être de quoi il s'agit.
Si vous m'expliquiez clairement de quoi il s'agit, je comprendrais peut-être.

1. On s'attendait à des merveilles, et il *a donné une réponse banale.*
2. Je ne crois pas que l'on puisse *être* aussi *catégorique dans le refus.*
3. La réussite demande des efforts; ce n'*est* pas *un don gratuit.*
4. Quand nous sortons, sa mère *est un constant chaperon.*
5. On ne peut *avoir d'entretien sérieux* avec toi.
6. Ils *organisent des réunions mensuelles.*
7. L'*emploi* du couteau et de la fourchette *est simultané.*

8. Monsieur Denis *est pris d'une soudaine inquiétude.*
9. Vous voyez bien que *son comportement n'est* pas *normal.*
10. Il *jette des regards jaloux sur* Etienne et Paulette.

Exercice C: Répondez aux questions suivantes. Faites des phrases complètes où vous donnerez vos réponses en chiffres et en lettres.

EXEMPLE: Combien pesait-il à sa naissance?
Il pesait 3,5 kg. (trois kilos cinq cents, "sous-entendu: grammes.")

1. Combien pesez-vous (en kilos)? (*La vérité n'est pas obligatoire.*)
2. De combien de kilos avez-vous grossi ou maigri depuis deux ans?
3. Combien mesurez-vous (en mètres et en centimètres)?
4. Etes-vous plus petit ou plus grand que votre sœur (votre frère ou votre voisin de classe)? Combien de centimètres avez-vous de plus ou de moins que lui (elle)?
5. Vous connaissez sans doute la Tour Eiffel. Quelle hauteur a-t-elle, à votre avis? Connaissez-vous un édifice plus élevé? (Donnez-en la hauteur en mètres.)
6. D'après le tableau des poids et mesures, combien devriez-vous peser, compte tenu de votre taille?
7. Seriez-vous plus fatigué après avoir parcouru un kilomètre qu'un "mile"? Pourquoi (pas)? (Donnez vos raisons en chiffres.)
8. Quelle est, à votre avis, la consommation mensuelle en vin, d'un Français moyen? d'un Américain moyen?

Exercice D: (Exercice de composition.) Hier matin, vous avez donné le bulletin météorologique à la radio, et vous avez annoncé que la journée serait belle. Le ciel devait être clair et dégagé; le temps serait sec et vous avez affirmé qu'il ne pleuvrait pas, car le baromètre était en hausse. La température allait dépasser 20 degrés (centigrades). Le vent promettait d'être calme, tout au plus nous avez-vous promis une légère brise. Enfin il allait faire si beau temps que les amateurs de pique-niques et de promenades à la campagne seraient heureux à souhait. Il ferait assez chaud pour qu'ils n'emportent pas de lainages.

Ce matin . . . vous allez vous excuser auprès de vos "chers auditeurs" et leur dire—ce qu'ils savent déjà—le temps qu'il a fait hier et qui a été tout le contraire de ce que vous aviez annoncé (vous devrez reprendre point par point les corrections à apporter à votre bulletin d'hier).

Puis, fidèle au poste, vous vous armerez de courage et vous leur donnerez les prévisions météorologiques pour aujourd'hui. Tâchez de ne pas vous tromper.

Exercice E: (Exercice de composition.) Vous allez écrire à un de vos amis. C'est une réponse à une lettre qu'il vous a écrite. Il s'imagine que, depuis que vous êtes à Paris, vous vous amusez beaucoup; que vous sortez très souvent; que vous avez beaucoup de succès auprès des jeunes filles (des jeunes gens si vous êtes une jeune fille); que vous avez fait de nombreuses conquêtes. Il vous a aussi dit qu'il était sûr que vous aviez grossi, grâce à l'excellente cuisine française servie dans tous les restaurants réputés. Il a ajouté qu'il vous imaginait au volant d'une de ces voitures de course européennes dont vous aviez tellement envie; qu'avec tout l'argent que vous avaient donné vos parents, vous faisiez certainement des folies de toute sorte et que vous deviez être très occupé puisque vous lui écriviez si peu. Enfin, de loin, il vous attribue tous les charmes, toutes les chances, toutes les possibilités.

Vous allez démentir tout cela, mais sans exagérer. Il ne s'agit pas de lui faire croire que vous êtes malheureux ou déçu et de lui dépeindre votre séjour en noir.

Vous pourriez, par exemple, commencer votre lettre comme ceci:

"Mon cher Bob:

J'aurais bien voulu être à la place de ce John (c'est vous) que tu as transformé en prince charmant, en pacha, etc. La réalité est plus terne, mais elle ne manque pas d'intérêt . . ."

Souvenez-vous, en répondant, que vous engagez facilement la conversation, que vous liez facilement connaissance; que tout cet argent dont parle votre ami fond très vite dans une ville où tout est cher, etc.

Vous terminerez par les salutations d'usage et par votre signature.

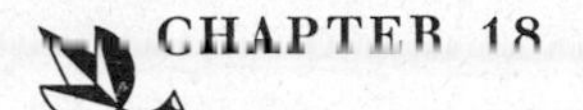

CHAPTER 18

Prepositions and Conjunctions; General Review of Complements

REVIEW NOTES

Bilingual dictionaries, of course, give specific translations for prepositions and conjunctions, but good ones always give examples in context for each meaning given. Obviously, we cannot teach you the whole range of uses for all prepositions and conjunctions in one chapter; we intend merely to review enough of the many uses to remind you of the importance of learning these words in context.

Complement is a traditional grammatical term referring to a construction that joins with a verb or verbal expression to form a verb phrase (or predicate), that follows a preposition to form a prepositional phrase, or, in general, that completes or "complements" another structure. All of the types of complements used in the exercises in this chapter have been reviewed in earlier chapters. The purpose of these exercises is to indicate which type of complement is most suitable in a given situation. Thus, the choices may frequently be a matter of style, but you will still be reviewing your control of grammar in the actual construction of the sentences.

(Many of the exercises in this chapter contain no section number for the Reference Grammar, simply because the exercise covers many and diverse sections.)

REF GRAM SEC: 7.0.0–8.0.0.

NOTES ON PRONUNCIATION

Please see the notes in Chapter 16.

[ɔ] : [o] : [u] **Donne-moi la cotte de maille.** [dɔn-mwa-la-kɔt-də-mɑj]
J'aime la côte d'azur. [žɛm-la-kot-da-zyr]
Ça coûte trop cher. [sa-kut-tro-šɛr]

Il n'est pas poli. [il-ne-pa-pɔ-li]
Ils vont au pôle nord. [il-vɔ̃-to-pol-nɔr]
Un poulet rôti. [œ̃-pu-lɛ-ro-ti]
[ə] : [œ] : [ø] **C'est un jour de jeûne.** [sɛ-tœ̃-žur-də-žøn]
Il est jeune. [i-le-žœn]
Je ne sais pas. [žə-nsɛ-pa]
J'en ai peu. [žã-ne-pø]
J'en ai peur. [žã-ne-pœr]
Petit à petit. [p(ə-)ti-ta-pti]

DIALOGUE

Gilberte et Alain parlent d'un camarade.

GILBERTE: On prétend que les femmes sont plus bavardes que les hommes, mais s'il fallait couronner la personne qui débite[1] le plus grand nombre de mots à la minute, c'est certainement à Jean-Claude qu'irait cette distinction.

ALAIN: Oh oui! Et ce ne serait pas seulement pour la rapidité, qui est remarquable, mais aussi pour la continuité. Ni toi ni moi ne pouvons passer pour des gens silencieux, pas plus que le reste du groupe, mais quand il est là, impossible de placer un mot. Il faut être à l'affût[2] pour profiter du moment où il reprend haleine.

GILBERTE: Si encore ce qu'il disait était intéressant. . . . Il raconte des histoires à dormir debout;[3] il jongle avec des bribes[4] de faits qui finissent par n'avoir plus aucun sens. Et cependant on l'écoute. Comment expliques-tu cela?

ALAIN: Je ne sais pas exactement, mais c'est probablement parce qu'il fait rire, et parfois même involontairement. Et aussi, parce qu'il s'est entraîné à parler fort pour couvrir la voix des autres. Si tu l'écoutais d'assez loin, tu remarquerais que, dès qu'on tente de l'interrompre, il hausse la voix, sans pour autant[5] ralentir son rythme. Et c'est toujours l'autre qui finit par se taire.

GILBERTE: Ça n'explique pas que, non seulement on tolère sa présence, mais encore qu'on l'invite. Tu sais pourtant bien qu'avec lui il n'y a pas de conversation, pas de discussion possibles. Il fait un monologue ponctué

[1] **débite** "spout," "deliver."
[2] **à l'affût** on the watch
[3] **des histoires à dormir debout** endless, dull, or incredible stories
[4] **bribes** "scraps," odds and ends
[5] **pour autant** for that; for that matter

d'exclamations ou d'éclats de rire de l'auditoire. Qu'on s'y laisse prendre une fois ou deux, passe encore. . . . Attention, changeons de conversation, le voilà.

JEAN-CLAUDE: Savez-vous la dernière?[6] Je suis sûr que non, car je viens moi-même de l'apprendre. Jamais je ne me serais attendu à ça. Il y a tous les jours du nouveau, mais Dieu sait qu'il en faut beaucoup pour m'épater.[7] Eh bien! celle-là m'a renversé.

GILBERTE ET ALAIN: (*ensemble*). De quoi . . . ?

JEAN-CLAUDE: (*continuant comme s'il était seul*). Et que je ne m'en sois pas rendu compte, c'est encore plus fort, car ils l'ont fait sous mon nez. J'étais en train de raconter que le vieux père[8] Luc avait pris une assurance sur la vie, après une visite à son médecin, et j'expliquais que ce seraient probablement ses chats qui en bénéficieraient, car il n'a plus de famille. J'avais aussi conseillé aux autres de prendre des précautions et de fermer leur porte à double tour,[9] car une maison du quartier avait été cambriolée[10] en plein jour, alors que les gens qui l'habitent faisaient la sieste; que le cambrioleur avait tout raflé[11] pendant que ses victimes dormaient à poings fermés.[12] (*courte pause*)

GILBERT: Bon, mais quelle est la dernière nouvelle. . . .

JEAN-CLAUDE: (*qui reprend comme si de rien n'était*).[13] Et avant de partir, il a laissé une note, disant qu'il avait travaillé en silence pour ne pas les réveiller. Il a ajouté qu'il leur recommandait de changer d'orfèvre, car leur argenterie était en plaqué[14] et qu'on les avait certainement trompés sur la marchandise. Je crois que les gens ont été plus vexés qu'autre chose par cette histoire d'argenterie (après tout ils étaient assurés contre vol et incendie). Pour moi, ce sont des gens qui en jettent plein la vue[15] à leurs relations, mais qui mangent dans la cuisine et se servent d'une vaisselle en faïence ordinaire quand ils sont en tête à tête. . . . (*nouvelle pause*)

ALAIN: Ce n'était pas du cambriolage que tu allais nous parler. . . .

JEAN-CLAUDE: (*faisant toujours le sourd*). Vous connaissez le genre. Il y a comme ça des gens qui ont une congestion d'amour-propre et qui se

[6] **la dernière** the latest news
[7] **épater** to astound; to flabbergast
[8] **le vieux père** (Luc) (F.) the old man
[9] **à double tour** double-lock
[10] **cambriolée** robbed
[11] **raflé** carried off
[12] **dormir à poings fermés** sleep soundly
[13] **comme si de rien n'était** as if nothing had happened
[14] **plaqué** plated
[15] **jeter plein la vue** to put on a big show

passeraient de tout en privé pour paraître[16] en société. Ah ! oui, je leur avais aussi dit que le syndicat des instituteurs avait déclenché une grève de 48 heures, pour appuyer ses revendications. C'est toujours ça de gagné pour les mômes.[17]

(*Deux heures sonnent à l'église voisine.*)

JEAN-CLAUDE: Flûte ! Je m'éclipse, car je dois voir Nadine. (*Il s'en va.*)

[16] **paraître** to show off
[17] **mômes** (P.) kids

GILBERTE: Eh bien! Voilà une démonstration qui vient à propos.[18] Et nous ne savons toujours pas quelle était la nouvelle.

(*On voit Jean-Claude revenir en courant.*)

JEAN-CLAUDE: Avec tout ça, je ne vous ai pas raconté ma nouvelle: après avoir enregistré ma voix, à mon insu, on m'a offert un rôle dans un film. Et devinez quoi? C'est un rôle de bègue.[19]. . . (*Ils éclatent de rire tous les trois. Puis Jean-Claude repart.*)

ALAIN: Tu vois pourquoi on l'invite? Pourquoi on tolère ses flots de paroles? Au fond, c'est un comédien, et qui soigne sa mise en scène.

GILBERTE: (*qui pleure d'avoir tant ri*). Je reconnais qu'il m'amuse aussi, mais, la plupart du temps, j'ai envie de pousser un grand cri afin qu'il se taise et me laisse mettre mon grain de sel.[20]

ALAIN: Tiens! J'aperçois Nadine. Elle a l'air de chercher quelqu'un. Allons lui dire que son jeune premier[21] la cherche aussi.

QUESTIONS SUR LE DIALOGUE

1. Pour marquer la distinction, qu'est-ce qu'on donnerait à Jean-Claude?
2. Pourquoi Jean-Claude ne parle-t-il pas sur le ton normal de la conversation?
3. Que fait Jean-Claude quand on le contredit dans une discussion?
4. Quand Gilberte a-t-elle dit à Jean-Claude ce qu'elle pensait de lui?
5. Jean-Claude est-il crédule? Comment le savez-vous?
6. Quels sont les héritiers de Luc et quel sera leur héritage?
7. Les habitants de la maison, dont parle Jean-Claude, ont-ils le sommeil léger? Dites pourquoi.
8. Pourquoi le cambrioleur dit-il qu'on les a trompés sur la marchandise?
9. Qu'est-ce qu'il y a de drôle dans l'offre faite à Jean-Claude?
10. Quelles sont les choses importantes que Gilberte voudrait dire au cours des conversations avec Jean-Claude?

[18] **à propos** to the point; **une démonstration . . . à propos** an opportune, timely demonstration
[19] **bègue** stutterer
[20] **mettre mon grain de sel** to put in my two cents' worth
[21] **un jeune premier** juvenile lead; leading man

EXERCICES ORAUX

Exercice I: Répondez aux questions suivantes, à l'aide des mots donnés entre parenthèses et d'une préposition. (Sec. 7.2.3.)

EXEMPLE: Quel rôle a-t-on offert à Jean-Claude? (bègue)
On lui a offert un rôle de bègue.

1. A propos de Jean-Claude, de quelle rapidité parle-t-on? (débit)
2. Avec des bribes de quoi jongle-t-il? (faits)
3. Quelle congestion ont-ils attrapé? (amour-propre)
4. Par quelle histoire ont-ils été vexés? (argenterie)
5. De quelle cause parle-t-il? (sa fureur)
6. Dans quels romans tout est-il clairement défini? (série noire)
7. Vous avez fait le tour de quoi? (jardin)
8. A quel bar allaient les Savary? (hôtel)
9. Quels sports pratique-t-on en décembre. (hiver)
10. Dans quelles revues Marcel découpait-il des illustrations? (son père)
11. Pour quelle classe devait-il illustrer ses cahiers? (géographie)
12. De quoi voulaient-ils qu'elle fasse partie? (groupe)

Exercice II: Changez le sens des phrases, en mettant des prépositions de sens contraire à la place de celles qui sont en italiques.

EXEMPLE: Les enfants jouent *devant* la maison.
Les enfants jouent derrière la maison.

1. Je suis allé aux Houches *avec* les Savary.
2. Il s'est battu *pour* eux.
3. Il y a une cour *devant* la maison.
4. Je leur en parlerai *avant* les vacances de Noël.
5. La propriété se trouve *loin de* la route.
6. J'ai obtenu gain de cause *malgré* lui.
7. Vous ferez tous ces exercices, *y compris* le numéro 6.
8. Il est *hors d'*état de conduire.
9. J'ai rangé les draps *sous* les couvertures.
10. Mettez votre nom *au haut de* la page.

Exercice III: Donnez la deuxième partie de la phrase qui se composera d'une question à laquelle un autre élève répondra.

EXEMPLE: Tes camarades se sont déjà inscrits. Et toi ____?
Tes camarades se sont déjà inscrits. Et toi, quand t'inscriras-tu?
Je m'inscrirai lundi prochain.

1. Il paraît que vos parents vont en France. Et vous ____?
2. Je vois que vous dansez tous, mais lui ____?
3. Pour la classe de littérature vous avez à faire un essai; et pour celle de français ____?
4. Marcel passe son temps sur les pistes de ski; et les Savary ____?
5. Roberte est sortie avec Gérard: et Claude ____?
6. Je lui ai offert des livres pour son anniversaire; et vous ____?
7. Nous habitons au 7e étage; et toi ____?
8. Elle prépare sa licence d'anglais; et lui ____?
9. Je ne peux pas faire ma traduction sans dictionnaire; et toi?
10. Les cigarettes ordinaires coûtent 30 cents; et celles à bout filtrant ____?
11. Moi, j'envoie tout mon courrier par avion; et vous ____?
12. Nos propositions ont été rejetées par la direction; et les vôtres ____?

Exercice IV: Transformez les phrases suivantes, en remplaçant la préposition en italiques par la conjonction correspondante, et remplacez le nom qui la suit par un verbe. Faites tous les changements nécessaires. (Sec. 8.0.0.)

EXEMPLE: Je ne ferai rien *sans* son autorisation.
Je ne ferai rien sans qu'il m'y autorise.

1. Dépêchez-vous, sinon vous n'arriverez pas *avant* la fermeture des magasins.
2. Ils restent devant leur porte *jusqu'à* la tombée de la nuit.
3. Tu lui téléphoneras *après* le dîner.
4. Il est debout *dès* le lever du jour.
5. Ils s'évitent *depuis* leur dispute.
6. Je ne crois pas que vous ferez l'affaire *étant donné* votre manque d'expérience.
7. Il fait les cent pas *en attendant* le vote du comité.
8. Souvenez-vous *de* nos décisions.
9. Je ne tiens pas *à* sa nomination. (être nommé)
10. Nous faisons des vœux *pour* sa réussite, car l'entreprise est ardue.

Exercice V: Complétez les phrases suivantes, à l'aide de pronoms atones ou toniques remplaçant les compléments en italiques et du verbe de la première partie de la phrase que vous mettrez, s'il y a lieu, à un temps différent.

EXEMPLE: Je n'ai pas encore présenté *mon projet au doyen*, mais ____.
Je n'ai pas encore présenté mon projet au doyen, mais je le lui présenterai.

1. Je croyais qu'il fallait donner *des notes aux élèves*, mais ____.
2. Il avait dit qu'il ne sortirait pas avec *Simone et sa mère*, mais ____.
3. On disait que les sénateurs voteraient *l'amendement de cette loi*, mais ____.
4. Je voulais faire remarquer *son manque d'amabilité à l'agent*, mais ____.
5. Le professeur avait l'intention de faire faire *ces exercices aux étudiants*, mais ____.
6. Je ne croyais pas que je pourrais traduire *ce poème sans l'auteur*, mais ____.
7. J'espérais que je trouverais quelqu'un d'autre que *Robert*, mais ____.
8. Il avait peur de ne pas s'habituer *à la vie en commun* ____.
9. Je ne croyais pas que ce serait *par mes cousins* que j'obtiendrais *cette place*, mais ____.
10. Il pensait que je n'oserais pas faire *ces observations* devant *les membres du conseil de discipline*, mais ____.
11. L'avocat espérait que le témoin n'oserait pas s'attaquer *à son client*, mais ____.
12. Il ne s'attendait pas à recevoir *des nouvelles de Jean*, mais ____.
13. J'étais certain qu'il avertirait *ses voisins du danger d'incendie*, mais ____.
14. Maman avait demandé à Michel qu'il se fasse couper *les cheveux*, mais ____.
15. Nous n'avons pas pu exposer *nos revendications au directeur* aujourd'hui, mais ____.
16. Il espérait ne pas arriver trop loin derrière *ses concurrents*, mais ____.

RÉVISION DES VERBES IRRÉGULIERS (*falloir*, *valoir mieux*, *pleuvoir*)

1. Il faut que je copie les paroles de cette chanson.
2. Il ne fallait pas lui laisser prendre la parole.
3. Faudra-t-il que tu adresses ces paroles au doyen?
4. Il faudrait être sûr qu'elle tiendra parole.
5. Je ne dis pas qu'il faille le croire sur parole.
6. Il a bien fallu que je lui coupe la parole.
7. Il aurait fallu que vous lui rendiez sa parole.

8. Il vaut mieux qu'il l'apprenne d'un seul coup.
9. Il valait mieux éviter les coups de soleil.
10. Il vaudrait mieux qu'il ne fasse pas de coup de tête.
11. Il aurait mieux valu qu'il y jette un coup d'œil.
12. Qu'il vaille mieux faire un coup d'éclat, j'en doute.

13. Il pleut à torrent.
14. Il pleuvait si fort que j'ai dû arrêter la voiture.
15. Pleuvra-t-il aujourd'hui?
16. Il a annoncé qu'il ne pleuvrait pas aujourd'hui.
17. Pourvu qu'il ne pleuve pas.
18. Il a plu toute la nuit.

EXERCICES ÉCRITS

Exercice A: Répondez aux questions suivantes de façon cohérente, en utilisant les éléments du dialogue.

1. Si vous étiez violemment en désaccord avec ce qu'est en train de dire une personne, comment le lui feriez-vous savoir?
2. Que feriez-vous si, par la fenêtre, vous aperceviez un voleur en train de cambrioler chez un voisin? (Vous n'avez pas le téléphone.)
3. Pourquoi une personne ne peut-elle pas bénéficier d'une assurance sur la vie, qu'elle aurait prise elle-même?
4. Faites le portrait d'une personne bavarde.
5. On n'entend jamais sa propre voix comme l'entendent les autres. Dites-moi ce qu'il faudrait que je fasse pour m'entendre comme vous m'entendez.
6. Vous connaissant comme vous vous connaissez, quel rôle croyez-vous pouvoir interpréter? (Nous parlons de théâtre et de pièces connues.)

Exercice B: Transformez les phrases suivantes, en ajoutant ou en modifiant ce qu'il faut pour que l'adverbe en italiques devienne une préposition ou une conjonction. Faites tous les autres changements nécessaires. (Sec. 7.0.0–8.0.0.)

EXEMPLES: *a.* Je ne vais pas souvent chez eux, car ils habitent *très loin.*
Je ne vais pas souvent chez eux, car ils habitent très loin de chez moi.

b. Il a appris la nouvelle par la radio et il m'a téléphoné *aussitôt.*
Il m'a téléphoné aussitôt qu'il a appris la nouvelle.

1. Cette boîte est vide, il n'y a rien *dedans.*
2. Un bassin en occupe le centre et les parents s'installent *autour.*
3. Ce n'est pas difficile: vous passez devant un gratte-ciel et la poste est juste *à côté.*
4. Je ne l'ai pas encore fini; je vous le prêterai *après.*
5. Je le voyais souvent avant qu'on ne lui offre ce poste; je ne l'ai pas revu *depuis.*
6. Pourquoi ne menez-vous pas une vie plus calme? Vous en avez les moyens *maintenant.*
7. Si vous vous mettez derrière les autres, je ne vous vois pas; placez-vous *devant.*
8. Non, les appartements ne sont pas encore tous vendus; il y en a un à vendre *au-dessus.*
9. Tapez le texte sur ce stencil, mais ne faites pas de corrections *dessus.*
10. Avant, il travaillait énormément; maintenant il travaille *moins.*

Exercice C: Répondez aux questions suivantes, en reprenant la préposition ou la locution prépositive figurant dans la question et en fournissant le contenu de la réponse.

EXEMPLES: *a.* A quel exercice en sommes-nous restés?
Nous en sommes restés à l'exercice numéro 3 (*ou*: au numéro 3) de la page 25.
b. Aux dépens de qui fait-il de l'esprit?
Il en fait aux dépens de son malheureux voisin qui est la gentillesse même.

1. Par rapport à quel autre état l'Alaska est-il gigantesque?
2. Depuis quand le suffrage est-il universel dans votre pays?
3. A l'aide de quoi modifiez-vous un verbe?
4. Parmi quels écrivains classeriez-vous Hemingway?
5. Dans quelle région peut-on faire du ski aux Etats-Unis?
6. Vers quel point de l'horizon vous tournez-vous pour voir le coucher du soleil?
7. A côté de qui avez-vous l'habitude de vous asseoir?
8. A l'abri de quoi se trouve une personne qui travaille et gagne sa vie?
9. Quels sont les éléments essentiels, sans lesquels vous ne pourriez pas vivre?
10. Jusqu'à quelle date dure le mandat de l'actuel président des Etats-Unis?

11. Dans la dispute entre Armand et François, en faveur de qui vous prononceriez-vous et pourquoi?
12. Si vous habitiez une maison de bois, contre quoi prendriez-vous des précautions?
13. Au prix de quoi des négociations peuvent-elles aboutir?
14. Chez quels auteurs américains la critique sociale est-elle vive?
15. Quand l'un élève la voix, que finit par faire l'autre, et pourquoi?
16. A partir de quelle date les jours allongent-ils?
17. Quand vous êtes tous réunis à table, en combien de portions votre mère partage-t-elle les plats?
18. Sous quelles conditions prêteriez-vous un livre ou de l'argent à un camarade?

Exercice D: Complétez les phrases suivantes, en variant à chaque fois la deuxième partie, ainsi que le demande la conjonction donnée entre parenthèses.

EXEMPLES: *a.* Je me promènerai au Luxembourg. (si)
Je me promènerai au Luxembourg, s'il n'y a pas trop d'enfants.

b. (pendant que)
Je me promènerai au Luxembourg, pendant que vous serez chez le dentiste.

c. (ensuite)
Je me promènerai au Luxembourg, ensuite j'irai rejoindre Nora.

d. (puisque)
Je me promènerai au Luxembourg, puisque je n'ai rien d'autre à faire.

e. (en attendant que)
Je me promènerai au Luxembourg, en attendant que vous veniez me chercher.

1. Je ne crois pas que je comprendrai les chansonniers. (ni . . . ni, et, si, parce que, mais, ou)
2. Je savais que vous étiez fiancé. (puisque, avant que, sans que, bien que, depuis que)
3. Je ne voulais pas sortir avec elles. (mais, car, de crainte que, et, quand, donc)

Exercice E: (Exercice de composition.) Sans le vouloir, *vous avez entendu* une conversation entre deux garçons qui sont dans l'une de vos classes. Vous êtes, quoiqu'un peu gêné, assez satisfait, car *c'était de vous qu'il s'agissait.* Vous allez donc raconter ce que vous avez entendu (au discours indirect) à un ami. Ensuite, vous ferez *vos propres commentaires* sur ce qu'ils ont dit et sur l'impression que vous avez d'eux.

C: On le remarque tout de suite, avec son visage ouvert, son expression malicieuse, sans être moqueuse. Je le connais à peine, mais je le trouve très sympathique. Quand il m'arrive d'être à côté de lui en classe et que je ne comprends pas ce que dicte le professeur—tu sais que je suis un peu sourd—il me passe sa feuille pour que je puisse copier, sans même que je le lui demande. Il n'est pas comme les autres.

B: C'est vrai. J'ai aussi remarqué qu'avant de répondre à une question, lancée au hasard par le prof, il regarde autour de lui pour voir si quelqu'un a déjà levé la main, et alors il s'abstient. Il n'est ni pédant (et pourtant il a l'air d'être calé) ni égoïste. Enfin c'est un type avec lequel il doit être intéressant de parler.

C: Mais on ne le recontre jamais en dehors des classes. On ne le voit ni au café ni au restaurant. Il ne doit pas perdre son temps. On le voit d'ailleurs rarement en train de parler à quelqu'un. Il arrive bien avant que la classe ne commence, s'installe contre le mur et se plonge dans un livre, en attendant que le prof soit là.

B: De toute façon, je tâcherai d'entamer la conversation avec lui. Nous pourrions lui proposer d'aller prendre un pot ensemble.

C: D'accord.

(Souvenez-vous qu'ici vous devez faire vos commentaires, à la première personne, et au discours direct, cette fois.)

PART II

Reference Grammar

1.0.0 The Verb

Because the French verb is similar to the English verb in its form and function, many definitions and explanations are unnecessary. Nevertheless, we shall point out certain similar forms and functions while describing the dissimilar ones in more detail. The most important differences are found in: (1) the number and variety of formal changes in the verb to distinguish mood, tense, person, and number; (2) the use of the subjunctive and sequence of tense conventions; (3) the use of the past tenses.

1.1.0 MAJOR REGULAR CONJUGATIONS

Verbs are classified into three major groups (conjugations). Each regular verb in a given conjugation follows the same pattern of formal changes to indicate mood, tense, person, and number. Therefore, the student only has to check the forms of the model verb for each conjugation (for example, **parler** for the first conjugation) in order to determine the forms of any other verb of that conjugation. However, the simple fact that the infinitive form of a verb terminates in **-er, -ir,** or **-re** does not necessarily mean that that verb belongs to the corresponding *regular* conjugation. There are many irregular verbs in **-re,** and some in both **-er** and **-ir.**

1.1.1 First Conjugation: *Parler*

Infinitive: parler   *Pres. Part.:* parlant   *Past Part.:* parlé

Present Indicative	*Imperative*	*Imperfect Indicative*
je parle		je parlais
tu parles	parle	tu parlais
il parle		il parlait
nous parlons	parlons	nous parlions
vous parlez	parlez	vous parliez
ils parlent		ils parlaient

Future	*Conditional*
je parlerai	je parlerais
tu parleras	tu parlerais
il parlera	il parlerait
nous parlerons	nous parlerions
vous parlerez	vous parleriez
ils parleront	ils parleraient

Simple Past
je parlai
tu parlas
il parla
nous parlâmes
vous parlâtes
ils parlèrent

Present Subjunctive	*Imperfect Subjunctive*
que je parle	que je parlasse
que tu parles	que tu parlasses
qu'il parle	qu'il parlât
que nous parlions	que nous parlassions
que vous parliez	que vous parlassiez
qu'ils parlent	qu'ils parlassent

Compound Past	*Pluperfect*	*Past Anterior*
j'ai parlé	j'avais parlé	j'eus parlé
etc.	etc.	etc.

Future Perfect	*Past Conditional*
j'aurai parlé	j'aurais parlé
etc.	etc.

Past Subjunctive	*Pluperfect Subjunctive*
que j'aie parlé	que j'eusse parlé
etc.	etc.

1.1.2 First Conjugation: Notes, Orthographic Changes

A. This is the productive conjugation in French, that is, any recently coined French verb will most likely be an **-er** verb.

B. The **-s** of the present indicative second singular is dropped in the imperative form, second singular (**Parle !**). It is not dropped in the second- and third-conjugation verbs (**Finis !, Vends !**). This fact is unimportant for the spoken language since the **-s** is rarely heard.

C. Verbs which have a **c** or a **g** preceding the infinitive ending (**-er**) regularly indicate that the **c** remains [s] or the **g** remains [ž] throughout the conjugation of the verb by the addition of a cedilla on the **c** (**commençons**) or an **e** after the **g** (**mangeons**) whenever the inflectional ending begins with an **a, o,** or **u.**

D. Verbs whose infinitive form is **e** (or **é**) + consonant + **-er** undergo certain orthographic changes in those forms that end in mute **e.** The changes reflect the fact that the original **e** (or **é**) before the consonant is now pronounced [ɛ].

1. In most cases, the original **e** (**é**) is changed to **è**.

se lever:	**je me lève**	**(vous vous levez)**
[sələve]	[žəməlɛv]	[vuvuləve]
préférer:	**je préfère**	**(vous préférez)**
[prefere]	[žəprefɛr]	[vuprefere]

Note: Verbs which have an acute accent in the infinitive form retain the acute accent in the future and conditional (**il préférera**—[ilprefɛrəra]) even though that **é** is pronounced [ɛ] exactly as the forms that take a grave accent (**il se lèvera**—[ilsəlɛvəra]).

2. When the consonant is **l** or **t,** the **e** either receives a grave accent or the following consonant is doubled.

acheter:	**j'achète**	**vous achetez**
geler:	**je gèle**	**vous gelez**
jeter:	**je jette**	**vous jetez**
s'appeler:	**je m'appelle**	**vous vous appelez**

E. Verbs ending in **-yer** change the **y** to **i** before an ending that contains a mute **e**. Verbs ending in **-ayer** may either retain the **y** or change it to **i**.

tutoyer:	**je tutoie**	**vous tutoyez**
payer:	**je paye** or **je paie**	**vous payez**

1.1.3 Second Conjugation: *Finir*

Infinitive: finir   *Pres. Part.:* finissant   *Past Part.:* fini

Present Indicative	*Imperative*	*Imperfect Indicative*
je finis		je finissais
tu finis	finis	tu finissais
il finit		il finissait
nous finissons	finissons	nous finissions
vous finissez	finissez	vous finissiez
ils finissent		ils finissaient

Future	*Conditional*
je finirai	je finirais
tu finiras	tu finirais
il finira	il finirait
nous finirons	nous finirions
vous finirez	vous finiriez
ils finiront	ils finiraient

Simple Past
je finis
tu finis
il finit
nous finîmes
vous finîtes
ils finirent

Present Subjunctive	*Imperfect Subjunctive*
que je finisse	que je finisse
que tu finisses	que tu finisses
qu'il finisse	qu'il finît
que nous finissions	que nous finissions
que vous finissiez	que vous finissiez
qu'ils finissent	qu'ils finissent

Compound Past	*Pluperfect*	*Past Anterior*
j'ai fini	j'avais fini	j'eus fini
etc.	etc.	etc.

Future Perfect	*Past Conditional*
j'aurai fini	j'aurais fini
etc.	etc.

Past Subjunctive	*Pluperfect Subjunctive*
que j'aie fini	que j'eusse fini
etc.	etc.

1.1.4 Third Conjugation: *Vendre*

Infinitive: vendre *Pres. Part.:* vendant *Past Part.:* vendu

Present Indicative	*Imperative*	*Imperfect Indicative*
je vends		je vendais
tu vends	vends	tu vendais
il vend		il vendait
nous vendons	vendons	nous vendions
vous vendez	vendez	vous vendiez
ils vendent		ils vendaient

Future	*Conditional*
je vendrai	je vendrais
tu vendras	tu vendrais
il vendra	il vendrait
nous vendrons	nous vendrions
vous vendrez	vous vendriez
ils vendront	ils vendraient

Simple Past

je vendis
tu vendis
il vendit
nous vendîmes
vous vendîtes
ils vendirent

Present Subjunctive	*Imperfect Subjunctive*
que je vende	que je vendisse
que tu vendes	que tu vendisses
qu'il vende	qu'il vendît
que nous vendions	que nous vendissions
que vous vendiez	que vous vendissiez
qu'ils vendent	qu'ils vendissent

Compound Past	*Pluperfect*	*Past Anterior*
j'ai vendu	j'avais vendu	j'eus vendu
etc.	etc.	etc.

Future Perfect	*Past Conditional*
j'aurai vendu	j'aurais vendu
etc.	etc.

Past Subjunctive	*Pluperfect Subjunctive*
que j'aie vendu	que j'eusse vendu
etc.	etc.

1.2.0 THE AUXILIARY VERBS, *AVOIR* AND *ETRE*

1.2.1 Avoir

Infinitive: avoir *Pres. Part.:* ayant *Past Part.:* eu

Present Indicative	*Imperative*	*Imperfect Indicative*
j'ai		j'avais
tu as	aie	tu avais
il a		il avait
nous avons	ayons	nous avions
vous avez	ayez	vous aviez
ils ont		ils avaient

Future	*Conditional*
j'aurai	j'aurais
tu auras	tu aurais
il aura	il aurait
nous aurons	nous aurions
vous aurez	vous auriez
ils auront	ils auraient

Simple Past
j'eus
tu eus
il eut
nous eûmes
vous eûtes
ils eurent

Present Subjunctive	*Imperfect Subjunctive*
que j'aie	que j'eusse
que tu aies	que tu eusses
qu'il ait	qu'il eût
que nous ayons	que nous eussions
que vous ayez	que vous eussiez
qu'ils aient	qu'ils eussent

Compound Past	*Pluperfect*	*Past Anterior*
j'ai eu	j'avais eu	j'eus eu
etc.	etc.	etc.

Future Perfect	*Past Conditional*
j'aurai eu	j'aurais eu
etc.	etc.

Past Subjunctive	*Pluperfect Subjunctive*
que j'aie eu	que j'eusse eu
etc.	etc.

1.2.2 Etre

Infinitive: être *Pres. Part.:* étant *Past Part.:* été

Present Indicative	*Imperative*	*Imperfect Indicative*
je suis		j'étais
tu es	sois	tu étais
il est		il était
nous sommes	soyons	nous étions
vous êtes	soyez	vous étiez
ils sont		ils étaient

Future	*Conditional*
je serai	je serais
tu seras	tu serais
il sera	il serait
nous serons	nous serions
vous serez	vous seriez
ils seront	ils seraient

Simple Past
je fus
tu fus
il fut
nous fûmes
vous fûtes
ils furent

Present Subjunctive	*Imperfect Subjunctive*
que je sois	que je fusse
que tu sois	que tu fusses
qu'il soit	qu'il fût
que nous soyons	que nous fussions
que vous soyez	que vous fussiez
qu'ils soient	qu'ils fussent

Compound Past	*Pluperfect*	*Past Anterior*
j'ai été	j'avais été	j'eus été
etc.	etc.	etc.

Future Perfect	*Past Conditional*
j'aurai été	j'aurais été
etc.	etc.

Past Subjunctive	*Pluperfect Subjunctive*
que j'aie été	que j'eusse été
etc.	etc.

1.3.0 IRREGULAR VERBS

A. The following set of tables is arranged alphabetically and includes most irregular verbs of high frequency. A note is included with each briefly listed verb referring you to a verb that is conjugated in the same way and for which a table has been given.

B. Key to the tables: Listed across the top of each table are the infinitive, the present participle, the past participle, the first person singular of the simple past, and the first person singular of the future. Below, on the left, are given all forms of the present indicative; on the right, all forms of the present subjunctive. Use the tables to determine any form as follows:

INDICATIVE

Present:

given.

Imperfect:

add **-ais, -ais, -ait, -ions, -iez, -aient** to the stem obtained by dropping **-ant** from the present participle, or **-ons** from the 1st pl. of the present indicative.

Future:

1st sg. given; endings are **-ai, -as, -a, -ons, -ez, -ont.**

Conditional:

same stem as the future; endings are **-ais, -ais, -ait, -ions, -iez, -aient.**

Simple Past:

1st sg. given; it indicates which set of inflections to use:

-ai, -as, -a, -âmes, -âtes, -èrent

-is, -is, -it, -îmes, -îtes, -irent

-us, -us, -ut, -ûmes, -ûtes, -urent

IMPERATIVE

same as the 2nd sg., 1st pl., and 2nd pl. of the present indicative, except for **avoir, être, savoir,** and **vouloir.**

SUBJUNCTIVE

Present:

given.

Imperfect:

the simple past form indicates which set of forms to use:

(-ai): -asse, -asses, -ât, -assions, -assiez, -assent

(-is): -isse, -isses, -ît, -issions, -issiez, -issent

(-us): -usse, -usses, -ût, -ussions, -ussiez, -ussent

ALL COMPOUND FORMS

Past participle given; for auxiliary forms, see Sec. 1.2.0.

ACQUÉRIR	acquérant, acquis, j'acquis, j'acquerrai		
acquiers	acquérons	acquière	acquérions
acquiers	acquérez	acquières	acquériez
acquiert	acquièrent	acquière	acquièrent

ALLER allant, allé, j'allai, j'irai

vais	allons	aille	allions
vas	allez	ailles	alliez
va	vont	aille	aillent

APERCEVOIR apercevant, aperçu, j'aperçus, j'apercevrai

aperçois	apercevons	aperçoive	apercevions
aperçois	apercevez	aperçoives	aperceviez
aperçoit	aperçoivent	aperçoive	aperçoivent

ASSEOIR asseyant, assis, j'assis, j'assiérai

assieds	asseyons	asseye	asseyions
assieds	asseyez	asseyes	asseyiez
assied	asseyent	asseye	asseyent

or (assoyant)

assois	assoyons	assoie	assoyions
assois	assoyez	assoies	assoyiez
assoit	assoient	assoie	assoient

ATTEINDRE: see *craindre*

BATTRE battant, battu, je battis, je battrai

bats	battons	batte	battions
bats	battez	battes	battiez
bat	battent	batte	battent

BOIRE buvant, bu, je bus, je boirai

bois	buvons	boive	buvions
bois	buvez	boives	buviez
boit	boivent	boive	boivent

BOUILLIR bouillant, bouilli, je bouillis, je bouillirai

bous	bouillons	bouille	bouillions
bous	bouillez	bouilles	bouilliez
bout	bouillent	bouille	bouillent

CEINDRE: see *craindre*

CONCEVOIR concevant, conçu, je conçus, je concevrai

conçois	concevons	conçoive	concevions
conçois	concevez	conçoives	conceviez
conçoit	conçoivent	conçoive	conçoivent

CONCLURE concluant, conclu, je conclus, je conclurai

conclus	concluons	conclue	concluions
conclus	concluez	conclues	concluiez
conclut	concluent	conclue	concluent

CONDUIRE conduisant, conduit, je conduisis, je conduirai

conduis	conduisons	conduise	conduisions
conduis	conduisez	conduises	conduisiez
conduit	conduisent	conduise	conduisent

CONNAÎTRE connaissant, connu, je connus, je connaîtrai

connais	connaissons	connaisse	connaissions
connais	connaissez	connaisses	connaissiez
connaît	connaissent	connaisse	connaissent

CONQUÉRIR: see *acquérir*

CONSTRUIRE: see *conduire*

COUDRE cousant, cousu, je cousis, je coudrai

couds	cousons	couse	cousions
couds	cousez	couses	cousiez
coud	cousent	couse	cousent

COURIR courant, couru, je courus, je courrai

cours	courons	coure	courions
cours	courez	coures	couriez
court	courent	coure	courent

CRAINDRE craignant, craint, je craignis, je craindrai

crains	craignons	craigne	craignions
crains	craignez	craignes	craigniez
craint	craignent	craigne	craignent

CROIRE croyant, cru, je crus, je croirai

crois	croyons	croie	croyions
crois	croyez	croies	croyiez
croit	croient	croie	croient

CROÎTRE croissant, crû, je crûs, je croîtrai

croîs	croissons	croisse	croissions
croîs	croissez	croisses	croissiez
croît	croissent	croisse	croissent

CUEILLIR cueillant, cueilli, je cueillis, je cueillerai

cueille	cueillons	cueille	cueillions
cueilles	cueillez	cueilles	cueilliez
cueille	cueillent	cueille	cueillent

DEVOIR devant, dû, je dus, je devrai

dois	devons	doive	devions
dois	devez	doives	deviez
doit	doivent	doive	doivent

DIRE disant, dit, je dis, je dirai

dis	disons	dise	disions
dis	dites	dises	disiez
dit	disent	dise	disent

DISTRAIRE distrayant, distrait, . . . je distrairai

distrais	distrayons	distraie	distrayions
distrais	distrayez	distraies	distrayiez
distrait	distraient	distraie	distraient

DORMIR dormant, dormi, je dormis, je dormirai

dors	dormons	dorme	dormions
dors	dormez	dormes	dormiez
dort	dorment	dorme	dorment

ÉCRIRE écrivant, écrit, j'écrivis, j'écrirai

écris	écrivons	écrive	écrivions
écris	écrivez	écrives	écriviez
écrit	écrivent	écrive	écrivent

Note: Verbs in *-scrire* are conjugated like *écrire*.

ENVOYER envoyant, envoyé, j'envoyai, j'enverrai

envoie	envoyons	envoie	envoyions
envoies	envoyez	envoies	envoyiez
envoie	envoient	envoie	envoient

ÉTEINDRE: see *craindre*

EXCLURE: see *conclure*

FAIRE faisant, fait, je fis, je ferai

fais	faisons	fasse	fassions
fais	faites	fasses	fassiez
fait	font	fasse	fassent

FALLOIR . . . fallu, il fallut, il faudra

il faut		il faille	

(Imperfect: il fallait)

FEINDRE: see *craindre*

FUIR fuyant, fui, je fuis, je fuirai

fuis	fuyons	fuie	fuyions
fuis	fuyez	fuies	fuyiez
fuit	fuient	fuie	fuient

HAÏR haïssant, haï, je haïs, je haïrai

hais	haïssons	haïsse	haïssions
hais	haïssez	haïsses	haïssiez
hait	haïssent	haïsse	haïssent

JOINDRE: see *craindre*

LIRE lisant, lu, je lus, je lirai

lis	lisons	lise	lisions
lis	lisez	lises	lisiez
lit	lisent	lise	lisent

MAUDIRE maudissant, maudit, je maudis, je maudirai

maudis	maudissons	maudisse	maudissions
maudis	maudissez	maudisses	maudissiez
maudit	maudissent	maudisse	maudissent

MENTIR: see *dormir*

METTRE mettant, mis, je mis, je mettrai

mets	mettons	mette	mettions
mets	mettez	mettes	mettiez
met	mettent	mette	mettent

MOURIR mourant, mort, je mourus, je mourrai

meurs	mourons	meure	mourions
meurs	mourez	meures	mouriez
meurt	meurent	meure	meurent

NAÎTRE naissant, né, je naquis, je naîtrai

nais	naissons	naisse	naissions
nais	naissez	naisses	naissiez
naît	naissent	naisse	naissent

OUVRIR ouvrant, ouvert, j'ouvris, j'ouvrirai

ouvre	ouvrons	ouvre	ouvrions
ouvres	ouvrez	ouvres	ouvriez
ouvre	ouvrent	ouvre	ouvrent

PARTIR: see *dormir*

PEINDRE: see *craindre*

PLAINDRE: see *craindre*

PLAIRE plaisant, plu, je plus, je plairai

plais	plaisons	plaise	plaisions
plais	plaisez	plaises	plaisiez
plaît	plaisent	plaise	plaisent

PLEUVOIR pleuvant, plu, il plut, il pleuvra

il pleut		il pleuve	

POUVOIR pouvant, pu, je pus, je pourrai

peux, puis	pouvons	puisse	puissions
peux	pouvez	puisses	puissiez
peut	peuvent	puisse	puissent

POURVOIR pourvoyant, pourvu, je pourvus, je pourvoirai

pourvois	pourvoyons	pourvoie	pourvoyions
pourvois	pourvoyez	pourvoies	pourvoyiez
pourvoit	pourvoient	pourvoie	pourvoient

PRENDRE prenant, pris, je pris, je prendrai

prends	prenons	prenne	prenions
prends	prenez	prennes	preniez
prend	prennent	prenne	prennent

RECEVOIR recevant, reçu, je reçus, je recevrai

reçois	recevons	reçoive	recevions
reçois	recevez	reçoives	receviez
reçoit	reçoivent	reçoive	reçoivent

REPENTIR (se): see *dormir*

RÉSOUDRE résolvant, résolu, résous, je résolus, je résoudrai

résous	résolvons	résolve	résolvions
résous	résolvez	résolves	résolviez
résout	résolvent	résolve	résolvent

RESTREINDRE: see *craindre*

RIRE riant, ri, je ris, je rirai

ris	rions	rie	riions
ris	riez	ries	riiez
rit	rient	rie	rient

SAVOIR sachant, su, je sus, je saurai

sais	savons	sache	sachions
sais	savez	saches	sachiez
sait	savent	sache	sachent

(Imperative: sache, sachons, sachez)

SENTIR: see *dormir*

SORTIR: see *dormir*

SUFFIRE suffisant, suffi, je suffis, je suffirai

suffis	suffisons	suffise	suffisions
suffis	suffisez	suffises	suffisiez
suffit	suffisent	suffise	suffisent

SUIVRE suivant, suivi, je suivis, je suivrai

suis	suivons	suive	suivions
suis	suivez	suives	suiviez
suit	suivent	suive	suivent

TAIRE taisant, tu, je tus, je tairai

tais	taisons	taise	taisions
tais	taisez	taises	taisiez
tait	taisent	taise	taisent

TENIR tenant, tenu, je tins*, je tiendrai,

tiens	tenons	tienne	tenions
tiens	tenez	tiennes	teniez
tient	tiennent	tienne	tiennent

*tins, tins, tint, tînmes, tîntes, tinrent

VAINCRE vainquant, vaincu, je vainquis, je vaincrai

vaincs	vainquons	vainque	vainquions
vaincs	vainquez	vainques	vainquiez
vainc	vainquent	vainque	vainquent

VALOIR valant, valu, je valus, je vaudrai

vaux	valons	vaille	valions
vaux	valez	vailles	valiez
vaut	valent	vaille	vaillent

VENIR venant, venu, je vins*, je viendrai

viens	venons	vienne	venions
viens	venez	viennes	veniez
vient	viennent	vienne	viennent

*vins, vins, vint, vînmes, vîntes, vinrent

VIVRE vivant, vécu, je vécus, je vivrai

vis	vivons	vive	vivions
vis	vivez	vives	viviez
vit	vivent	vive	vivent

VOIR voyant, vu, je vis, je verrai

vois	voyons	voie	voyions
vois	voyez	voies	voyiez
voit	voient	voie	voient

VOULOIR voulant, voulu, je voulus, je voudrai

veux	voulons	veuille	voulions
veux	voulez	veuilles	vouliez
veut	veulent	veuille	veuillent

(Imperative: veuille, veuillons, veuillez)

1.4.0 MOODS AND TENSES

A. Mood is a grammatical term referring both to particular sets of forms and also to particular sets of attitudes on the part of the speaker. It is generally the point of view of the speaker or his intention that determines which mood, which set of forms he will use, but somewhat more rigorous formal rules are given below to help the student determine which form to use in a given context.

B. Tense also has at least two meanings. It refers either to the *form* representing a particular "time," or to the *period* or "time-referent" that is under consideration. Unfortunately, French and English do not always use equivalent tense forms to indicate the same time-referent. The student should note these differences as they are described below.

1.5.0 INDICATIVE MOOD

The most common mood, and the one with the greatest variety of forms, is the indicative, used in the statement of fact or in the description of a state or action.

1.5.1 Present Tense (Indicative)

A. Both in English and French, the present tense form indicates an action or state in present time, or an habitual action (not a past habit—see Imperfect, Sec. 1.5.4A).

Je lis cette phrase.
Je fais une promenade tous les soirs.

Note that English has two special forms, the "progressive" and the "emphatic."

I am reading. Je lis.
I do read. Je lis.

Note that the English present constructions with *do/does, am/is/are* are most frequently used in forming a question or a negative construction and carry no "progressive" or "emphatic" force. It is in attempting to translate such constructions word for word that the student often makes the serious error of using an **être** + present participle or **faire** + infinitive form.

B. In French, as in English, the present tense can be used in narrative passages, referring to past time.

L'élite de son armée arrive au dernier moment, mais c'est trop tard: Napoléon est vaincu.

C. The present tense form is used in the "Past-to-Present, Inclusive" construction. (Sec. 1.14.0.)

D. The present tense form is also used in certain conditional clauses. (Sec. 1.15.0-A-1.)

1.5.2 Future Tense

A. As in English, the French future form indicates an action or state in future time.

Il viendra demain.

Note: The immediate future (**le futur immédiat**) is indicated usually by a present form of **aller** plus an infinitive, equivalent to the English construction.

Je vais le faire. *I'm going to do it.*

B. American students should be particularly careful to remember that a future form is *required*, whenever future time is implied, in subordinate clauses introduced by **quand, lorsque, aussitôt que, dès que, tant que, comme.** Note that the equivalent verb form in English is usually in the present tense.

Il le fera quand vous *serez* prêt.
He'll do it when you're *ready.*

C. The future tense is also used to indicate probability or conjecture.

Comme il tousse! Il se sera encore enrhumé.
Listen to him cough! He must have caught cold again.

1.5.3 Conditional Tense

A. The conditional tense form is used principally in two constructions: (1) in the result clause of a conditional sentence, and (2) in a direct request, to render it more polite. In both constructions, it is equivalent to *would* plus infinitive in English.

Si j'étais riche, j'*irais* à Paris.
If I were rich, I'd *go to Paris.*

Je *voudrais* que vous me donniez votre adresse.
I'd like *you to give me your address.*

B. As a "past future," the conditional is used in indirect discourse to replace a future in direct discourse when the indirect statement is introduced by a past tense.

Il m'a dit qu'il le *ferait* tout de suite.

Note, however, that when the indirect statement is introduced by a present tense, the future is retained. (See Sec. 1.16.0.)

Il dit qu'il le fera tout de suite.

C. The conditional may be used to imply conjecture.

Serait-elle folle?
Could she be crazy?

The conditional form is *not* the equivalent of the English *would* plus infinitive as it is used to describe past habitual action; this requires the imperfect.

He would do that every evening.
Il faisait cela tous les soirs.

1.5.4 Imperfect Tense (Indicative)

A. The imperfect normally indicates (1) a state or condition in the past, (2) a past action viewed as continuing or not completed, (3) a past habitual action.

Il faisait beau. Les enfants étaient contents de pouvoir jouer dehors.
Elle jouait du piano quand je suis entré.
L'après-midi, elle jouait au tennis.
She used to play tennis in the afternoon.

B. The imperfect is used in the "if-clause" of a conditional sentence when the result clause contains a verb in the conditional tense.

S'il le fallait, je recommencerais.
If it were necessary (if I had to), I'd start all over again.

1.5.5 Simple Past Tense (*Passé Simple* or *Passé Défini*)

The *passé simple*, the so-called literary tense, is used in formal writing to indicate past situations or conditions as well as past actions. It is almost never used in spoken French.

Le succès fut éclatant.
Il ôta son chapeau avant d'entrer dans la voiture.

Note: The intermediate student must be familiar with the forms of this tense to facilitate his reading, and should also carefully compare the uses of the simple past, the imperfect, and the compound past in the works he reads.

1.5.6 Compound Past Tense *(Passé Compose)*

A. The *passé composé* is used to describe an action viewed as completed in the past. It is used in both written and spoken French.

J'ai vu mon frère la semaine dernière.
I saw my brother last week.

Le train est arrivé à huit heures cinq.
The train arrived at five past eight.

B. The compound past must be carefully distinguished from the imperfect. (Sec. 1.12.0.)

C. Discussion of the auxiliary verbs and of agreement of past participles is found in Sec. 1.10.0–1.10.1.

Note: The "immediate past," equivalent to the English construction *to have just done something*, is expressed by a present form of **venir,** plus **de,** plus an infinitive.

Je viens de voir ton frère.
I just saw your brother.

1.5.7 Pluperfect Tense

This compound tense form indicates an action that took place at a point in time previous to another past action referred to (implicitly or explicitly) by the speaker.

Il avait déjà terminé son discours quand nous sommes arrivés.
He had already finished his speech when we arrived.

Note: An *immediately* previous action is expressed by the imperfect of **venir,** plus **de,** plus an infinitive. (Cf. 1.5.6 note.)

Il venait de terminer son discours quand nous sommes arrivés.
He had just finished his speech when we arrived.

1.5.8 Future Perfect Tense

A. The future perfect describes an action to be completed in the future.

Nous l'aurons terminé avant trois heures.
We'll finish it before three o'clock.

B. The future perfect is regularly used in clauses introduced by **quand, lorsque, aussitôt que, dès que, tant que, comme.** (Cf. Sec. 1.5.2B.)

Dès que vous aurez présenté le conférencier, passez-lui le micro.
As soon as you have introduced the lecturer, pass him the microphone.

C. The future perfect can indicate probability or conjecture.

T'aura-t-il blessé sans le vouloir?
Could he have hurt your feelings without meaning to do so?

1.5.9 Conditional Perfect Tense

A. This compound conditional form is used principally in conjunction with a pluperfect form in conditional sentences.

S'il était arrivé un peu plus tôt, il aurait pu nous trouver.

B. A possible use of the conditional perfect is to imply conjecture. (Cf., future, conditional, future perfect, Sections 1.5.2C, 1.5.3C, 1.5.8C.)

T'aurait-il dit que j'étais un ancien camarade?
I suppose he told you I was an old friend?

1.5.10 Past Anterior

A. The relative time indicated by a past anterior form is the same as that indicated by the pluperfect (Sec. 1.5.7), but these two tenses should not be considered equivalent. The past anterior is a literary tense, like the simple past, and is most often used in conjunction with a simple past.

Après que le roi fut entré, le ministre envoya chercher les trois prisonniers.
After the king (had) entered, the minister sent for the three prisoners.

B. The past anterior is most often used with these conjunctions of time: **quand, lorsque, dès que, aussitôt que, après que.** (Cf., future, future perfect, Sections 1.5.2B, 1.5.8B.)

C. The **passé surcomposé,** a conversational substitute for the past anterior, is formed of the compound past of the auxiliary plus the past participle of the main verb.

Après qu'il eut parlé. . . . *Or,* Après qu'il a eu parlé. . . .

1.6.0 IMPERATIVE MOOD

A. The imperative forms indicate a command or request.

Rends-moi ce chapeau.
Ne lui en parlons pas.
Levez-vous.[1]

[1] Note that this **vous** is an object pronoun, not the subject. This is a reflexive verb.

Répétez, s'il vous plaît.

B. In the affirmative imperative, object pronouns follow the verb; in the negative, they precede as usual. (Sec. 4.5.3.)

1.7.0 SUBJUNCTIVE MOOD

In contrast with the indicative, the subjunctive is usually used when the speaker has a particular attitude or feeling about what he is saying. Rather than classify the uses of the subjunctive according to meaning—that is, according to the various attitudes of the speaker—we have chosen to mention in Section 1.7.1 the various types of meaning-situations that usually introduce a subjunctive, and then, in the following sections, to list in alphabetical order the actual *forms* that take the subjunctive. The lists are classified according to whether the subjunctive is required (1.7.2) or optional (1.7.3), and according to the type of expression that governs the subjunctive.

Note: The examples in 1.7.2 and 1.7.3 will usually be in the *present* subjunctive. Specific statements about the present and past subjunctive and the sequence of tenses are given in Sections 1.7.4 and 1.7.5.

1.7.1 Subjunctive Situations

The subjunctive is usually found in subordinate clauses after main verbs or conjunctions that indicate one or more of the following situations or attitudes (whether negative or affirmative): necessity, possibility, desire, desire-to-avoid, approval, command, fear, joy, sorrow, anger, surprise, doubt, or denial.

1.7.2 Expressions Requiring the Subjunctive

A. The subjunctive is generally required in subordinate clauses introduced by **que** and dependent upon these verbs and expressions:

1. Verbs

admettre	douter	regretter
aimer mieux	éviter*	souhaiter
craindre*	nier	tenir à ce que
demander	ordonner	vouloir, etc.
désirer	préférer	

* Each word or expression in these lists followed by an asterisk is one which normally is followed by a pleonastic *ne* in the subordinate clause. The pleonastic *ne* carries no meaning.

Je crains que vous ne soyez malade.
I'm afraid you're sick.

Je préfère que tu sois ici à trois heures.
I prefer you to be here at three o'clock.

Il tient à ce qu'ils y aillent.
He insists that they go there.

Il a évité que vous ne soyez présent à ce moment-là.
He avoided your being there at that moment.

Nous ne voulons pas qu'ils le fassent.
We don't want them to do it.

Note: 1. In sentences like the second one and last one, the usual English construction is "accusative plus infinitive" (*them, to do*). French has no such construction.
2. **Espérer** governs the subjunctive in the negative and interrogative, but not in the declarative, affirmative.

J'espère que vous le ferez tout de suite.

2. *Expressions*

a. **Etre** plus adjective, **avoir** plus noun

Je suis content.	Je suis heureux.	J'ai envie.
Je suis désolé.	Je suis ravi.	J'ai peur,* etc.
Je suis enchanté.	Je suis surpris.	

Elle n'est pas contente que vous l'ayez oubliée.
Avez-vous peur qu'il ne choisisse une profession sans avenir?

Note: It is the particular adjective or noun that governs the subjunctive, not the construction with **être** and **avoir.** We list them with **être** and **avoir** because they are usually found with them.

Surpris qu'on le prenne au sérieux, il ne sut plus que dire.

b. Impersonal Verbs and Verbal Expressions

Il est bon.	Il est impossible.	il semble (*not* il me semble)
C'est dommage.	Il est nécessaire.	
Il est douteux.	il se peut	il suffit
il faut	Il est possible.	Il est temps.
Il est faux.	Il est rare.	Il vaut mieux, etc.
Il est juste.		

Il se peut que le professeur ait raison.
C'est dommage qu'elle ne soit pas venue.
Il semble que cette solution ne leur convienne pas.

B. The subjunctive is required in subordinate clauses introduced by these conjunctions:

à condition que	en cas que	que . . . que
à moins que*	jusqu'à ce que	qui que
afin que	non que	quoi que
avant que*	où que	quoique
bien que	peu importe que	sans que
de crainte que*	pour que	soit que . . . soit que
de peur que*	pourvu que	supposé que

Il ne restera pas, à moins que vous ne l'augmentiez.
He won't stay unless you give him a raise.

Je lui a parlé des risques pour qu'elle comprenne que c'est sérieux.
I spoke to her about the risks so that she would understand that it is serious.

Quoi que vous fassiez, je ne vous épouserai pas.
Whatever you do, I won't marry you.

Quoiqu'il ait essayé de nous aider, nous ne lui en sommes pas reconnaissants.
Although he tried to help us, we are not grateful to him for it.

1.7.3 Expressions Sometimes Followed by the Subjunctive

A. The subjunctive is often but not always used under each of the following sets of circumstances. If the speaker wishes to indicate there is no doubt or uncertainty, he may use the indicative (usually present or conditional).

B. The subjunctive is used in subordinate clauses dependent on certain verbs and expressions (particularly verbs of thinking and hoping) when they are used in the interrogative or negative. In such cases, doubt is clearly implied. Some of the verbs are:

croire	penser
dire	trouver
espérer	

Croyez-vous qu'elle vienne sans lui? (*Disbelief implied.*)
Do you really think she'll come without him?

Je ne dis pas que vous ayez tort, monsieur.
I don't say you're wrong . . . (but I think you are).

But, with no implication of doubt:

Je ne dis pas que vous avez tort, monsieur.
I don't say you're wrong.

C. The subjunctive may be used in relative clauses (introduced by *qui, que, où,* etc., not only by *que*) when purpose or doubt is involved, or when the antecedent is a superlative expression.

Je cherche un mécanicien qui sache réparer cette marque de voiture.
I'm looking for a mechanic who knows how to repair this make of car.

Il ne trouve pas de locaux où tous ses employés puissent travailler à l'aise.
He can't find any office space where all his employees can work in comfort.

C'est le seul étudiant qui vienne tous les jours.
He's the only student that comes every day.

Monique est la plus jolie fille que j'aie jamais vue.
Monique is the prettiest girl I've ever seen.

N'y a-t-il rien qui vous convienne?
Doesn't anything suit you?

1.7.4 Present Subjunctive

The present tense of the subjunctive is used to indicate a state or action in present or future time, as related to the time referred to by the verb of the main clause. The verb in the main clause, therefore, may be in any tense and still be followed by the present subjunctive.

Il faut que tu le fasses.
You must do it.

Il fallait que je le fasse.
I had to do it.

Je le ferai, à condition que vous m'aidiez.
I'll do it provided you help me.

1.7.5 Past Subjunctive

The past subjunctive describes a state or action in the past, as related to the time referred to by the verb of the main clause. By the nature of most of the situations listed in Section 1.7.2, it is less common than the present subjunctive.

Nous sommes contents qu'on vous ait bien reçu.
We're glad they gave you a good welcome.

1.7.6 Imperfect Subjunctive

This is a literary tense, rarely used in spoken or even in informal written French. In literary texts, it is used when the principal clause contains a past tense (including the conditional) and the action indicated by the subjunctive verb is seen as incomplete or contrary to fact.

Ils voulaient que nous leur donnassions tous nos biens.
They wanted us to give them all our property.

1.7.7 Pluperfect Subjunctive

This is also a literary tense, used almost exclusively in formal written French. It is used when the principal clause contains a past tense (including the conditional) and the action indicated by the subjunctive verb is seen as complete.

Le roi regrettait alors que le ministre eût pardonné l'offense.
The king then regretted that the minister had pardoned the offense.

1.7.8 Avoiding the Subjunctive

A. It is proper and sometimes preferable to avoid the subjunctive whenever one can do so. The substitute constructions may appear to be slightly ambiguous (that is, may not precisely indicate the subject of the action), but this should not deter the student from using them: on the whole, ambiguities are cleared up by the larger context.

B. Most commonly, one avoids the subjunctive by changing the subordinate clause to a dependent infinitive clause. In this case, the subject of what was originally the subordinate clause is frequently ambiguous. The replacement of an infinitive for a subordinate clause is most common after impersonal constructions (for example, **il faut**) and where an adverbial conjunction can be replaced by a preposition. In this latter case, the replacement is obligatory when there is no change of subject (**avant que** is replaced by **avant de, pour que** by **pour,** and so on), and is *not* possible when there is a change of subject between the main clause and the subordinate clause.

Il faut que l'on s'entraîne tous les jours.
Il faut s'entraîner tous les jours.

Je vais parler avec le lieutenant avant de partir.
I'm going to speak with the lieutenant before leaving.
(No change in subject: *I* speak, *I* leave.)

Le lieutenant voudrait me parler avant que je ne parte.
The lieutenant would like to speak to me before I leave.
(Change in subject: *lieutenant* wants to speak, *I* leave.)

Note: It is possible, but not common, to use an indirect pronoun form to indicate the subject of the action.

Il me faut arriver avant les invités.
I have to arrive before the guests.

C. The subordinate clause may also be replaced by a prepositional phrase.

Le lieutenant voudrait me parler avant mon départ.
The lieutenant would like to speak to me before my departure.

D. Finally, the subjunctive may be avoided by changing the principal clause so that a subordinate clause dependent on it would not take the subjunctive. To do this, one can change the main verb, keeping as close as possible to the original meaning, or insert another verb.

Il voudrait que nous l'attendions à la gare.
He'd like us to wait for him at the station.

Il espère que nous l'attendrons à la gare.
He hopes that we'll wait for him at the station.

Je suis ravie que ça vous ait plu.
I'm delighted that that pleased you.

Je suis ravie de savoir que ça vous a plu.
I'm delighted to know that it pleased you.

1.8.0 INFINITIVE MOOD

A. The infinitive functions both as a verb and as a noun: it can both indicate action and take a complement, and can also be a subject, object, object of preposition.

B. The most common use of the infinitive is as a complementary infinitive, dependent on some other verb. (Section 1.8.1.) It may also stand alone as subject, or be directly dependent upon a preposition, adjective or noun.

Hésiter, c'est une erreur, monsieur.
Il est parti sans rien dire.
Cette réparation sera difficile à faire, monsieur.
Défense d'entrer.

1.8.1 Complementary Infinitive

A. As a complementary infinitive, the infinitive is dependent on some other verb. It is connected to that verb (verbal expression) either directly or by the preposition **à** or **de.**

1. The following verbs are followed directly (no **à** or **de**) by a complementary infinitive.

aimer	entendre	préférer
aimer mieux	envoyer	regarder
aller	espérer	savoir
avoir beau	falloir	sembler
avouer	monter	valoir autant (mieux)
compter	oser	venir (Cf. Sec. 1.5.6 Note)
croire	pouvoir	vouloir
désirer		

J'aimerais mieux vous en parler plus tard.
Il n'aime pas recevoir de visites à l'improviste.
Elle ne comptait pas nous accompagner jusqu'à Marseille.

2. The following verbs regularly take **à** before a dependent infinitive.

(s')accoutumer	consister	parvenir
aider	continuer	persister
amener	contribuer	prendre plaisir
(s')amuser	demeurer	(se) préparer
apprendre	(se) divertir	se refuser
s'apprêter	donner	renoncer
arriver	enseigner	rester (impersonal)
(s')attendre	exceller	réussir
avoir	exhorter	servir
se borner	s'habituer	tenir ("to insist")
chercher	hésiter	travailler
commencer	inviter	trouver
condamner	se mettre	

Il cherche à nous convaincre de sa bonne foi.
He tries to convince us of his good faith.

On l'a condamné à passer sa vie sur cette île.

3. The following verbs take **de** before a dependent infinitive.

s'abstenir
accepter
accorder
(s')accuser
achever
affecter
arrêter
attendre
blâmer
cesser
(se) charger
choisir
commander
conseiller
se contenter
convenir
craindre
décider
défendre
se dépêcher
dire
dissuader
écrire
empêcher
entreprendre
essayer
éviter
faire bien
(se) garder
gêner
inspirer
interdire
jouir
jurer
se mêler
menacer
obtenir
offrir
oublier
parler
permettre
persuader
prendre soin
presser
prier
promettre
proposer
refuser
regretter
se repentir
(se) reprocher
risquer
(se) souvenir
suggérer
tâcher
se vanter

Tu ferais bien de te taire.
You'd do well to shut up.

Ils ont cessé d'en discuter au moment où vous êtes entré.
They stopped discussing it just as you entered.

B. Most verbs, given the proper context, can be followed by prepositions other than **à** or **de.** However, whereas **à** and **de** in the preceding constructions have essentially no meaning, these other prepositions do carry a meaning.

Il a commencé par nous dire pourquoi il ne voulait pas y aller.
He began by telling us why he didn't want to go there.

Il parle sans se préoccuper de ce que les autres penseront.
He speaks without worrying about what others will think.

Note: After **après,** the past or compound infinitive is required.
Après avoir mis le couvert, le garçon n'a plus rien fait.
After setting the table, the waiter didn't do anything else.

1.8.2 *Etre* + Adjective + Infinitive

A. The lists in Section 1.8.1 and the notations or examples in good dictionaries indicate which preposition, if any, should be used after a verb governing a complementary infinitive. However, there are other uses of the infinitive that involve the use of **à, de** or "nothing." It is difficult to formulate rules for classifying the situations which require one or the other, but two rules which will help you are given in the following paragraph.

B. In the construction, noun phrase + *être* + adjective + infinitive, one uses:

1. "**à**" when the infinitive is a transitive verb and has no complement. In this case, the noun phrase is usually the indefinite **ce,** a personal pronoun or a noun.

Ton attitude est difficile à comprendre.
C'est facile à faire.

2. "**de**" when the infinitive is intransitive, or is transitive and has a complement. In this case, the noun phrase is usually, but not always, the impersonal **il.**

Il est facile de faire cela.
Il est facile de fumer.

1.9.0 · PRESENT PARTICIPLE

A. As a verbal adjective, the present participle may stand alone or be preceded by **en.** In this double function as verb and adjective it is invariable, that is, it is not inflected to agree with the noun it modifies.

En arrivant devant l'Arc de Triomphe, ils se sont arrêtés.
Tout en écoutant leurs propos, il préparait sa réponse.
As he listened to their comments, he was already preparing his reply.
Voyant qu'elle n'arriverait pas à le convaincre, elle changea de conversation.
Il a ouvert la porte, croyant qu'il n'y avait personne dans le bureau.
Je le vois encore, levant les bras au ciel.

B. The present participle form may be used strictly as an adjective. It is then inflected and has no verbal function.

l'eau courante
une histoire amusante

1.9.1 Misuse of the Present Participle

A. The present participle is never used in French with the verb **être** to indicate a tense function equivalent to any of our progressive tenses ("I'm swimming," "I have been swimming," and so on). (Cf. Sections 1.5.1A, 1.14.0.)

B. Any preposition other than **en** requires an infinitive, *not* a present participle. (Careful: the English equivalent is usually a present participle.)

Au lieu de vivre au jour le jour, tu ferais mieux de penser à l'avenir.
Instead of living from day to day, you'd do well to think about the future.

On ne peut pas y entrer sans donner de pourboire au gardien.
You can't go in there without giving a tip to the guard.

C. French frequently uses a relative construction or an infinitive instead of a present participle when the construction modifies a grammatical object rather than the subject. This happens particularly when the object is the complement of a verb of perception.

Je l'ai vu entrer dans l'édifice à six heures.
I saw him entering the building at six o'clock.

Voilà mon cousin qui descend l'escalier.
There's my cousin coming down the stairs.

1.10.0 PAST PARTICIPLE

A. The most common use of the past participle is as the principal constituent of compound verb constructions. (See Sections 1.5.6–1.5.10, 1.7.5, and 1.7.7.)

B. The past participle may be used as a verbal adjective or as an adjective with no verbal function. Unlike the present participle, it is inflected in both instances.

Pourriez-vous réparer ces pneus *crevés*? (*adjective*)
Attaquée par un essaim d'abeilles, elle a plongé dans le lac. (*verbal adjective*)

Note: However, the past participle is invariable when it functions as a preposition or a conjunction.

Vu l'attitude des jeunes, on ne pouvait pas les obliger à y aller.

1.10.1 Agreement of the Past Participle

A. **Avoir** verbs are verbs which regularly take **avoir** as the auxiliary in compound tense forms. All transitive nonreflexive verbs and many intransitive verbs are **avoir** verbs. They show agreement in gender and number between the past participle and a *preceding* direct object. Note that the preceding direct object is not always an obvious personal pronoun object: it can be a relative pronoun or a noun.

Il les a donnés à Henri. (**les** *masc. pl., is the direct object.*)
Les fleurs que j'ai achetées hier sont déjà fanées. (**que,** *whose antecedent is* **les fleurs,** *is the direct object.*)
Quelles leçons avez-vous étudiées? (**Quelles leçons** *is the direct object.*)

Note: **En,** when it replaces a partitive construction, may function as a direct object, but it is always invariable and a following past participle shows no agreement.

Avez-vous pris de la glace? Oui, j'en ai déjà pris, merci.

Note: Transitives are distinguished from intransitive verbs by the fact that they "take a direct object." Therefore, none of the intransitive **avoir** verbs will show agreement, simply because they will not have a preceding direct object. However, the distinction between transitive and intransitive is not determined by the form of the verb but by the function it performs in a given sentence. Therefore, verbs that are listed as intransitive in a dictionary may sometimes be used transitively. Distinguish between the two following sentences.

Les 10.000 francs que ces actions m'ont *coûté* sont perdus.
Les peines que cet enfant nous a *coûtées!*

B. **Etre** verbs are verbs that take **être** as the auxiliary in compound tenses. They show agreement in gender and number between the past participle and the subject. The **être** verbs are a specific set of intransitive verbs which can be described as verbs of "going, coming, going up, going down, to be born, to die." The following are some of the most frequently used **être** verbs:

aller
arriver
descendre
devenir
entrer
monter
mourir
naître
partir
rentrer
rester
retourner
revenir
sortir
tomber
venir

Quand est-elle partie?

Note: Whenever one of these verbs is used with transitive force (particularly the verbs **sortir, rentrer, descendre, monter, retourner**), it must be conjugated with **avoir,** and will show agreement with a preceding direct object.

Il a sorti sa carte d'identité de son portefeuille.
Il l'a sortie de son portefeuille.

C. Reflexive verbs. Whenever a verb is used with a reflexive pronoun (some verbs are regularly reflexive, others are only used with reflexive pronouns in some constructions), it takes **être** as its auxiliary in a compound tense form. The rule for agreement of the past participle, however, is the same rule as for **avoir** verbs. The problem for the student is to recognize the direct object.

1. *Where the reflexive pronoun is the direct object*, agreement is with this preceding direct object. Since the antecedent of this object is the subject, it is frequently said that the past participle agrees with the subject.

Elles se sont couchées à minuit.

2. *Where the reflexive pronoun is not the direct object*, there is no agreement between the past participle and the subject. Most frequently in such cases there is no preceding direct object at all, therefore no agreement. [Sentence (1).] It is, however, possible to have a preceding direct object. [Sentence (2).]

(1) Nous nous sommes lavé les mains.
(2) Les histoires qu'ils se sont répétées ne sont pas amusantes.

Note: Certain verbs, ordinarily thought of as reflexive, may be used in a directly transitive sense, with no action on the grammatical subject. In this case, they are regular transitive verbs, using **avoir** as the auxiliary.

Elle a lavé la vaisselle. Elle l'a lavée.

1.11.0 PASSIVE VOICE

A. The passive voice is formed as in English: auxiliary **être** plus the past participle.

Il a été frappé par un des officiers.

B. Agreement of the past participle is with the subject.

La proposition a été repoussée par la commission.

C. The agent (if there is one) is usually expressed by **par. Par** is always used when a definite action is indicated. **De** is sometimes used in place of **par** when a state or feeling is indicated.

Les ministres sont souvent interpellés par les députés, à la Chambre.
Le président est aimé de tous.

D. The most important fact about the passive is that it is not as frequent in French as in English. It can be and often is avoided by using **on** and an active construction, or, less frequently, by using a reflexive construction.

On m'a donné une bourse.
Les melons se vendent à la pièce.

1.12.0 PROPER USE OF THE IMPERFECT AND COMPOUND PAST

A. The normal range of "meanings" or "time-referents" for each tense has been discussed previously (Sections 1.5.4 and 1.5.6), but it will be useful to consider both in the same section.

B. The imperfect is distinct from the compound past in that it indicates an action *in progress or repeated* in the past, while the compound refers to an action viewed as *completed.* In the description of a state or condition rather than an action, the same contrast exists, although, of course, the imperfect is more common.

Elle chantait quand je suis entré.
(*in progress*) (*completed, once*)

Elle lui parlait souvent de son père.
(*repeated*)

Il faisait des grimaces pendant que je lui coupais les ongles.
(*in progress*) (*in progress*)

C'était un type très sympathique.
(*condition, continuous*)
Il a été malade pendant tout son séjour en Inde.
(*condition, whole period viewed as a unit*)

C. The American student's error is more frequently caused by his "translating" the English past tense rather than not understanding the distinctions made above.

He told *us the same story every night.*
Tous les soirs il nous *racontait* la même histoire. (*Not a* passé composé.)

1.13.0 SPECIAL MEANINGS IN THE IMPERFECT

A. A few verbs have a different nuance of meaning or a different force when used in the imperfect as opposed to the compound past.

Je voulais vous en parler, mais vous étiez occupé;
I wanted to talk to you about it, but you were busy;
je n'ai donc pas voulu vous déranger.
so I decided not to bother you.

B. Note how frequently the verbs **vouloir, savoir, pouvoir,** and **espérer,** as well as **croire** and other verbs of thinking, are used in the imperfect. By their meanings, they usually refer to a condition of the mind, or continuing activity. The compound past should only be used if, following the general rule for the distinction of the imperfect and compound past, one intends to indicate that this was an action completed at a given time unit in the past.

Elle savait bien que je n'allais jamais l'épouser.
Nous croyions qu'il était avare.

But:

A ce moment-là, il a cru que sa fin était arrivée.

1.14.0 PAST-TO-PRESENT, INCLUSIVE, AND PAST-TO-PAST, INCLUSIVE

A. There are two types of constructions that indicate that an action begun in the past has continued up to the present (that is, up to the moment of speech). The two forms are: (1) verb phrase in present tense

+ **depuis** + expression of time (either of duration or clock time), and (2) **il y a** + expression of time (duration only) + verb phrase in present tense.

The interrogative forms are: (1) **Depuis quand . . . ?** and (2) **Combien de temps y a-t-il que . . . ?**

Je cherche une bonne situation depuis trois mois.
I've been looking for a good job for three months.

Depuis quand ta belle-mère habite-t-elle chez toi?
How long has your mother-in-law been living with you?

Il est ici depuis cinq heures. (*ambiguous*)
He has been here for five hours.
Or:
He has been here since five o'clock.
Il y a cinq heures qu'il est ici. (*unambiguous*)
He has been here for five hours.

Note: **voici, voilà,** and also **ça fait,** can be substituted in the **il y a** construction.

Voilà déjà une heure que je t'attends!

B. The same constructions, but with the imperfect tense instead of the present, indicate a past action continued up to a point of reference in the past. (Note: **il y a** becomes **il y avait.**)

C'était en 1870. Le siège durait depuis deux mois, mais malgré la famine, la ville refusait de se rendre.
It was in 1870. The siege had been going on for two months, but in spite of the famine, the city refused to surrender.
Il y avait dix ans que je ne le voyais plus, mais je l'ai reconnu tout de suite.
I hadn't seen him for ten years, but I recognized him right away.

C. Be careful to distinguish these idiomatic constructions from a statement of duration *totally in the past*, and completed prior to the point of reference.

L'année dernière, il a passé trois mois en Europe.
Last year he spent three months in Europe.
J'avais alors dix ans et la poliomyélite m'a immobilisé pendant presque un an.
I was ten years old at the time, and I was left paralyzed by polio for almost a year.

1.15.0 CONDITIONAL SENTENCES

A. Sentences which state a condition (introduced by *si*) that does or will bring about—or might have brought about—a stated result, are called conditional sentences. The sequence of tenses in the "**si**-clause" and "result clause" is regular.

1. "**si**-clause": present / "result clause": future.

Si tu viens avant cinq heures, je serai encore là.

Note: It is also common to have **si** plus a present tense followed by a clause containing a present or imperative.

Si je parle lentement, je ne balbutie pas.
Si tu achètes des pêches, prends-les bien mûres.

2. "**si**-clause": imperfect / "result clause": conditional.

Elle comprendrait mieux, si vous saviez l'expliquer.

3. "**si**-clause": pluperfect / "result clause": conditional perfect.

Si nous l'avions puni, il aurait quitté la maison.

1.16.0 INDIRECT DISCOURSE

A. Although we often state what we are thinking at the moment (direct discourse), we may also say what others have said previously, either by quoting them (still direct discourse) or by restating it (indirect discourse). Obviously, we may also restate what we ourselves have said (indirect discourse).

Je suis heureux. (*direct discourse*)
I am happy.

Il a dit, "Je suis malade." (*direct discourse*)
He said, "I am sick."

Il a dit qu'il était malade. (*indirect discourse*)
He said he was sick.

J'ai dit que j'étais heureux. (*indirect discourse*)
I said I was happy.

B. The tense form required in the subordinate clause in an indirect discourse construction is dependent first upon the tense of the main verb and then, if the main verb is past, upon the tense used in the original *direct* discourse sentence.

1. If the main verb is present or future, the dependent verb is the same as it would be in direct discourse.

"Nous ne sommes pas d'accord."
Ils disent qu'ils ne sont pas d'accord.

"Nous n'avons fait que notre devoir."
Ils diront qu'ils n'ont fait que leur devoir.

2. If the main verb is past, the dependent verb is the past equivalent of the original direct discourse verb. (Note: the conditional is a "past future.")

"Nous ne voulons pas vous accompagner."
Ils ont dit qu'ils ne voulaient pas nous accompagner.

"Je le ferai si tu es gentil."
Elle a dit qu'elle le ferait si j'étais gentil.

"On m'a mis à la porte."
J'ai dit qu'on m'avait mis à la porte.

Note: The imperfect and conditional remain the same.
"J'étais inquiet ce matin."
J'ai dit que j'étais inquiet ce matin.

1.17.0 VERBS REQUIRING SPECIAL COMMENT

In the following subsections, we shall discuss verbs which vary from the norm either by entering into special constructions or by having unique force or meaning according to the tense form used.

1.17.1 *Devoir*

A. With the meaning *to owe*, **devoir** has the same tense distribution as most other verbs, but as an auxiliary verb taking a dependent infinitive and indicating probability or moral obligation, **devoir** has a particular set of meanings possible for each tense. This situation is best described for the American student in terms of English meaning.

B. **Devoir** can imply necessity (particularly moral obligation), intention, probability. The student should familiarize himself with the force implied in each tense below.

1. The *present* is ambiguous. It may imply necessity-obligation, probability or intention.

Tu dois arriver à l'heure. (*obligation*)
You must (should) arrive on time.

Elle doit être amoureuse. (*probability*)
She must be in love.

Je dois y aller demain. (*intention/obligation*)
I'm going there tomorrow; I have to go there tomorrow.

2. The *imperfect* implies probability or intention.

Il devait faire une série de conférences à Chicago, mais la grève des transports l'en a empêché. (*intention, unfulfilled*)
He was supposed to give a series of lectures in Chicago, but the transport strike prevented him from doing so.

Paris devait être plein de touristes. (*probability*)
Paris must have been full of tourists.

3. The *future* implies necessity-obligation.

Nous devrons leur en parler avant de décider.
We'll have to speak to them about it before deciding.

4. The *conditional* also regularly implies necessity-obligation.

Oui, je le sais; je devrais faire des économies.
Yes, I know; I ought to be more thrifty.

5. The *compound past* and *simple past* both imply necessity-obligation or probability.

L'empereur dut signer le décret présenté par les nobles.
The emperor had to sign the decree presented by the nobles.

Tu as dû bien étudier pour avoir de si bonnes notes.
You must have studied hard to have such good grades.

6. The *conditional perfect* implies necessity-obligation (*should have*).

Vous auriez dû me demander de l'argent.
You should have asked me for some money.

7. The *pluperfect* implies probability.

Il avait dû être gravement malade.
He must have been seriously ill.

Note: The pluperfect may be replaced by the imperfect plus a past infinitive.

Il devait avoir été gravement malade.
He must have been seriously ill.

C. The following description of the tenses to use to express each of the possible meanings of **devoir** is offered only as a guide to help the student in his writing and speaking. He will certainly find exceptions in his reading.

1. To express *obligation-necessity.*

In the present: Use the present tense form. It may be ambiguous (confused with intention or probability). Avoid ambiguity by using **il faut.**

In the future: Use the future tense form. It is not usually ambiguous.

In the past: Use the compound or simple past forms. Obligation may be confused with probability, but not usually with intention.

2. To express *unfulfilled obligation-necessity.*

In the present: Use the conditional tense form.

In the past: Use the conditional perfect.

3. To express *probability.*

In the present: The present tense form can be used but is ambiguous. You may avoid ambiguity by using the future or the conditional of the verb that would be a dependent infinitive in a **devoir** construction. (Sec. 1.5.2C, 1.5.3C.)

In the future: Use the future tense form, but it is rarely used with this meaning.

In the past: Use the imperfect or pluperfect rather than the compound or simple past.

4. To express *intention.*

In the present: Use the present tense; as usual, it is ambiguous.

In the past: Use the imperfect tense. It may be confused with probability.

1.17.2 *Falloir*

A. The impersonal construction, **il faut** (**il faudra,** and so on), indicates necessity. (See also paragraph D.) It may be followed either by a subordinate clause, requiring a subjunctive verb, or by an infinitive construction. The infinitive construction is necessarily impersonal, although it is possible to indicate the personal "subject" by an indirect object. (For example, **Il me faut y aller.**)

Il faut que je la voie avant de partir.
Il faut voir le musée du Louvre avant de quitter Paris.

B. Some texts mention a difference between "necessity" and "moral obligation" in discussions of **falloir** and **devoir** (**falloir** = necessity; **devoir** = obligation). Any such distinction is not worth considering at this level, so we combine both "meanings" under the designation "necessity-obligation" for both verbs. However, a different contrast in the use of these verbs is worth noting: although **devoir** in some tenses can be ambiguous (1.17.1-B, C), the equivalent impersonal construction with **falloir** always indicates necessity-obligation.

Je dois y aller. (*necessity-obligation or intention*)
Il faut que j'y aille. (*necessity-obligation only*)

C. In the negative, this construction continues to indicate necessity ("must not").

Il ne faut pas lui en parler.
You must not speak to him about it.

Note: To express non-necessity, one may use **il n'est pas nécessaire,** or some equivalent construction.

Il n'est pas nécessaire de lui en parler.
You don't have to talk to him about it.

D. The **il faut** constructions may also be used to indicate a lack or need. In this sense, the complements are an indirect object (optional) and a direct object indicating the needed item.

Il lui faut trois cents dollars.
He needs (is lacking) three hundred dollars.

Il faudra deux heures pour traverser ce pont à pied.
It will take two hours to cross this bridge on foot.

1.17.3 *Faire* Causative

A. **Faire** is a high-frequency verb that has a number of different meanings and takes various kinds of complements. Special consideration must be given to the **faire** causative construction, which indicates that action has been caused to take place. It is expressed by a form of **faire** plus an infinitive.

B. The causative construction cannot be equated with the compound past or a complementary infinitive construction, because of obvious formal differences. It helps to think of this two-word construction as *one* verb: in fact **faire** is rarely separated from the infinitive. Therefore, rather than speaking separately of the "object of **faire**" and the "object of the infinitive," we describe the complement constructions as follows:

1. When there is only *one object complement*, it takes the form and order of a direct object.

a. A *noun object* of a **faire** causative construction follows the infinitive.

Il a fait construire des fortifications.
He had fortifications constructed.

Il a fait pleurer sa femme.
He made his wife cry.

b. A *pronoun object* of a causative construction precedes **faire,** that is, precedes the total construction (except in the affirmative imperative).

Il la fait réparer.
He has it repaired.

Il nous a fait rire.
He made us laugh.

But:

Faites-la réparer.
Have it repaired.

Faites-la chanter.
Have her sing.

2. When there are *two object complements*, the "thing to be done" is in the form and order of a direct object (noun or pronoun) and the "person to perform the action" is in the form and order of an indirect object (noun or pronoun).

Il nous a fait nettoyer sa maison.
He had us clean his house.

Il vous le fera croire.
He'll have you believe it.

Ambiguity (between performer and a true indirect object) can be avoided by using **par** instead of **à** for the performer, whether a noun or pronoun.

Je l'ai fait expliquer à l'accusé. (*ambiguous*)
I had it explained to the accused.

Or:

I had it explained by the accused.

Thus:

Je l'ai fait expliquer par l'accusé.
I had it explained by the accused.

Je l'ai fait expliquer à l'accusé par son avocat.
I had it explained to the accused by his lawyer.

Or:

J'ai dit à son avocat de l'expliquer à l'accusé.
I told his lawyer to explain it to the accused.

C. In causative constructions, the past participle of **faire** is invariable.

Il a fait construire cette maison. Il l'a fait construire.
Elle s'est fait réveiller à six heures.

1.17.4 *Laisser* and Verbs of Perception + Infinitive

A. In most cases of verb + complementary infinitive (Section 1.8.1), noun and pronoun subjects and objects take their normal positions in relation to the verb they govern or are governed by. However, it has already been pointed out in Section 1.17.3 that special constructions must be used with **faire.** Similar constructions are usually used with **laisser,** as well as with **écouter, entendre, regarder, sentir, voir,** and other verbs of perception.

B. Because usage is inconsistent and, particularly, since a *complete* description of the use of these verbs would be beyond the level of this text, we describe below only a few of the more common constructions. Please pay particular attention to the examples.

1. *When the dependent infinitive is intransitive.*

a. If the "subject of the infinitive" is a noun or indefinite, demonstrative or possessive pronoun, it follows the infinitive.

Je suis allé voir arriver le paquebot *France.*
I went to see the liner France *come in.*

J'entends crier quelqu'un.
I hear someone crying.

Note: However, if the infinitive has an adverbial complement, the noun or pronoun precedes the infinitive.

J'entendais les enfants revenir de la plage.
I heard the children coming back from the beach.

b. If the "subject of the infinitive" is a personal pronoun, it precedes the main verb (the verb of perception or **laisser**).

Il *les* laisse bavarder.
He lets them *talk.*

Je suis allé *le* voir arriver.
I went to see it *come in.*

Je *les* entendais revenir de la plage.
I heard them *coming back from the beach.*

2. *The dependent infinitive is transitive.*

a. When both the subject and object of the infinitive are nouns, the "subject of the infinitive" regularly precedes the infinitive and the object follows.

Il regardait son père réparer la voiture.
He was watching his father repair the car.

On laissait les prisonniers écrire trois lettres par mois.
They let the prisoners write three letters a month.

Note: Of course, it is possible to have a sentence containing no "subject of the infinitive."

Nous regardions réparer la voiture.
We watched the car being repaired.

b. If there is no object or the object is a noun, and the "subject of the infinitive" is a personal pronoun, the pronoun takes the form and position of a direct object.

On la laissait écrire.
They let her write.

Il le regardait réparer la voiture.
He watched him repair the car.

c. If *both* the object and "subject of the infinitive" are personal pronouns, it is simplest to separate them, the "subject of the infinitive" preceding the main verb, the object preceding the infinitive. This is consistently the construction when the infinitive is reflexive.

Je les sentais me regarder.
I felt them looking at me.

Elle les regardait s'amuser.
She watched them having fun.

C. *Agreement of the Past Participle.*

1. When the "subject of the infinitive" precedes the main verb, it is taken as the direct object of that verb, and there is agreement with a past participle.

Les enfants *que* j'ai entendu*s* crier sont partis.
Je *les* ai vu*s* sortir ensemble il y a deux minutes.

2. When it is the object of the infinitive that precedes the main verb, there is no agreement.

Je *les* ai entend*u* chanter par Edith Piaf.

2.0.0 Interrogative Constructions

2.1.0 QUESTION-MAKING DEVICES

Aside from the use of an interrogative intonation pattern superimposed on a normal declarative sentence (or the simple addition of a question mark in written French), a question can be formed by the use of **est-ce que, n'est-ce pas,** or inversion of the subject and verb. When a question requiring more than a yes/no answer is posed, inversion or **est-ce que** is usually used in conjunction with specific interrogative words. (Sec. 2.2.0 ff.)

2.1.1 *Est-ce que*

Est-ce que is a common construction. It is not only used with the first person singular to avoid inversion with **je,** it is used very frequently in spoken French. In written French, it is stylistically preferable to use formal question-making devices. Its use is simple: placed in front of any declarative sentence, it renders that sentence interrogative. It is not used in conjunction with inversion, but it can be used with other interrogative words, which in turn, precede **est-ce que.**

Est-ce que je sais, moi?
Est-ce qu'il est venu?
Quand est-ce qu'elle viendra?

Note: When used to introduce indirect questions, **quand** may follow **est-ce que.**

Est-ce que, quand vous faites cela, vous obtenez des résultats différents?
Do you get different results when you do that?

2.1.2 *N'est-ce pas*

Added on to any declarative sentence, this phrase asks the listener to affirm what is stated in that sentence. In one phrase, French accomplishes what is handled by many different phrases in English ("isn't that so," "aren't you," "isn't he," "won't you," "didn't he," and so on). It is *not* used in conjunction with other interrogative constructions.

Tu es fatigué, n'est-ce pas?
You're tired, aren't you?

Ils sont arrivés trop tard, n'est-ce pas?
They arrived too late, didn't they?

Le train doit arriver bientôt, n'est-ce pas?
The train is due in soon, isn't it?

Note: The effect of **n'est-ce pas** can also be to underline a statement, without call for agreement.

Vous comprenez, n'est-ce pas, que dans ce cas, je ne pouvais rien faire d'autre.
You surely understand that in that case I couldn't do anything else.

2.1.3 Inversion

A. A French sentence can be made interrogative simply by inverting the subject and verb. As in English, there are restrictions on which constructions under given circumstances may be inverted. Unlike English, French does not use auxiliary verb forms. (For *"Goes John?" English uses "Is John going?" or "Does John go?") French instead has another technique, the use of a "dummy subject," a pronoun form. (For *"**Va Jean?**" French uses "**Jean va-t-il?**") Do not translate the auxiliary verb forms of English into French.

B. When the subject is a personal pronoun, inversion is simple.

Il est malade. Est-il malade?

C. When the subject is a noun phrase, direct inversion (that is, inversion of the verb and the noun phrase itself) can only take place under the following combined circumstances:

1. The verb form is simple. (synthetic)
2. The initial interrogative word is not *pourquoi.*
3. The direct object is not a noun phrase.

Où va Jean?
A qui est cette valise?
Combien coûte cette voiture?

But:

Pourquoi Jean va-t-il chez le médecin?
Où Jean est-il allé?
A qui Louis donne-t-il son appui?

D. Inversion is also found in certain noninterrogative sentences. (Sec. 8.1.0.)

2.2.0 INTERROGATIVE PRONOUNS

2.2.1 The Various Forms of *Qui*

A. The particular form of interrogative **qui** depends upon whether or not the referent is a human being, and, if not, what the syntactic function of the interrogative pronoun is in the sentence.

B. Interrogative **qui** refers to people. The same form is used for all syntactic functions. It always takes initial position, except when it is preceded by a preposition that governs it. As subject, it may be lengthened to **qui est-ce qui** for emphasis. As object, indirect object or object of a preposition, it may be followed either by inversion or directly by **est-ce que.**

Qui a mangé cette pomme? (*subject*)
Qui est-ce qui a lancé cette balle par la fenêtre? (*subject*)
Qui avez-vous vu à la réunion? (*direct object*)
Qui est-ce que vous avez traité de cette façon? (*direct object*)
Avec qui avez-vous déjà discuté ce problème? (*object of a preposition*)

C. The following forms are used for "things" (nonhuman objects) according to the syntactic function.

1. **Qu'est-ce qui** is the only possible *subject* form for things. (Be sure to distinguish it from **qui est-ce qui.**)

Qu'est-ce qui sort de cette machine?

2. **Que** fulfills the *direct object* function for things, and may be followed either by inversion or directly by **est-ce que.**

Que voulez-vous faire maintenant?
Qu'est-ce que vous avez fait en m'attendant?

3. **Quoi** fulfills the *object of preposition* (including the indirect object) function for things and also may be followed by either inversion or **est-ce que.**

A quoi pensez-vous?
De quoi est-ce que les ouvriers se plaignent?

2.2.2 Interrogative *Lequel*

The choice of the form of interrogative **lequel** (that is, **lequel, laquelle, lesquels, lesquelles**) is dependent solely upon the gender of its referent and the number (singular or plural) involved in the question. There is no variation of form or order dependent upon the syntactic function or upon the human/nonhuman difference. The referent that determines the gender of **lequel** either may have been mentioned in an earlier sentence or may follow **lequel** as the object of **de.** The masculine singular and masculine and feminine plural forms are contracted with **à** and **de** to form **auquel, auxquels, auxquelles, duquel, desquels, desquelles.**

Une étudiante de cette classe s'est absentée hier. Laquelle?
One of the girls in this class didn't come yesterday. Which one?

Lesquels de ces livres avez-vous achetés?
Which books did you buy?

Auxquelles de ces actrices as-tu parlé?
Which ones of these actresses (which actresses) did you speak to?

Par lequel de vos assistants vous ferez-vous remplacer?
Which one of your assistants will you have replace you?

Note: **Lequel** is a pronoun, not an adjective. Do not confuse it with the common English equivalent construction.

Lequel de ces livres est à vous? (*Not:* *Lequel livre est à vous?)
Which book is yours?

2.3.0 INTERROGATIVE ADJECTIVE

Normally, **quel** (**quelle, quels, quelles**) precedes the noun that it modifies, and this noun phrase is regularly first in the sentence.

Quels romans va-t-on lire dans ce cours?
What novels are they going to read in this course?

2.3.1 *Quel* as a "Predicate Adjective"

The adjective form **quel** may be used in questions with the verb **être,** referring either to human or nonhuman objects. It agrees in gender and number with the noun phrase at the other side of **être.** In this function, it is sometimes referred to as a pronoun.

Quel est cet homme?
Who is that man? (This construction with *quel* instead of *qui* asks what he is, not just a simple identification by name.)

Quelle est votre décision?
What is your decision?

Note: When asking for a definition, use **qu'est-ce que . . .** or **qu'est-ce que c'est que . . .** rather than **que** or **quel.**

Qu'est-ce que l'ironie?
What is irony?

2.4.0 INTERROGATIVE ADVERBS

A. The interrogative adverbs are followed by (1) inversion of the verb and the noun subject (except **pourquoi,** and also see Section 2.1.3), or (2) inversion of the verb and a pronoun subject ("real" or "dummy") or (3) **est-ce que** plus declarative word order.

Combien vaut ce tableau?
Quand ton père est-il venu aux Etats-Unis?
Comment est-ce qu'on fait cela?

B. Interrogative expressions with adverbial force either take the second inversion form (with pronoun) or **est-ce que.**

Sous quel prétexte est-il venu te voir?
De quelle manière est-ce qu'on vous a répondu?

2.5.0 INDIRECT QUESTIONS

A. The forms used in indirect questions are:

1. The same pronoun forms *for people* as are used in direct questions.

Dites-moi qui est venu.
Je ne sais pas de qui vous parlez.

2. The same adjective and adverb forms as in direct questions.

Sait-on pourquoi il est venu?
Pourriez-vous me dire quelle route il a suivie?

3. The same **lequel** form as in direct questions.

Je ne sais pas exactement lequel de ces tableaux il a choisi.

4. But different pronoun forms for the "nonhuman" interrogatives. In place of **qu'est-ce qui** or **que,** one finds the forms **ce qui, ce que. Quoi,** however, remains the same.

Devinez ce que je vais faire.
Il m'a demandé de quoi j'avais besoin.

5. There are also different forms for the pronouns used in requesting a definition (see Section 2.3.1 Note). In this case, substitute **ce que c'est que** for both **qu'est-ce que** and **qu'est-ce que c'est que.**

Sais-tu seulement ce que c'est que la guerre?

3.0.0 Negative Constructions

3.1.0 *Ne*

Ne is a negative particle found in most negative sentences. It should not be thought of as meaning *not* nor as constituting a "double negative" with another negative word. There is only one **ne** for each negative verb phrase, even though there may be more than one other negative word, as in: **Il ne fait jamais rien.**

3.1.1 Position of *Ne*

Whether the other negative word is part of the subject or predicate of the sentence, **ne** precedes the predicate (or "verb phrase"). It precedes not only the verb but also the conjunctive object pronouns and **y** or **en** when they precede the verb.

Personne n'est venu.
N'en mange-t-il jamais?
Je ne vois personne.
Nous ne le dirons à personne.

3.1.2 Omission of *Ne*

Ne is not usually omitted in a full sentence or clause. However, when negative words are used alone, particularly in response to questions, the **ne** is omitted. (The attentive student will also observe that **ne** is sometimes omitted in full sentences in rapid informal speech.)

Qui a fait cela? Pas moi.
Vous y allez souvent? Jamais.
Vient-il aujourd'hui? Je crois que non.

3.1.3 *Ne* Used Alone

A. There are a few instances (with the verbs **savoir** and **pouvoir** plus complementary infinitive) when **ne** may be used without another negative word and still convey a simple negative meaning. Avoid this in spoken French.

Je ne saurais le faire.
I wouldn't know how to do it.

Il ne pouvait s'y résigner.
He couldn't resign himself to it.

B. The particle **ne** is sometimes used alone (principally in written French), with no negative function, in subordinate clauses dependent upon certain verbs and expressions. (See Section 1.7.2 Note.)

3.2.0 NEGATIVE WORDS AND PHRASES

A. There are a number of words and phrases besides *ne* that are called "negatives." More correctly, it should be said that these forms usually indicate negation at the same time as fulfilling their primary syntactic function.

B. Some of these negative words indicate affirmation rather than negation in certain contexts; for each such form below, an example of non-negative use will be given.

3.2.1 *Non*

This is the simple negative reply. It is also used as a complete negative after **que** preceded by such verbs as **croire, penser,** and **dire,** and in forming compound words and negative phrases (**non plus**).

Etes-vous allé au théâtre? Non.
Son père est-il malade? Je crois que non.
C'est un non-combattant.
Je ne le comprends pas. *Moi non plus.* "Neither do I."

3.2.2 *Pas*

Pas, like **non,** expresses simple negation. It is usually found in full clauses, but may be used in elliptical expressions, usually in answer to questions.

Il n'a pas d'argent.
Il n'y va pas.
Il ne s'est pas beaucoup amusé.
Viens-tu? Pas tout de suite.

Note: The presence of **pas** in a clause excludes all other negative words except **ne.** (It is, however, possible to use **Non pas!** for emphasis. See also **pas que** in the next section.)

3.2.3 *Que*

A. Unlike the other negative words, **que** negates everything except that which directly follows it.

Il n'aime que la poésie. (Il aime la poésie, mais il n'aime pas les essais, les comédies, les romans, . . .)
He only likes poetry.

Il ne fait que travailler. (Il travaille, mais il ne mange pas, il ne joue pas, il ne s'amuse pas, . . .)
He does nothing but work.

B. **Que** must precede the word or phrase that it singles out as not being negated, and, since its restrictive effect may be imposed on many different structures in varying positions in the sentence, the position of **que** in the sentence is variable.

Il n'y en a que trois.
There are only three of them.

Elle n'est arrivée à nous le faire comprendre qu'à force d'explications.
She only succeeded in making us understand it by repeated explanations.

Note: **Pas que** is equivalent to the usual English translation for it, "not only," that is, the **pas** negates the restrictive **que.**

Il n'y a pas que lui qui ait échoué. (Lui, il a échoué, mais d'autres ont échoué aussi.)
He's not the only one who failed.

3.2.4 Other Negative Words and Expressions

Each of the following expresses something more than simple negation. For each one, the usual English equivalent is given as well as at least one sentence illustrating its use.

aucun—"none, not any" (pronoun); "no" (adjective)

Aucun de ces tableaux ne me plaît.
Aucun autre incident ne m'a tellement impressionné.

guère—"hardly, scarcely"

On ne le voit guère.

jamais—"never, not . . . ever"

Je n'y vais jamais.

Note: **Jamais** may be used with a non-negative force (*ever*)

Avez-vous jamais entendu une telle absurdité?

ni . . . ni—"neither . . . nor"

Il n'a ni argent ni amis.
Ni ma femme ni moi ne sommes allés à cette réunion.

Note: Do not forget that **ni . . . ni** requires **ne** in front of the verb.

nul—"no one, none" (pronoun); "no" (adjective)

Nul n'est censé ignorer la loi.
Nul homme riche n'entrera au paradis.

Note: **Nul** is stronger than **aucun** or **personne,** but is not common in spoken French.

nullement—"not at all" (adverbial)

Ça ne me gêne nullement.

personne—"no one"

Personne ne le fera.
Je n'y ai vu personne.

Note: The feminine noun, **une personne,** should not be confused with this negative pronoun.

rien—"nothing"

Rien ne l'arrête.
Je n'ai rien vu.

3.3.0 POSITION OF NEGATIVE WORDS AND EXPRESSIONS (Cf. 3.2.3.)

A. **Ne** is always found in the first position in the predicate (3.1.1). The position of each of the other negatives depends upon (1) its syntactic function, and (2) whether the verb form is simple or compound.

B. When the verb form is simple, the negative words regularly take their position according to their syntactic function.

C. When the verb form is compound, the position of the various negative forms is as follows:

1. *Adverbials:* between the auxiliary and the past participle.

Je n'ai pas (jamais, guère, plus, nullement) travaillé.

2. *Noun phrases, as subject:* in normal subject position.

Personne n'y est allé.

3. *Noun phrases, as object* (except **rien**): following the past participle.

Il n'a reçu personne.
Il n'a reçu aucun (nul) avertissement.
Il n'en a reçu aucun.

But:

Il n'a rien reçu.

3.4.0 MULTIPLE NEGATIVE WORDS AND EXPRESSIONS

Except for **pas**, all of the negatives can be used in conjunction with each other, fulfilling various syntactic functions. No simple and complete statement of the restrictions in the use of multiple negatives can be given, but the following examples should aid the student.

Il ne fait jamais rien.
He never does anything.

Il n'y a jamais personne.
No one is ever there. Or, *There's never anyone there.*

Il ne le fera jamais plus.
He'll never do it again.

Il ne le fera plus jamais.
He'll never do it again.

On n'y voit plus personne.
You don't see anyone there anymore.

Ce pays n'a plus guère de ressources.
This country has hardly any more resources.

Personne ne présente personne à personne.
No one introduces anyone to anyone.

Note: **Pas plus** does not constitute a multiple negative any more than does **pas que.** (3.2.3 Note.)

Il n'a pas plus d'argent que vous. (Il a autant de ou moins d'argent que vous.)
He doesn't have more money than you.

4.0.0 The Noun Phrase

The noun phrase may function as the subject or object of the verb, or as the object of a preposition. In this section we shall be concerned primarily with the *forms* of various noun phrases and a description of the relationships of the parts of the noun phrase. Note that the term "*noun phrase*" refers to proper nouns and pronouns as well as to common nouns.

4.1.0 PROPER NOUN

A. Regularly capitalized as in English, the proper noun is also recognized by the fact that it is not usually preceded by a determiner. (See Section 4.3.8.)

Jean est malade. (Cf., *Ce garçon* est malade.)
Il va à *Paris*. (Cf., Il va à *la gare*.)

B. Proper nouns that regularly *do* have a definite article are the names of groups of people (for example, nationality).

On a tort de dire que *les Anglais* sont froids.

C. Some proper nouns have a definite article as part of their immediate structure. (This article must accompany them at all times.)

Le Havre et Marseille sont des ports importants.

D. The plural of family names is indicated by the plural of the definite article, but the noun does not add **-s.**

Les Lebrun sont en retard.

E. For the use of prepositions with proper nouns, particularly with geographical locations, see Section 7.1.0.

4.2.0 COMMON NOUN

A. A common noun ordinarily refers to an object (the traditional "person, place, or thing"), either definite or indefinite, without indicating its title (if any).

B. The common noun is the head, or principal constituent, of a noun phrase composed of a determiner (obligatory, but see Section 4.3.8), optional modifiers, and the noun. The modifiers (adjectives and adjectival phrases) may either precede or follow the noun, according to certain known restrictions. (See Section 4.4.2.)

4.2.1 Gender of Common Nouns

A. Gender (masculine or feminine) is a grammatical category that is a necessary characteristic of each noun. It follows natural gender when this is relevant, but, except for such cases, there is no obvious classification of masculine and feminine nouns: the student must learn gender as he learns the noun, preferably by using the definite or indefinite article.

B. Two pointers:

1. Nouns ending in **-tion** are regularly feminine.
2. Most nouns ending in **-e,** preceded by a vowel or double consonant, are feminine.

Note: There are other "rules" for determining gender, but it is better to learn each new word with an article.

C. There is not always a feminine form equivalent to the masculine for denoting professions or occupations.

un auteur : une femme auteur.

D. When there is a feminine equivalent of a "masculine" noun, it is formed by the addition of an **-e,** or one of the following: **-euse, -esse, -ice, -ine.**

un Français	une Française
un ami	une amie
un chanteur	une chanteuse (une cantatrice)
le comte	la comtesse
un empereur	une impératrice
le héros	l'héroïne

Note: When the formation of the feminine is "irregular," or when the feminine is a completely different word (for example, **un coq, une poule**), the student will do best by learning each form separately rather than learning a number of special subclasses.

4.2.2 Number of Common Nouns

A. The regular plural inflection is **-s.**

B. These are the major exceptions:

1. When the singular form ends in **-s, -x, -z,** no **-s** is added for the plural form.

mon fils   mes fils

2. The plural inflection is **-x** when the singular form ends in **-au** or **-eu** (as well as in these words in **-ou: bijou, caillou, chou, genou, hibou, joujou, pou**).

un jeu   des jeux
le bijou   les bijoux

3. Similarly, most singular forms in **-al** and many in **-ail** are replaced by **-aux** in the plural.

cheval   chevaux
vitrail   vitraux

C. The plural of *compound nouns.* Compound nouns may be formed of nouns, adjectives, verbs, prepositions and pronouns. Only the noun and adjective constituents may be variable but even many of these are invariable when they are the first member of the compound.

1. If the compound is not hyphenated, treat it as one word, following the usual rules.

portemanteau   portemanteaux

2. When adjective and noun are connected by a hyphen, both usually are inflected.

coffre-fort   coffres-forts

Note: An important exception is the word **demi.**

demi-tasse   demi-tasses

3. When a preposition joins two nouns, only the first noun shows a plural inflection.

chef d'œuvre   des chefs d'œuvre

4.3.0 DETERMINERS

A. We classify a number of sets of forms together as determiners because they all take the same position in the noun phrase and all have the same function of "determining" a given noun phrase. Each set, by the more or less distinct shapes (both written and spoken) of its several forms, may indicate the gender and number of the noun it determines.

le garçon	ce garçon	son garçon
la fille	cette fille	sa fille
les enfants	ces enfants	mes enfants

B. A determiner regularly takes first position in any noun phrase of which it is a constituent. Only **tout** may precede a determiner (as usually occurs in the equivalent English construction).

J'ai vu *un film extraordinaire* hier.
Cette petite table ne sert à rien.

But:

Tous mes amis sont partis.

Note: American students should be careful to place the determiner before *tel* (functioning as an adjective).

Je ne peux pas accepter une telle responsabilité.
I cannot accept such a responsibility.

C. Unlike English determiners, the French determiners must be repeated before each member of a compound construction.

On a coupé *l'*électricité et *le* gaz.
They cut off the gas and electricity.

Son père et sa mère sont venus me parler.
His father and mother came to speak to me.

4.3.1 The Definite Article

A. The forms of the definite article are:

Masculine Singular	*le*
Feminine Singular	*la*
Plural (Masculine and Feminine)	*les*

B. The definite article is used in the following circumstances:

1. As in English, to specify one or more members of a class.

La jeune femme qui vient d'entrer est *la* directrice.
Les amis de César le trahirent.

2. Unlike English, with nouns used in a general sense. This includes so-called abstract nouns and nouns indicating (potentially) all members of a class.

Les enfants peuvent être fort cruels.
Children can be terribly cruel.

Qu'est-ce que *la* beauté?
What is beauty?

Le bois est quand même plus beau que *l'*acier.
Wood is nevertheless more beautiful than steel.

3. Also unlike English, the French definite article is used with these particular classes of nouns:

a. Large geographical entities (continents, countries, provinces, states).

la France	la Bretagne
l'Algérie	le Dauphiné
le Vietnam	la Californie
l'Asie	

Note: See, however, Section 7.1.0 regarding the use of prepositions with geographical locations.

b. Seasons, days of the week (in general), languages.

C'est le printemps.
It's Spring.

Ils vont à la messe le dimanche.
They go to Mass on Sunday(s).

Le français est plus difficile que le chinois.
French is more difficult than Chinese.

Je parle français.
I speak French.

c. Proper nouns when they are preceded by an adjective or a noun indicator of profession or title.

Je voudrais voir *le* docteur Boënnec.
Dans cette salle est né *le* roi Louis XIV.

d. Parts of the body.

On lui a coupé *la* tête.
They cut off his head.

Il écrit de *la* main gauche.
He writes with his left hand.

Note: Avoid using the possessive adjective in this context. (See Section 4.3.4B.)

e. Weights and measures (not time).

Les oranges coûtent cinq francs *le* kilo.
Oranges cost five francs *a* kilo.

Ce brocart vaut cent francs *le* mètre.
This brocade is worth (sells for) a hundred francs *a meter.*

But:

Il le répète dix fois *par* jour.
He repeats it ten times a day.

4.3.2 The Indefinite Article

A. The forms of the indefinite article are:

Masculine Singular	*un*
Feminine Singular	*une*
Masculine and Feminine Plural	*des* (cf. Sec. 4.3.3)

B. The indefinite article indicates an unspecified member or members of a class of objects.

Il m'a donné *un* stylo.
Il m'a donné *des* stylos.
Une jeune femme vient d'entrer dans mon bureau.

4.3.3 The Partitive Article

A. The form of the partitive article is either **de** alone or **de** plus the appropriate form (according to the gender and number of the following noun) of the definite article.

Without the definite article:	*de*
With the definite article:	
Masculine Singular	*du (de l')*
Feminine Singular	*de la (de l')*
Masculine or Feminine Plural	*des*

Note: 1. Because the word **de** also functions as a *preposition*, which is, of course, frequently followed by the definite article (and contracts with **le** and **les,** see Section 10.2.0), the forms **de, du, de la, de l',** and **des** do not of themselves indicate that the construction is "partitive." For example, in the following sentences, **du** represents first a partitive, then a **de**-preposition + definite article construction.

Il nous offre du vin de ses vignobles.
Il parle du vin de ses vignobles.

Note: 2. If we accept the "part of a whole" definition of the partitive, it follows that **des** will rarely be a partitive. Rather it will indicate an indefinite *quantity of items* (count noun rather than mass noun) and thus be the plural indefinite article. However, in both this case and in the point discussed in Note-1, the problem is one of labeling and not one the student should worry about: he must use the correct *forms.* The descriptive "rules" in these sections on the article are intended to help him choose the correct form without a lengthy discussion of the linguistic status of these forms.

B. A partitive construction is used regularly when, as mentioned in Note-2 above, the speaker is referring to "part of a whole." The particular form of the partitive to be used is determined as follows:

1. The **de** + definite article form is used when the sentences are non-negative, and the immediate construction is not one of the types described in 3 and 4 below.

Vous trouverez du lait dans le réfrigérateur.
You'll find some milk in the refrigerator.

Y a-t-il de la crème dans ce gâteau?
Is there cream in this cake?

2. **De** alone is used within negative constructions.

Non, il n'y a pas de crème dans ce gâteau.
No, there isn't any cream in this cake.

Je ne reçois plus de journaux américains.
I no longer receive any American newspapers.

3. **De** alone is regularly used after these adverbial expressions of quantity: **beaucoup, trop, tant, peu, assez, plus . . . que, autant . . . que,** as well as after many nouns of quantity such as: **une quantité, une multitude, un tas, une bouteille, une douzaine.**

Il y a tant de règles à apprendre!
There are so many rules to learn!

On a trouvé beaucoup d'or dans ces montagnes.
They found a lot of gold in those mountains.

Donne-moi une bouteille de vin blanc.
Give me a bottle of white wine.

Il y a autant de désavantages que d'avantages.
There are as many disadvantages as there are advantages.

Note: There are two exceptions:

a. When one is referring to some specific items, the **de** + definite article form is used.

Beaucoup des actions de la société B ont été rachetées par Monsieur C.
Many of the stocks of Corporation B have been bought up by Mr. C.

b. The three adverbial expressions, **la plupart, bien,** and **encore,** are followed by the **de** + definite article form.

Bien des invités sont arrivés sans cravate.
Many (of the) guests arrived without ties.

La plupart des touristes vont en France par avion.
Most tourists go to France by plane.

4. Finally, **de** is used without the definite article when the following noun is plural and is preceded by an adjective.

Y a-t-il de bons cinémas dans cette ville?
Are there (any) good movies in this city?

But:

Ça, c'est du bon vin.
Now that, that's good wine.

C. It is important to remember that the partitive article is *not* used when (1) the noun is specified (definite article or possessive or demonstrative adjective is used), (2) the noun is used in a general sense (definite article usually required), or (3) the noun is used to indicate just any member(s) of a class of objects or events (indefinite article required, but see Note-2 of paragraph A).

Ne lui donne pas *la* viande que tu as achetée ce matin.
La patience est une vertu que tu ne connais pas.
Je vois *un* stylo. Je vois *des* stylos.

4.3.4 The Possessive Adjective

A. The forms of the possessive adjective depend upon (1) the person who possesses—first, second, third singular or plural—and (2) the gender and number of the thing possessed.

	1st Person	*2nd Person*	*3rd Person*
Object possessed is		(Singular Possessor)	
Masculine Singular	mon	ton	son
Feminine Singular	ma	ta	sa
Plural	mes	tes	ses
		(Plural Possessor)	
Singular (m. and f.)	notre	votre	leur
Plural	nos	vos	leurs

Note: 1. When followed by a word beginning with a vowel sound (vowel or mute *h*), the feminine forms, **ma, ta, sa** become **mon, ton, son.**

C'est mon ancienne maîtresse.

Note: 2. The third person singular forms, **son, sa, ses,** refer to a masculine (**il**), feminine (**elle**) or indefinite (**on**) antecedent.

Note: 3. As is indicated by the table, the person-number of a possessive adjective depends on its antecedent, while the gender-number depends on the noun modified. The form does *not* indicate the gender of the possessor, so that the following sentence is ambiguous as to the gender of the third person possessor.

C'est son livre.
It's his (her) book.

B. As mentioned above (4.3.1-B-3), the possessive adjective is replaced by the definite article when the thing possessed is a part of the possessor's body. There is rarely any ambiguity since a distinctive pronoun form is usually present in the sentence.

Le chat m'a griffé la joue.
The cat scratched my cheek.

Or

The cat scratched me on the cheek.
Il s'est cassé le bras en glissant dans l'escalier.

He slipped and broke his arm on the staircase.

4.3.5 The Demonstrative Adjective

A. The forms of the demonstrative adjective are:

Masculine Singular	*ce (cet)*[1]
Feminine Singular	*cette*
Masculine and Feminine Plural	*ces*

Où as-tu trouvé ce petit bouquin?
Qui est cet homme qui vient de nous saluer?
Seules les grandes villes figurent sur cette carte des Etats-Unis.

B. French does not regularly distinguish between "this" and "that" in the form of the demonstrative adjective, but when it is necessary to do so, the particles **-ci** and **-là** may be added to the noun as follows.

Veux-tu acheter ce livre-ci ou ce livre-là?

Note: The American student tends to use the **-ci, -là** forms much too frequently. Avoid them.

4.3.6 The Cardinal Numerals as Determiners

A. For the forms of the cardinal numerals, see Section 9.4.1.

B. Unlike the possessive and demonstrative adjectives, the cardinal numerals may be used *with* the definite article (or the demonstrative or possessive adjective) as well as without it.

A ce moment, trois gendarmes sortirent de la voiture.
Les trois gendarmes se lancèrent à leur poursuite.

[1] When followed by a word beginning with a vowel sound (vowel or mute *h*), the masculine form becomes **cet**.

4.3.7 Other Determiners

Other forms that should be noted in this section because they occupy the same position in a noun phrase as (and are generally mutually exclusive with) the definite article, etc., are the following.

1. The interrogative adjective (Section 2.3.0).

2. These indefinite adjectives:

    certain(s), certaine(s)
    chaque
    divers, diverses (plural only)
    maint(s), mainte(s) (a literary form)
    plusieurs
    quelque(s)
    tout (see Section 9.5.0)

Chaque fois que je commence à lire, elle vient m'interrompre.
Every time I begin to read, she comes and interrupts me.

Tout candidat devra se présenter muni de ses diplômes.
Each candidate must bring his degrees with him.

Certains professeurs croient que les étudiants ne travaillent pas assez.
Certain professors think that the students don't work enough.

Note: 1. **Certain** is also frequently used with the indefinite article.

Un certain jeune homme m'a parlé de vous aujourd'hui.
A certain young man spoke to me about you today.

Note: 2. The negative adjective **aucun** also fits into this "slot," that is, in the position of, and mutually exclusive with, a determiner.

Il n'avait aucun espoir de la revoir.
He had no hope of seeing her again.

4.3.8 Omission of Determiner

Each of the forms mentioned in Sections 4.3.1 to 4.3.7 is regularly found in initial position in a noun phrase. This is of such importance that one and only one is almost always present. There are, however, a few contexts in which no determiner at all is used. Note that these are instances in which English regularly uses one of the articles.

A. Following the verb **être**, when the noun refers to occupation, profession, religion, nationality, etc.

Il est protestant.
He is a Protestant.

Son père est médecin.
His father is a doctor.

Note: However, the article is used when an adjective accompanies the noun. In this case, **ce** regularly replaces **il** or **elle.**

C'est une chanteuse exceptionnelle.
She is an outstanding singer.

Ton père est un excellent professeur.
Your father is an excellent teacher.

B. Following the negative particles **ni . . . ni,** and the prepositions **sans, avec,** and **en.**

Il n'y a ni cuisine ni salle de bain dans ce studio.
There is neither a kitchen nor a bathroom in this studio.

C'est un roman sans valeur.
It's a worthless novel.

Note: However, in these cases, if the noun is specified (for example, by a relative clause), then the definite article is used. (Cf. 4.3.3B-3.) There are many such exceptions for **sans** and **avec,** which are followed directly by the noun *only* when that noun is abstract or indefinite.

Le garçon n'a mangé ni les fruits ni les gateaux qu'on lui avait servis.
The boy ate neither the fruits nor the cakes that they (had) served him.

C. In appositive constructions.

Louis XIV, *roi de France au dix-septième siècle,* régna plus de cinquante ans.

D. With names of countries (only feminine singular), after the verbs **venir, revenir, arriver + de.**

Est-ce que ces ustensiles d'acier proviennent de Suède?
Ils viennent d'arriver d'Angleterre.

4.4.0 ADJECTIVES

In this section we shall discuss descriptive (or "attributive") adjectives. The possessive and demonstrative adjectives are discussed in the previous section and the interrogative adjectives are discussed in the interrogative section (2.3.0).

4.4.1 Formal Agreement of Adjectives

A. Adjectives agree in gender and number with the noun they modify, whether they precede or follow it directly or are separated from it by the verbs **être, sembler, paraître,** or **devenir.**

B. Adjectives regularly form their feminine by adding **-e** to the masculine form, and their plural by adding **-s** to the masculine or feminine singular form.

le petit lapin	les petits lapins
la petite chatte	les petites chattes

C. These irregular adjective forms should be learned:

Masculine		*Feminine*
beau	(bel)	belle
nouveau	(nouvel)	nouvelle
fou	(fol)	folle
mou	(mol)	molle
vieux	(vieil)	vieille

Note: The forms in parentheses are found when the adjective is followed by a word that begins with a vowel sound (that is, a vowel or mute *h*).

D. A number of other adjective forms are irregular, but the feminine forms are usually given in a good dictionary.

4.4.2 Position of Adjectives

A. The largest class of adjectives (classified by the position they take in relation to the noun) consists of those that follow the noun, but a much smaller class of adjectives that precede the noun also happens to contain many of the most frequent adjectives.

B. Any adjective not entered in the following lists *C* or *D* probably follows the noun. Adjectives of color, shape and nationality, and all past participles regularly follow the noun.

un élève éveillé	des souliers noirs
une voiture américaine	une table ronde

C. These adjectives regularly precede the noun:

beau	gros	mauvais	pire
bon	haut	méchant	sot
cher	jeune	meilleur	vieux
gentil	joli	moindre	vilain
grand	long	petit	

D. The adjectives below may precede or follow, but with different meanings. Generally, position before the noun indicates a figurative meaning; after a noun, a literal meaning.

Adjective	*Preceding the Noun*	*Following the Noun*
ancien	at one time, former	old, ancient
brave	good, "regular"	brave
certain	a certain (indefinite adjective)	positive
cher	dear (term of affection)	expensive
dernier	last (in a series)	last (most recent)
différent	various	distinct
grand	great	tall
jeune	young	still young, youngish
même	same	very
nouveau[1]	different, another	recently obtained
pauvre	unfortunate	poverty-stricken
petit	small, short	mean
plaisant	absurd	amusing
propre	own (possessive intensifier)	clean
seul	only	alone
vrai	real	true

4.4.3 Comparison of Adjectives

A. Adjectives may be used in comparisons indicating:

1. Equality.

Il est aussi grand que Jean.

He's as tall as John.

2. Inequality (greater or less).

Es-tu plus grand que moi?
Are you taller than I am?

[1] A further distinction is made by the use of *neuf*, meaning "brand new" or "never been used," as in *un chapeau neuf* (just bought at the store).

Personne n'est moins patient que lui.
No one is less patient than he is.

B. The superlative is expressed by the definite article (or possessive adjective) plus the comparative form of inequality.

L'ébène est le plus beau bois du monde.
Ebony is the most beautiful wood in the world.

Vous êtes la femme la moins bavarde que je connaisse.
You are the least talkative woman I know.

C. The following comparative and superlative forms are irregular.

bon	meilleur	le meilleur
mauvais	pire	le pire
petit	moindre	le moindre

Note: 1. Both **mauvais** and **petit** also have regular comparative and superlative forms. The distinction in meaning is: for **mauvais,** the regular form indicates a difference in quality, the irregular form indicates a difference in degree of moral evil; for **petit,** the regular form indicates a difference in physical size, the irregular form indicates a difference in figurative quantity or degree.

Note: 2. **Pire,** and especially **moindre,** are literary forms, not very frequent in spoken French, except in fixed phrases.

4.5.0 PRONOUNS

In this section we shall discuss all pronouns except the interrogative pronouns (Section 2.2.0) and the relative pronouns (Sections 5.1.0–5.2.0).

4.5.1 Personal Pronouns

A. The forms of the personal pronouns are:

1. *Conjunctive personal pronouns*

Person-Number		*Subject Form*	*Direct Object Form*	*Indirect Object Form*
Singular	1st	je	me	me
	2nd	tu	te	te
	3rd masc.	il	le (se)	lui (se)
	fem.	elle	la (se)	lui (se)

Person-Number		*Subject Form*	*Direct Object Form*	*Indirect Object Form*
Plural	1st	nous	nous	nous
	2nd	vous	vous	vous
	3rd masc.	ils	les (se)	leur (se)
	fem.	elles	les (se)	leur (se)

Note: 1. Whether functioning as the direct or indirect object, the reflexive pronoun has just one form for each person and number (and gender): **me, te, se, nous, vous, se.**

Note: 2. The indefinite pronoun, **on,** is grammatically third person singular and has a reflexive form **se.**

2. *Disjunctive pronouns*

Person	*Singular*	*Plural*
1st	moi	nous
2nd	toi	vous
3rd masc.	lui	eux
fem.	elle	elles

Note: The disjunctive form of the indefinite pronoun is **soi.**

B. The personal pronouns are used as follows:

1. *Subject pronouns*

a. The subject pronouns agree with the verb in person and number and, in the third person, formally show agreement with the gender and number of their antecedent. In the other persons (first and second), only number agreement with the antecedent is formal, but the gender of the antecedent must be recalled for the proper formation of any related adjectives.

Tu es bien prudent*e*. (*On parle à une femme.*)

b. The subject pronoun is regularly initial in its clause, except in certain interrogative constructions and after certain conjunctions. (See Sections 2.2.0 and 8.1.0.)

Nous ne voulons pas y aller.
C'est un poète que je n'ai jamais pu supporter.
Où vas-tu, mon petit?

c. The subject pronoun is omitted in imperative sentences.

Allez voir le chef.

d. Do not confuse a reflexive pronoun with a subject pronoun, particularly in imperative sentences.

Levez-vous. *Get up.*

As against:

Levez-vous les bras sans effort?
Do (can) you raise your arms without effort?

2. *Conjunctive object pronouns*

The conjunctive forms regularly precede the verb of which they are the object complement, direct or indirect. Thus in verb + infinitive constructions, they usually precede the infinitive (but see Section 1.17.3). They precede the auxiliary in compound verb forms. For the order of multiple conjunctive pronouns and **y** and **en**, see Section 4.5.3.

Il le donne à son père.
Il lui donne son livre.
Je ne voulais pas lui donner la clé.
Qui vous a battu?
Je lui avais dit que j'avais très envie de lire son autobiographie, et il me l'a envoyée.

Note: The one exception to the order of conjunctive object pronouns is found in affirmative imperative constructions. In such constructions, not only do the conjunctive forms follow the verb, but also a stressed form regularly replaces any conjunctive form that is *last* in the verb + pronoun object construction. The direct object precedes the indirect object as in English.

Donnez-moi ces paquets.
Passez-le-lui.
Tais-toi.

3. *Disjunctive personal pronouns*

a. As subject: either as a member of a compound subject construction or as a single subject (the disjunctive form being used for emphasis, accompanied or not by a conjunctive form). Also, the conjunctive pronoun is regularly replaced by the disjunctive when it is followed directly by an adverbial or adjectival form separating it from the verb.

Lui est content, mais moi, je suis fâché.
Moi seul sais le faire.
Laisse-les partir. Toi et moi, nous avons à parler.

b. As object, direct or indirect: in compound constructions, or for emphasis, or to avoid ambiguity (for example, the conjunctive form **lui** does not indicate the gender of the antecedent, whereas the disjunctive forms **lui** and **elle** do), or when the syntactic construction does not permit both conjunctive objects to precede the verb (for example, when the direct object is first or second person or reflexive). As direct object, the disjunctive form terminates or begins the sentence, set off by a comma (in speech, by a definite pause). As indirect object, it follows the verb and is preceded by **à**.

Lui, je *l'*ai mis à la porte.
Je le *lui* ai donné, à *lui* pas à elle.
Je *les* ai conduites à la gare, *sa mère et elle*.
Qui vous a adressé à *moi*?

c. As object of a preposition (including the negative-restrictive **que**).

Malgré lui, on s'est bien amusé.
Il n'y a que lui qui comprenne ma sœur.

d. In one-word answers to questions, whether the pronoun would be the subject or object of a longer sentence.

Qui veut des bonbons? Moi.
Qui est donc ton meilleur ami? Toi, bien sûr.

Note: The intensifier **même(s)** may be added to the disjunctive forms for emphasis.

Moi-même, je n'oserais jamais le faire.

4.5.2 The Adverbial Pronouns *Y* and *En*

A. The position in the verb phrase of **y** and **en** is the same as that of the conjunctive personal pronouns. (For their order in relation to the other conjunctive pronouns, see 4.5.3.) These "adverbial pronouns" are used to replace entire preposition + object constructions where the object is nonhuman (or human but not referring to specific persons).

Je pensais à mes études. J'y pensais.
Not: *Je leur pensais; *nor:* *Je pensais à elles.
Il n'a pas d'allumettes. Il n'en a pas.
Quand il parle de ses amis, il en parle pendant des heures.

But:

Je pensais à Jean. Je pensais à lui.
Not: *Je lui pensais; *nor:* *J'y pensais.

B. **Y** replaces **à, dans,** and other prepositions of location plus their object (including **à** plus infinitive), as well as whole utterances and geographical locations.

Il est entré *dans le métro*. Il *y* est entré.
Nous parviendrons *à le faire*. Nous *y* parviendrons.
Ils demandent *qu'on leur expédie toutes les caisses demain*. Pensez-*y* et dites-moi si c'est faisable.
J'arriverai *à Washington* vers le 15 janvier. Tu *y* seras sûrement avant moi.

C. **En** is used to replace **de** plus that which follows in the same immediate structure. This includes *all* meanings and uses of **de,** including partitive constructions, **de** + infinitive complements and **de** + clauses.

Les Etats-Unis importent *du cuivre* et *de l'argent*. Ils *en* importent.
As-tu besoin *de cette voiture*. *En* as-tu besoin?
J'ai envie *d'y aller*. J'*en* ai envie.
Je suis fâché (*de ce*) *que vous soyez malade*. J'*en* suis fâché.
Not: *Je *le* suis fâché.
D'ici on ne voit que les toits *des maisons*. On n'*en* voit que les toits.
Elle revient *de l'hôpital* ce soir. Elle *en* revient ce soir.

Note: **En** is used along with expressions of quantity even though **de** is not formally present in the fuller expression.

Il leur a envoyé trois *lettres*. Il leur *en* a envoyé trois.

Note: The past participle does not indicate formal agreement with a preceding **en**. It is *not* equivalent to **le, la, les.**

4.5.3 Order of Conjunctive Personal Pronouns and *Y* and *En*

A. In all but affirmative imperative sentences, these forms precede the verb of which they are the complement, in the following order.

<table>
<tr><td>me</td><td></td><td></td><td></td><td></td></tr>
<tr><td></td><td>le</td><td></td><td></td><td></td></tr>
<tr><td>te</td><td></td><td>lui</td><td></td><td></td></tr>
<tr><td>se</td><td>la</td><td></td><td>y</td><td>en</td></tr>
<tr><td>nous</td><td></td><td>leur</td><td></td><td></td></tr>
<tr><td></td><td>les</td><td></td><td></td><td></td></tr>
<tr><td>vous</td><td></td><td></td><td></td><td></td></tr>
</table>

Il me le donne.
Il m'en a donné.
Je vous y ai vu.

B. Forms that are listed in the same column of the table above cannot co-occur before the verb. This means, for example, the first and second person forms cannot be used as direct object and indirect object before the verb, and that one cannot construct a compound direct object, "him and her," before the verb. The disjunctive pronouns are used in such circumstances.

Je les ai vus hier, lui et elle.
Il m'a adressé à vous.

C. In the affirmative imperative, the order is direct object followed by indirect object, **y, en.**

Donnez-le moi. (direct, indirect)
Emmène-m'y.[1] (direct, *y*)
Donne-m'en. (indirect, *en*)

4.5.4 Demonstrative Pronouns

A. There are two classes of demonstrative pronouns which are distinct in both form and function.

B. The first class has four members: **ceci** and **cela,** which correspond only roughly to English *this* and *that*, respectively, **ça,** which is an abbreviation of **cela** but is not perfectly interchangeable with it, and **ce,** which may be used only as subject (or in a relative construction: **ce qui,** etc). All four are singular forms and do not indicate gender. Their referent is either a "neuter" antecedent, such as a whole sentence or an idea, or an object pointed at by the speaker and referred to only by the demonstrative pronoun form, not explicitly named. The form **ça** is very common and can be used in many contexts. It is generally less "demonstrative" and more "indefinite" than **ceci/cela.**

Donnez-moi cela. (*pointing*)
Cela va sans dire. (*referring to a previous statement*)
Retirez ceci et mettez cela. (*pointing*)

[1] It is preferable to avoid y after the first and second persons singular. Avoid the construction in this sentence by using an auxiliary verb plus infinitive, or—as is done in informal speech—by dropping the y completely:

Veux-tu m'y emmener.
Emmène-moi.

C'est ça; ne te gêne pas; fais comme chez toi.
On ne trouve pas ça partout.
Ce n'est pas la peine de vous déranger.
Ce serait trop beau si c'était vrai.

C. The second class consists of four members, one for each gender and number. The antecedent, of course, is a previously named object, human or nonhuman, with grammatical gender.

Masculine Singular	*celui*	Feminine Singular	*celle*
Masculine Plural	*ceux*	Feminine Plural	*celles*

Unlike **ceci, cela, ça,** and **ce,** which constitute complete noun phrases by themselves, **celui** forms must be followed by some complementary structure: either **-ci** or **-là,** or a relative clause, or a possessive **de** construction.

Laquelle de ces bagues préférez-vous? Celle-là.
Which of these rings do you prefer? That one.
(*Note that, although the speaker is pointing, as in the sentences in B, the item is explicitly named.*)

As-tu assez de gâteaux? Non, mais je prendrai ceux que tu ne mangeras pas.
Do you have enough cookies? No, but I'll take the ones that you don't eat.

Nous y sommes allés dans ma voiture et dans celle de mon frère.
We went (there) in my car and in my brother's.

Qu'est-ce qu'un douanier? C'est celui qui, à la frontière, vous demande: "Vous n'avez rien à déclarer?"
What is a customs officer? He's the one who, at the border, asks you: "Do you have anything to declare?"

Est-ce une actrice connue? Oui, c'est celle dont tous les journaux parlent en ce moment.
Is she a well-known actress? Yes, she's the one who is in all the papers right now.

4.5.5 Indefinite Pronouns

A. The only pronoun that can be properly called "indefinite" is **on.** It is also the most important one, both by its high frequency of occurrence and by the fact that it is often used in constructions where English would use a passive construction. It is a third person singular form, but it can refer to some indefinite plural group (*they* or *we*), an indefinite second person, singular or plural (*you*), or that rarely used third singular person known as "one." Its only syntactic function is that of subject.

On vous a dit de revenir à six heures.
You were told to come back at six o'clock.

Jean et Philippe sont déjà partis. Alors, on y va aussi?
John and Philip have already left. Well, then, shall we go too?

On ne dit pas cela à Paris.
That isn't said in Paris. Or, *They don't say that in Paris.* Or, *One doesn't say that in Paris.*

B. The remaining indefinite pronouns are somewhat more specific than **on,** as can be seen by the translations given and by the fact that many of them indicate grammatical gender and/or number.

chacun, chacune—*each one*
tout, toute, tous, toutes—*all* (*every*, *everything*)
quelqu'un (une)—*someone* (*rare in the feminine form*)
quelques-uns (-unes)—*some*
plusieurs—*several*
tel, telle, tels, telles—*such* (*a*)
l'un, l'une . . . l'autre—(*the*) *one . . . another* (*the other*)
les uns, les unes . . . *les autres—the ones . . . the others, some . . . others.*

Tout est à refaire.
Everything must be redone.

Plusieurs sont arrivés en retard.
Several (*of them*) *arrived late.*

Quelqu'un m'a dit hier que tu comptais partir.
Someone told me yesterday that you were planning on leaving.

Ensuite ils sont repartis, chacun de son côté.
Then they left, each in his own direction.

Note: The negative pronouns, **aucun, personne, rien, nul,** are also sometimes listed with the indefinites. (See Section 3.2.4.)

4.5.6 Possessive Pronouns

A. The forms of the possessive pronoun are:

Object Possessed	*Person/Number of the Possessor* 1st	2nd	3rd
		(Singular)	
Masc. Sing.	le mien	le tien	le sien
Masc. Plural	les miens	les tiens	les siens
Fem. Sing.	la mienne	la tienne	la sienne
Fem. Plural	les miennes	les tiennes	les siennes
		(Plural)	
Masc. Sing.	le nôtre	le vôtre	le leur
Masc. Plural	les nôtres	les vôtres	les leurs
Fem. Sing.	la nôtre	la vôtre	la leur
Fem. Plural	les nôtres	les vôtres	les leurs

Note that each form is distinctive as to the person/number of the possessor, but there is no indication of the gender of the possessor. The gender and number of the *item possessed* are indicated formally, except that gender is not indicated in the forms: **les nôtres, les vôtres, les leurs.**

B. The possessive pronoun is used principally in contrasting constructions. ("It's mine, not yours.")

C'est sûrement le vôtre, car le mien est déchiré.
Je ne trouve pas mon parapluie; me prêtes-tu le tien?

C. After the verb **être,** the correct possessive construction is **à** plus disjunctive pronoun.

Attention, monsieur, ce vélo est à moi! *Not:* *Ce vélo est le mien.

5.0.0 Relative Constructions

The English-speaking student should note that all relative clauses in French necessarily contain a relative conjunction (pronoun or adverb). It cannot be omitted or "understood" as in English.

The young man I went out with yesterday knows all the bouquinistes.
Le jeune homme avec lequel je suis sortie hier connaît tous les bouquinistes.

5.1.0 FORM OF THE RELATIVE PRONOUN

The form of the relative pronoun depends most often upon its syntactic function, but also upon its antecedent (whether it is a person or a thing, what its gender-number is) and the need to avoid ambiguity. Each possible form, with its function(s), is given in the following subsections.

5.1.1 *Qui*

A. **Qui** functions as the *subject* of the relative clause with any unambiguous antecedent, human or other.

On m'a recommandé un ébéniste qui restaure les meubles anciens.
Prenez le cendrier qui est sur la cheminée.

B. It functions as the *object of a preposition* (including indirect object) when the antecedent is human. (Also note **dont,** 5.1.5.)

Le dentiste pour qui elle travaille est renommé.
La jeune actrice avec qui il sortait est maintenant célèbre.

5.1.2 *Que*

Que functions as the object of the verb in the relative clause. The antecedent may be any unambiguous object, human or other. (For another use of **que,** see 5.4.0B.)

L'ouvrier que vous avez mis à la porte a porté plainte.
J'admire le monument qu'ils ont fait construire.

5.1.3 *Quoi*

Quoi functions as object of a preposition and its antecedent must be nonhuman. The antecedent is usually indefinite or vague (otherwise **lequel** is used).

Il n'a pas de quoi se vanter.
Voilà sur quoi je voulais insister.

5.1.4 *Lequel (Laquelle, Lesquels, Lesquelles)*

A. **Lequel** must be used (in both written and spoken French) for nonhuman antecedents to fulfill the object of preposition function (see **quoi,** 5.1.3, and **dont,** 5.1.5).

Malheureusement, on a brûlé la feuille sur laquelle il avait écrit ces mots immortels.
Voici un livre rare dans lequel j'ai trouvé des annotations en latin.

B. **Lequel** may also be used in place of **qui** or **que** for any type of antecedent (and for either the subject, object or object-of-preposition function) when its gender and number will help specify the proper antecedent among two or more possible ones. For this function, it is used principally in the written language, rarely in spoken French.

Le mari de notre dactylo, auquel vous avez offert un poste, a eu un grave accident.
Il s'agit de la présidence du conseil d'administration, lequel a déjà suscité assez de critiques.

5.1.5 *Dont*

Dont generally replaces **de** + relative pronoun (**de qui, duquel,** etc.). It *must* be used instead of **de quoi** or **duquel** when the antecedent is indefinite (**ce, cela, rien**).

Où est la lime dont vous vous serviez?
L'université a une équipe de football dont elle est très fière.
C'est ce dont je vous ai parlé.

5.2.0 COMPOUND RELATIVES

A. In these constructions, the relative pronoun is directly formed with the neuter demonstrative pronoun **ce.**

B. These constructions are composed only of **ce** plus the **qui** forms. **Ce** does not combine with the **lequel** forms.

1. **ce qui:** subject of relative clause.
2. **ce que:** object of relative clause.
3. **ce dont:** as for the simple relative, **dont** replaces **de** plus its object.
4. **ce (à) quoi:** in this construction, **quoi** fulfills its usual function as object of a preposition, particularly of **à.**

J'aime tout ce qui est beau.
J'ai entendu ce que tu lui as dit!
Je ne vois pas ce dont vous pourriez vous passer.
Ce n'est pas ce à quoi je faisais allusion.

5.3.0 ANTECEDENTS AND AGREEMENT

A. It is usually easy for the American student to recognize the antecedent of a relative pronoun, both by meaning context and by the similarity of these structures in English and French. When there is ambiguity in English, we either rephrase or choose the nearest of all possible antecedents. In French, also, the nearest possible antecedent is the most probable one, but—as was mentioned in Section 5.1.4—a form of **lequel** can be used to make the antecedent clear.

B. The person and number of the verb of the relative clause are governed by the antecedent. Because the antecedent is so often a third person singular or plural (and the corresponding verb forms are rarely distinct in spoken French), American students sometimes fail to pay attention to the antecedent and may show incorrect agreement between the antecedent and the verb form.

C'est *moi* qui *suis* entré le premier.
Il *les* a mises à la porte, *elles* qui n'*avaient* aucune ressource.

C. The past participle of a compound verb in the relative clause will agree in gender and number according to the usual rules of agreement (Section 1.10.1). Again, the antecedent must be kept in mind, even though the relative pronoun form does not usually indicate its gender and number.

La jeune femme qui est passée devant vous n'avait pas fait la queue.
Rendez-moi les magazines que je vous ai prêtés.

5.4.0 RELATIVE ADVERBS

A. The adverb **où** (and **d'où**) may open a relative clause. In this relative function, it may refer to an antecedent either of place or time (*where* or *when*).

Te rappelles-tu le jour où je t'ai dit: "Je t'aime"?
Je veux revoir la ville où je suis né.
On renforce la cage d'où les lions se sont échappés.

B. **Que** may also open a relative clause and refer to an adverbial antecedent of time.

Une nuit que toute la famille dormait, le plus jeune des enfants s'en alla.

6.0.0 Adverbs

The class of words and expressions known as adverbs and adverbial expressions can be defined in the same imprecise way as English adverbs are: they modify or describe verbs, adjectives or other adverbs. In French, an adverb is usually distinct in form from the adjective, if any, to which it is related.

6.1.0 FORMATION OF ADVERBS

A. Many adverbs are regularly formed by adding **-ment** to the feminine singular form of the adjective.

lent	lente	lentement

There is sometimes a spelling change (and sound change) involved in this formation.

profond	profonde	profond*é*ment
énorme	énorme	énorm*é*ment
constant	constante	consta*m*ment[1]
prudent	prudente	prude*m*ment[2]

B. Other adverbs are obviously related to particular adjectives, but are not derived from them:

bien (bon), mal (mauvais), peu (petit)

C. Also, there are many adverbs that are neither derived from nor related to any particular adjective. They are, in fact, among the most frequent in occurrence.

assez	jamais	tard
aujourd'hui	loin	toujours
beaucoup	longtemps	très
déjà	maintenant	trop
encore	plus	vite
hier	souvent	

[1] This formation is regular for adjectives in –nt, except **lent (lentement), présent (présentement)**, and **véhément (véhémentement).**

[2] Note the pronunciation of the adverb: [prydamã].

D. When forms normally listed as adjectives are used as complements of certain verbs, they are invariable (like adverbs).

coûter cher	aller droit
sentir bon (mauvais)	voir clair

Parlez plus haut, s'il vous plaît.
Speak louder, please.

Note: English also makes the "error" of using an adjective form for an adverb, *louder* for *more loudly*.

6.2.0 COMPARISON OF ADVERBS

A. The comparison of adverbs follows the same pattern as the comparison of adjectives. The comparative is **plus** followed by the adverb. The superlative is **le** + **plus** + the adverb.

Parlez doucement.
Parlez encore plus doucement.
Parlez le plus doucement possible.

B. The following adverbs have irregular comparative forms:

bien	mieux	le mieux
mal[1]	pis	le pis
peu	moins	le moins

6.3.0 POSITION OF ADVERBS

A. If the adverb modifies an adjective or another adverb, it regularly precedes that adjective or adverb. This pattern is usually the same as the equivalent English construction.

C'est un très jeune candidat.
He's a very young candidate.

Pour un débutant, je trouve qu'il fait assez peu de fautes.
For a beginner, I'd say he makes very few mistakes.

B. When the adverb modifies the verb (or the entire verb phrase):

[1] *Mal* also has the regular forms, **plus mal, le plus mal,** with a meaning difference similar to that of **plus mauvais/pire** (Sec. 4.4.3). The forms, **plus mal** and **le plus mal,** are much more commonly used than **pis, le pis.**

1. If the verb form is simple, the adverb regularly follows.

Il y allait souvent.
He often went there; or, *He went there often.*

Je te le dis franchement.
I'm telling it to you frankly.

2. If the verb form is compound, the adverb frequently comes between the auxiliary and the past participle, but it may also follow the past participle.

Je vous ai souvent dit qu'il était inutile de faire des économies.
I have often told you that it was useless to save your money.

Il a vite compris qu'il valait mieux ne pas insister.
He understood quickly that it was better not to insist.

Il a riposté brutalement, furieux d'être contredit.
He snapped back, furious at being contradicted.

Note: The above statements are not rules. The best advice we can give about adverb placement is: (1) be cautious at first and use patterns you have seen or heard; (2) develop an ear for the *rhythm* of the sentence in French: this will give you the ability to choose the position that "sounds" best.

7.0.0 Prepositions

It is always best to learn words in context rather than in isolation. This is particularly true for prepositions: students should avoid learning lists of prepositions with English equivalents. On the contrary, they should learn which prepositions are used in given contexts.

7.1.0 PREPOSITIONS WITH GEOGRAPHICAL NAMES

A. With names of cities:

1. The equivalent of *from*, *out of*, and so on, is **de**.

Il vient de Paris.
Nous venons d'arriver de Lyon.

2. The equivalent of *to*, *at*, or *in*, is **à.**

Nous comptons aller à Cherbourg au mois d'août.
Ils sont restés à Nancy pendant trois mois.

Note: Cities whose names contain a definite article retain the definite article (for example, **Le Havre, au Havre, du Havre**).

B. With names of countries (feminine singular):

1. The equivalent of *from*, *out of*, and so on, is **de.**

Les touristes reviennent de France chargés de paquets.

2. The equivalent of *to*, *at*, or *in*, is **en.**

Elles sont allées en Espagne.
En Chine tout le monde parle chinois.

C. With names of countries (masculine singular, masculine and feminine plural):

1. The equivalent of *from*, etc. is **de** + the definite article.

Ils reviendront du Canada la semaine prochaine.
Il a rapporté ces souvenirs des Iles Marquises.

2. The equivalent of *to*, *at*, or *in*, is **à** + the definite article.

Il est né aux Etats-Unis.
Ce paquebot va au Japon.

D. With names of other geographical locations:

1. Continents. They normally follow the pattern of feminine singular countries, but, as for countries, if the name is modified by an adjective or adjectival phrase, **dans** and **de** + the definite article are frequently used.

Ce journal a plusieurs correspondants en Asie.
Cet essai ne tient compte que des populations de l'Europe Occidentale.
Dans l'Amérique Latine du XIXe siècle, l'influence européenne était encore vigoureuse.

2. Provinces, states, islands, others. The patterns are not fixed, but usually **de** and **en** are used for feminine singular names, whereas **à** (or **dans**) + the definite article and **de** + the definite article are used for

masculine singular and masculine or feminine plural names. Certain names of islands do not take an article (for example, **Cuba, Malte, Chypre**).

Ils vont passer leurs vacances en Floride (en Bretagne).
Napoléon est-il né en Corse?
Allons à la Martinique.
Nous ferons escale à Chypre.

7.2.0 PARTICULAR PREPOSITIONS

One frequently finds long lists of prepositions and prepositional phrases in grammar texts, with translations, comments and examples for each. The student will, in most cases, obtain the information (the meaning and brief examples of usage) as quickly and efficiently in a good dictionary. There are, however, some prepositions of frequent occurrence that have so many different uses that we feel they should be discussed here. The student should be warned, nevertheless, that the following statements and examples indicate only *some* proper uses of each.

7.2.1 *A*

Used regularly to introduce the indirect object, frequently to indicate motion toward, and also used in some adverbial phrases of manner and many adjectival phrases.

Il a remis son épée au lieutenant.
He handed over his sword to the lieutenant.

Tu devrais les emmener à l'école.
You ought to take them to school.

Je me suis blessé à la main.
I hurt my hand.

Il y va à pied. (*But see Section 7.3.0.*)
He's going there on foot.

Qui est la jeune fille *aux* yeux verts?
Who is the girl with the *green eyes?*

N'avez-vous pas de machine à écrire?
Don't you have a typewriter?

Avez-vous cassé une tasse à thé?
Did you break a tea cup?

7.2.2 *Chez*

This preposition is very frequent and is idiomatic. Note the examples carefully and listen for others when you are speaking with native French speakers.

Ils passeront les vacances de Noël chez les Lebrun.
They will spend their Christmas vacation at the Lebruns'.

J'ai acheté ce chapeau chez André.
I bought this hat at "André's."

Chez Voltaire on trouve souvent cette tournure satirique.
You often find this satirical twist in Voltaire's works.

Cela ne se fait pas chez nous.
That isn't done here. Or: *"in my country," etc., depending on previous context.*

Il est chez le dentiste.
He's at the dentist's. He's gone to the dentist.

7.2.3 *De*

This preposition of very high frequency is used regularly in indefinite and partitive constructions. It also indicates motion from, origin (made of), and many other relationships.

Je vous téléphonerai de chez elle à six heures. (*Note the "double preposition."*)
I'll call you from her place at six o'clock.

On ne trouve plus de bas de soie naturelle.
You don't find silk stockings anymore.

Le chef était rouge de colère.
The boss was red with anger.

Il fait du soleil.
It is sunny.

Il y avait plus de trois cents fantassins dans la forteresse.
There were more than three hundred infantrymen in the fort.

Tu vas mourir de fatigue.
You're going to die of (from) fatigue.

Elle est toujours en retard de vingt minutes.
She is always twenty minutes late.

Le matin, je ne peux rien faire avant d'avoir pris une tasse de café.
I can't do anything in the morning before I've had my cup of coffee.

7.2.4 *En (dans)*

En is used consistently with the present participle (no other preposition may be used with the present participle). Aside from use with geographical names (see Section 7.1.0), it is used in general to indicate temporal or spatial location. It may be loosely distinguished from **dans** in this function by noting that **en** is somewhat less specific, whereas **dans** implies more definite boundaries.

Avez-vous le même modèle en bleu?
Do you have the same model (style) in blue?

Ils sont rentrés en silence.
They went back home in silence (silently).

Il a passé un an en prison pour avoir volé un portefeuille.
He spent a year in prison for having stolen a wallet.

But:

Il a passé un an dans la prison de Lyon pour avoir volé un portefeuille.
(*specific, named prison*)

7.3.0 PREPOSITIONS WITH MEANS OF LOCOMOTION

A. The preposition **à** is generally used in phrases such as the following (personal or animal power used).

Ils sont venus à pied (à bicyclette, à cheval).

B. **Par** and **en** are used—not always interchangeably—in phrases such as the following (mechanical power used).

Il préfère voyager en avion (en bateau, en chemin de fer, en voiture).
Il a fait envoyer les colis par avion.

8.0.0 Conjunctions

A. As with prepositions, we feel that the student's best reference source for conjunctions is a good dictionary, but one common error must be pointed out. Students frequently substitute preposition (or adverb) forms for conjunction forms when it is precisely the conjunction form that is required. Clauses containing finite verb forms are connected by *conjunctions*; infinitive structures (whether they are called phrases or clauses) are introduced—connected to a previous finite verb form—by a *preposition form* (or nothing); noun phrases are introduced by *prepositions*. The student absolutely must avoid translating the "word." He must, if he insists on translating, translate the syntactic and content meaning by considering the entire sentence.

Je dis cela *pour que* vous compreniez mieux. (*conjunction*)
Il est venu *pour* vous dire adieu. (*preposition*)
Je le ferais *pour* Jean. (*preposition*)
Je le ferai *après* leur arrivée. (*preposition*)
Je le ferai *après qu'*ils me l'auront demandé. (*conjunction*)

B. Another common error has to do with the total omission of a conjunction rather than the use of an incorrect form. The frequent and useful conjunction **que** is often omitted by American students because the equivalent sentences in English only optionally contain the conjunction *that*. **Que** is used, and must always be present, in indirect discourse and in introducing noun clauses (as well as in relative clauses, as the object form). (Cf. Sec. 1.16.0 and 5.1.2.)

Je savais bien qu'elle ne voulait plus me voir.
I knew she didn't want to see me anymore.

Il est vrai que Jean ne doit pas fumer.
It's true (*that*) *John shouldn't smoke.*

8.1.0 INVERSION AFTER CERTAIN CONJUNCTIONS

The following conjunctions, when initial in their clause, generally require inversion of the subject and verb. This is particularly to be remembered when you are *writing* French.

à peine
au moins
aussi (*meaning* "*therefore*," *not* "*also*.")
du moins
encore
peut-être
tout au plus

A peine eut-il terminé sa harangue, que la police l'arrêta.
Il a été recalé au bac, aussi doit-il étudier pendant les vacances.

9.0.0 Miscellaneous Constructions

9.1.0 WEATHER EXPRESSIONS

A. The most common expressions of weather are impersonal constructions with **faire** or with a verb describing the weather condition (such as **pleuvoir** or **neiger**).

Quel temps fait-il?
Il fait beau. Il fait mauvais.
Il faisait du vent hier.
Il pleuvait ce matin.

B. There are also many nonimpersonal constructions regarding the weather.

Le ciel est couvert.
L'humidité est insupportable.
Le baromètre monte (baisse).
Le thermomètre indique 20°.

9.2.0 TIME EXPRESSIONS

A. Clock time is expressed by impersonal constructions with **il + être.**

Quelle heure est-il?
Il est six heures. (6 A.M. or P.M.)
Il est midi (minuit). (noon, midnight)
Il est deux heures et dem*ie* (et quart). (2:30, 2:15)
Il est midi et dem*i*. (12:30 P.M.)
Il est trois heures moins le quart. (2:45)
Il est une heure vingt. (1:20)
Il est minuit moins dix. (11:50 P.M.)
Il est la demie. C'est la demie. *It's the half hour.*

Note: French railroad time and many official timetables are given according to the "Army system," from 00:01 to 24:00.

B. Colloquially, one may use **avoir** and a personal subject.

Quelle heure avez-vous?
J'ai six heures précises.

9.3.0 COMPARISON OF *IL EST* AND *C'EST*

A. The student will often find in writing that it is difficult to choose between **il est** and **c'est.** This is partially because the distinction is not always clearly defined in spoken French and partially because in speaking the student tends to use the first form that comes to his mind (and, if his oral training has been good, this will usually be right). The distinction between **il est** and **c'est** has been discussed in the sections on the article and on the infinitive, but this present section has been added in order to group all uses of *c'est* and *il est* for easy reference.

B. The order of paragraphs *A*, *B*, *C*, *D*, in each subsection below is parallel. If you refer to 9.3.1-B, you should also note 9.3.2-B.

9.3.1 *Il Est*

A. **Il est** can be either personal (that is, **il** may have a personal referent—human or nonhuman) or impersonal, with a nonpersonal referent.

Robert a l'air très jeune, mais il est plus âgé que moi. (*personal*)
Il est vrai que Françoise ne chante pas bien. (*impersonal*)

B. As mentioned in Section 1.8.2-B, **il** is used in adjective + infinitive constructions when the infinitive is transitive and has a complement, or when the infinitive is intransitive.

Il est surprenant de le trouver chez lui à cette heure-ci.
Lorsqu'on a mal aux pieds, il est difficile de courir.

C. As mentioned in Section 4.3.8-A, **il** (personal) is used with **être** plus a substantive in referring to profession, religion, nationality, etc., when the substantive is not qualified.

Il est catholique; elle est protestante.
Il est professeur.

Note: The following, however, is also correct.

Qui est-ce? C'est le professeur.

D. In written French, **il** is the usual form used in impersonal expressions plus subordinate clauses.

Il est évident que vous ne m'avez pas compris.
Il est nécessaire que tu reviennes.

9.3.2 *C'est*

A. **C'est** may either be an *indefinite* (more or less equivalent to *that* in English), or a substitute *impersonal* form, used in some of the same structures as the impersonal **il** (more or less equivalent to *it*), or it may be directly related to a personal referent in the pronoun + **être** + noun construction. The indefinite construction of **ce** + **être** + *adjective* is very common and the **ce,** in that case, cannot be replaced by **il.**

C'est vrai. (Cela est vrai) (*indefinite*)
C'est vrai que je ne te comprends pas. (*impersonal*)
Qui est là? C'est Jean. (*personal*)

B. As mentioned in 1.8.2-B, **ce** is used in adjective + infinitive constructions when the infinitive is transitive but does not have a complement.

C'est facile à faire.

Note: In colloquial French, this construction with *ce* is very common no matter what infinitive construction follows it.

C. As mentioned in 4.3.8-A, **ce** is used with **être** + article + noun in referring to profession, religion, nationality, etc., when the noun is qualified.

C'est un médecin renommé.

Note: This particular construction with **ce** is very common, but always with a determiner. (The qualifying adjective need not be present, but a determiner must be.)

D. **Ce** will sometimes be found in impersonal expressions + subordinate clause, where **il** is regularly required. In fact, **ce** is specifically required in this construction when the following expressions are used: **c'est dommage, c'est une honte, ce n'est pas la peine.**

C'est dommage qu'elle ne soit pas venue.

9.4.0 NUMERALS: CARDINAL AND ORDINAL

The cardinal numerals are discussed in their function as determiners in Section 4.3.6. Except for this function, the numerals (both the cardinals and ordinals) constitute special subclasses of adjectives. (Some are *nouns*, see notes.)

9.4.1 Cardinal Numerals

0	zéro	10	dix	20	vingt
1	un (une)	11	onze	21	vingt et un
2	deux	12	douze	22	vingt-deux
3	trois	13	treize	30	trente
4	quatre	14	quatorze	40	quarante
5	cinq	15	quinze	50	cinquante
6	six	16	seize	51	cinquante et un
7	sept	17	dix-sept	60	soixante
8	huit	18	dix-huit	61	soixante et un
9	neuf	19	dix-neuf	70	soixante-dix

71	soixante et onze	1.000	mille
72	soixante-douze	2.000	deux mille
80	quatre-vingts	1.000.000	un million
81	quatre-vingt-un		(un million de
90	quatre-vingt-dix		piastres)
91	quatre-vingt-onze	2.000.000	deux millions
100	cent	1.000.000.000	un milliard
101	cent un	2.000.000.000	deux milliards
200	deux cents	1.000.000.000.000	un billion
206	deux cent six	2.000.000.000.000	deux billions

Note: 1. The cardinals, except for **un,** do not mark gender formally and, except for **quatre-vingt** and **cent,** do not add **-s** for "plural." Moreover, **quatre-vingt** and **cent** do not keep the **-s** when followed by another numeral.

Note: 2. **Million, billion,** and **milliard** are nouns and therefore are regularly preceded by a determiner and *do* take a plural **-s. Millier,** "about a thousand," is also a noun.

Note: 3. The French convention for decimals and marking off thousands, etc. is the reverse of English. They use a period where we use a comma; a comma where we use a period.

9.4.2 Use of the Cardinal Numerals

A. When used to indicate a specific quantity of a given item, the cardinal numerals precede that item and any qualifying adjectives (including ordinal numerals) that may also precede it. The cardinals may or may not be preceded by an article.

Il y a cinq livres sur la table.
J'ai vu les quatre petits oiseaux.
Quelles sont les trois premières règles de grammaire?

Note: As mentioned in 4.5.2-C, when a numeral is given without stating the object quantified, **en** must be used.

Il ne voulait pas d'enfants et maintenant il en a sept.

B. Following the names of kings, the cardinals are used, *not* the ordinals (except for "the first").

"Henri IV" *is read* "Henri quatre."
"Louis XIV" *is read* "Louis quatorze."

But:

"François Ier" *is read* "François premier."

C. The cardinals indicate the day of the month (again, except for the "first").

Nous sommes le quinze mars.

But:

Il est né le premier décembre.

9.4.3 Ordinal Numerals

A. The ordinal numerals are:

1st	premier(s), -ère(s)	11th	onzième
2nd	deuxième (second, -e)	17th	dix-septième
3rd	troisième	21st	vingt et unième
9th	neuvième	100th	centième

Note: Except for **premier** and **second,** all ordinals are formed by adding **-ième** to the cardinal form.

B. Ordinals are used, as in English, to indicate numerical order or sequential position (except in the cases mentioned in Section 9.4.2).

C'est mon premier voyage en mer.
Pendant les trois premiers mois de mon séjour en France, j'ai partagé la chambre d'un camarade.

9.4.4 Fractions

1/2	un demi (la moitié)	3/2	trois demis
1/3	un (le) tiers	2/3	deux tiers
1/4	un (le) quart	3/4	trois quarts
1/5	un (le) cinquième	2/5	deux cinquièmes
1/100	un centième	1/1000	un millième

Il y en a trois et demi.
Non, la moitié de cette somme ne sera pas suffisante.

9.5.0 *Tout*

The word **tout** can function as an adverb, an adjective or a pronoun.

A. As an adverb it regularly precedes the adjective or adverb that it modifies and indicates a greater degree of the quality described. It is always invariable (**tout**) before an adverb or an adjective that is masculine, singular or plural, but it is frequently inflected when followed by an adjective that is feminine and begins with a consonant or aspirate *h*.

Ils étaient tout surpris de sa générosité.
They were utterly surprised by his generosity.

Vous le trouverez tout au fond de ce couloir.
You'll find it right at the end of this corridor.

C'était une toute petite fissure, mais . . .
It was just a little crack, but . . .

Note: **Tout** is used with **en** + present participle also as an intensifier or to indicate simultaneity.

Tout en travaillant, j'écoutais un concerto de Beethoven.
As I was working, I listened to a Beethoven concerto.

B. As an adjective it agrees in gender and number (forms: **tout, tous, toute, toutes**) with the noun it modifies and regularly precedes the determiner. Note the possible meanings.

Tous les citoyens ont voté: "Oui!"
All the citizens voted: "Yes!"

Toute la famille était d'accord.
The whole family was in agreement.

Un avion part pour Paris toutes les heures.
A plane leaves for Paris every hour.

Note: The adjective form may be used without a determiner (that is, it may be a determiner itself) with the meanings, "every, any, all" in a general sense.

Tout soldat a connu cette peur.
Every soldier has known this fear.

C. As a pronoun with a definite antecedent, it is usually plural and it agrees with its antecedent (**tous, toutes**). If the antecedent is indefinite, the form **tout** is used.

Je n'emporterai aucune de ces robes. Elles sont toutes démodées.
I'll not take any of these dresses. They're all out of style.

Tout ce que tu viens de dire est vrai.
Everything you just said is true.

Note: When the plural form **tous** is used as a pronoun, it is pronounced [tus], both when followed by a consonant or silence and when followed by a vowel. (When not functioning as a pronoun, the form **tous** is pronounced [tu].)

Ne poussez pas; il y a de la place pour tous. [tus]
Don't push. There is room for everybody.

10.0.0 Orthographical Conventions

10.1.0 WRITTEN ACCENT MARKS

A. There is a discussion of accent marks as used to indicate actual differences in pronunciation in Chapter 1.

B. Written accents are also used to distinguish between two words that otherwise have the same written form. There is no difference in pronunciation between the members of any of the following pairs.

a	verb, "has"	*à*	prep., "to"
du	*de*, art., "of the"	*dû*	*devoir*, past participle "due"
la	art., "the"	*là*	adv., "there"
ou	conj., "or"	*où*	adv., "where"
sur	prep., "on"	*sûr*	adj., "sure"

10.2.0 CONTRACTION

The prepositions **à** and **de** regularly contract with the masculine singular and the plural (masculine or feminine) of the definite article and of the pronoun **lequel.**

à + le	= au	à + lequel	= auquel
à + les	= aux	à + lesquels	= auxquels
		à + lesquelles	= auxquelles
de + le	= du	de + lequel	= duquel
de + les	= des	de + lesquels	= desquels
		de + lesquelles	= desquelles

Note: 1. **De + le** and **à + le** do not contract if the following word begins with a vowel sound (vowel or mute *h*): **de l'ami, à l'horizon.**

Note: 2. Contraction does not take place between **à** and **de** and the object pronouns **le, les.**

Il vient *de le* faire.
Il s'est mis *à les* contempler d'un œil suspect.

10.3.0 ELISION

A. Elision in written French refers to the replacing of a vowel by an apostrophe in specific (*not all*) cases where that vowel is not pronounced in spoken French. Once the student learns to mark elision with the apostrophe, the danger is that he will use it too often, since there are many instances of unpronounced vowels that continue to be written.

B. Elision is found in:

1. All monosyllables ending in **-e** when followed by a word beginning with a vowel sound (vowel or mute *h*).

ce	c'est moi	*se*	il s'est levé
le	l'enfant	*me*	il m'imite
ne	il n'ouvrira pas	*de*	un cas d'honneur
que	qu'avez-vous	*te*	je t'ai dit que oui[1]

Note: The adjective **ce** does not elide; rather it takes the form **cet** before a vowel sound: **cet homme.**

2. The word **la,** as definite article or as direct object pronoun, when followed by a word beginning with a vowel sound.

l'iniquité   il me l'a donnée

3. The conjunction **si,** followed by a word beginning with **i,** almost exclusively **il** or **ils.**

s'il vient

4. These words terminating in **-que,** followed by a word beginning with a vowel sound:

quoique	quoiqu'il vienne
lorsque	lorsqu'on entrera
jusque	jusqu'à huit heures
puisque	puisqu'elle va venir

Note: The words **presque** and **quelque** regularly only elide in **presqu'île** and **quelqu'un** (**quelqu'une**), but the "rule" is not rigid.

10.4.0 DIVISION OF WORDS

A. When it is necessary to divide a word at the end of a line, the division must take place between two syllables. Syllables regularly end with a vowel, begin with a consonant (**é-cou-ter**). When two consonants are contiguous within a word, they belong to separate syllables (**char-bon, ap-pel-le**), unless the second one is **l** or **r** and the first one is not (**ci-dre, dou-ble**).

B. Remember that syllables are determined by the *spoken* language. Therefore two consonants that represent a single sound (**ch, ph, gn, th**) must not be divided. However, final syllables composed of consonant +

[1] **Oui** does not begin with a vowel sound, but with the semivowel, [w]. Another common exception is **onze,** which does begin with a vowel sound, but is treated like an aspirate *h*: **le onze.**

mute e, which might be overlooked if you are considering the spoken language, are counted as syllables for the purpose of dividing words (**in-ter-pel-le** [ɛ̃-tɛr-pɛl]).

C. Do not divide words between vowels, even if they do belong to separate syllables (**théâ-tre** [te-ɑ-trə]).

APPENDIX I Correction Notations

To the student: The following set of abbreviations may be used by your instructors in correcting your written work. Errors will be underlined and abbreviations placed at a convenient point in the margin. If the comment and reference does not lead you to the correct form, turn to the index to try to pinpoint the error.

Abbreviation	*Comment*	*Reference*
ac	accent mark missing or incorrect	Dict., 1.1.2, 10.0.0
adj	adjective missing or incorrect	4.4.0–4.4.3
adv	adverb missing or incorrect	6.0.0–6.4.0
agr	agreement not properly indicated	1.9.0, 1.10.1, 4.4.1
art	article missing or incorrect	4.3.0–4.3.8
aux	auxiliary verb missing or incorrect	1.10.1
c	contraction required or incorrect	10.2.0
conj	conjunction required	8.0.0
d	delete	– – –
dobj	direct object form required	4.5.1
el	elision	10.3.0
gen	gender of noun incorrect	4.2.1, Dict.
id	idiomatic construction	Dict., Index
inc	incomplete	– – –
inf	infinitive required	1.8.0–1.8.2, 1.9.1
impv	imperative	1.6.0
intg	interrogative form missing or incorrect	2.0.0–2.4.0
inv	inversion required	2.1.3, 8.1.0
io	indirect object form required	4.5.1
lex	lexical error, wrong word used	Dict., Index
neg	negative required or incorrect	3.0.0–3.4.0
om	something has been omitted	– – –

Abbreviation	*Comment*	*Reference*
pl	plural	4.2.2
pn	personal pronoun omitted or incorrect	4.5.0–4.5.6
pp	past participle required	– – –
prep	preposition omitted or incorrect	7.0.0–7.3.0
psnm	person-number of verb or pronoun incorrect	– – –
psp	present participle required	1.9.0, 1.9.1
ptv	partitive required or incorrect	4.3.3, 4.3.8
refl	reflexive form required	1.10.1-C
rel	relative pronoun missing or incorrect	5.0.0–5.5.0
sing	singular	– – –
sj	subjunctive form required	1.7.0–1.7.8
sp	spelling error	Dict.
t	tense incorrect	1.4.0–1.7.8
text	text not followed, reread exercise	Text
wo	word order incorrect, more than a simple transposition is required	– – –
?	can't read it; doesn't make sense	– – –
X____X	everything between X's is to be rewritten	– – –

(Use the space below to note additional abbreviations used by your instructor.)

Vocabulary

This French-to-English vocabulary is provided as an aid to the student when he is reading the dialogue and exercises. It should not be used, except to check a half-recalled word, in the preparation of the written exercises: at that time the student must use a complete dictionary as recommended by his instructor.

Many basic words, presumably a part of the intermediate student's active vocabulary, and most cognates have been omitted.

abonder, *v.* abound, be plentiful
abonnement, *m.* subscription, series ticket
abords: aux abords de, *prep.* in the immediate vicinity of; **d'abord,** *adv.* at first, first of all
aboutir, *v.* end up at; lead to, result in
abreuvoir, *m.* trough
abri, *m.* shelter; **être à l'abri de,** be safe from
s'abstenir, *v.* abstain from
acabit: tous du même acabit all of a piece, birds of a feather
accouder, *v.* lean, put elbows on
accrocher, *v.* hang, suspend, attach
accueil, *m.* welcome, reception
accueillir, *v.* welcome, accept
acharné, *adj.* fanatic
action, *f.* action; share (of stock)
actuel, *adj.* present, of the moment
actualités, *f.pl.* news
addition, *f.* check, bill; sum
s'adresser, *v.* address oneself to, ask; **s'adresser la parole,** speak to each other

affaire, *f.* business matter; **affaires,** "things," belongings; business (in general); **affaires de toilette,** toilet articles

s'affoler, *v.* get confused, bewildered

affronter, *v.* "face," confront

affût: être à l'affût, lie in wait

s'agir, *v.* be a matter of, be about

aigu, *adj.* sharp, acute; bitter

aîné, *adj.* elder

ainsi, *adv.* thus

aisé, *adj.* well-to-do, "comfortable"; easy

aises: aimer ses aises, like one's comforts

alentours: aux alentours de, *prep.* around about, in the vicinity of

allumer, *v.* light, turn on a light

allure, *f.* speed; appearance, bearing

amateur, *m.* one who likes, "fan"; amateur

aménager, *v.* divide; fit up, prepare

amende, *f.* fine

amener, *v.* lead, lead to

ancien, *adj.* former (*preceding the noun*), ancient (*following*)

annuler, *v.* cancel

apercevoir, *v.* notice

appareil, *m.* appliance, equipment

appartenir, *v.* belong to

appui, *m.* support

après coup, *adv.* after the fact, as an afterthought

ardoise, *f.* slate; cardboard used as writing slate

argenterie, *f.* silverware, silver-plated objects

arriéré, *adj.* backward, undeveloped

assister à qqch, *v.* attend smthg

astreindre, *v.* compel, tie down (to)

atout, *m.* trump (cards); attraction, strong point

atteindre, *v.* attain, catch up with; **être atteint de,** be touched by, struck by

attendre, *v.* wait for; **s'attendre à,** expect

attendrir, *v.* soften, inspire pity

atterrir, *v.* land (a plane)

attirer, *v.* draw, attract

attrait, *m.* attraction; inclination

attroupement, *m.* crowd (of people), mob

au-delà, *adv.* beyond; **l'au-delà,** the after-life

augmentation, *f.* increase, raise (of salary)

avaler, *v.* swallow

avancer, *v.* advance, lend (money)

avenir, *m.* future

avertir, *v.* warn

avis, *m.* opinion; **à votre avis,** in your opinion

avocat, *m.* lawyer

avorton, *m.* little weakling

avouer, *v.* to confess, to admit

badaud, *m.* stroller, one who gapes at anything

baignoire, *f.* bathtub

bâiller, *v.* yawn

balade, *f.* walk, excursion, stroll

bancal, *adj.* bandy-legged, rickety

banlieue, *f.* suburbs

barbe, *f.* beard

bavarder, *v.* chat, talk
bègue, *m.* stutterer
besoin, *m.* need; **avoir besoin de,** to need
bêtise, *f.* foolish act; nonsense
bière, *f.* beer
blé, *m.* wheat
bois, *m.* wood(s), forest
boisson, *f.* drink
bondir, *v.* jump, leap
bondé, *adj.* crowded
bonne, *f.* maid (who stays at the house)
bonnet de nuit, deadhead, "bore" (*lit.:* night cap)
bord, *m.* edge
bosse: avoir la bosse de, have the (a) knack for
botte, *f.* boot, heavy shoe
bouchée, *f.* mouthful
bouchon, *m.* cork
bougonner, *v.* grumble
bouillir, *v.* boil
boulimie, *f.* bulimia, constant craving for food
bouquin, *m.* book (*fam.*)
bourrer, *v.* stuff, cram full
bourse, *f.* purse; scholarship; the stock exchange
bras, *m.* arm
bredouiller, *v.* mumble
bribes, *f.pl.* scraps, odds and ends
briquet, *m.* cigarette lighter
bruyamment, *adv.* noisily
but, *m.* purpose
buter, *v.* butt, knock against

cacher, *v.* hide
cachette, *f.* hiding place; **en cachette,** *adv.* covertly, secretly
cadeau, *m.* gift
cahier, *m.* notebook, small book
caisse, *f.* case
calé, *adj.* good at
cambrioler, *v.* burgle, steal
cambrioleur, *m.* burglar, thief
campagnard, *m.* country person, "hick"
car, *conj.* because, for
carafe, *f.* small pitcher
carnet, *m.* notebook; book of tickets (metro and bus)
cartouche, *f.* carton
casser, *v.* break; **nous casser les pieds,** bore us
cave, *f.* cellar, wine cellar
céder, *v.* give in
cela: cela se voit, that's obvious; **cela va de soi,** that goes without saying
cerise, *f.* cherry
chahut, *m.* disturbance, uproar
chaîne, *f.* chain, channel (TV)
chaleur, *f.* warmth, heat
chapitre: en être au chapitre, be talking about this matter, be on the subject
se charger, *v.* charge oneself, assume the burden of, take care of
chaussure, *f.* shoe
chemin, *m.* road, way
cherté, *f.* cost (high cost)
cheval, *m.* horse; **à cheval,** on horseback; **à cheval sur les principes,** insist on one's principles, adhere strictly to
chevelure, *f.* hair, head of hair
chichement, *adv.* meanly, stingily

chiffon, *m.* rag
chiffre, *m.* numeral, figure
chômage: être en chômage, be unemployed
circuler, *v.* drive (in traffic)
clavier, *m.* keyboard (piano or typewriter)
clé, clef, *f.* key
coffre, *m.* safe
se cogner (à), *v.* bump (against)
coin, *m.* corner
collier, *m.* necklace
combien, *adv.* how much, how many
combler, *v.* fill in, overload, overwhelm
commode, *adj.* suitable, useful; *f.* chest of drawers
comporter, *v.* include, consist of
compte, *m.* account; **à mon compte,** charged to me; **compte tenu de,** *prep.* taking into account, considering; **compte-rendu,** *m.* report
compter, *v.* count, count on, expect, intend
concierge, *m. or f.* superintendent, janitor, caretaker
concours, *m.* competition (athletic meet); competitive exam
concurrent, *m.* competitor, contestant
conférence, *f.* lecture
confondre, *v.* confuse, mix up with
en connaissance de cause, with full knowledge
conquérir, *v.* conquer, overcome
conscient, *adj.* conscious (NOT *conscientious*)
conseiller, *v.* advise
consigne, *f.* baggage room, check room
conte, *m.* story, tale
contenu, *m.* contents
contravention, *f.* ticket (traffic)
convenances, *f.pl.* conventions, etiquette
convenu, *adj.* agreed
copain, *m.* friend, chum
correspondance, *f.* transfer (on metro); correspondence, communication
corvée, *f.* task, chore (unpleasant)
costume, *m.* costume, suit
côté, *m.* side
coude, *m.* elbow
couloir, *m.* hall, corridor
coup, *m.* blow, stroke; **coup de fil,** telephone call; **coup d'œil,** glance
coupable, *adj.* guilty
couper, *v.* cut; **se couper les cheveux,** cut one's hair
coureur, *m.* runner (track)
couronner, *v.* crown
courrier, *m.* mail
cours, *m.* course; rise and fall (of stock exchange)
couteau, *m.* knife
couturier, *m. and f.* dressmaker
couverture, *f.* cover, bedspread, blanket
cravate, *f.* tie
crédule, *adj.* credulous
croiser, *v.* cross, cross the path of
croissance, *f.* growth

croupion, *m.* rump (of bird)
cuiller, cuillère, *f.* spoon
cuillerée, *f.* spoonful
cuir, *m.* leather

d'abord, *adv.* at first
dactylo, *f.* typist
d'ailleurs, *adv.* besides
(se)**débarrasser de,** *v.* get rid of
débiter, *v.* deliver, utter; retail, sell
debout, *adv.* standing
débraillé, *adj.* untidy
(se)**débrouiller,** *v.* get along, manage
déclancher, déclencher, *v.* start; unlatch
décommander, *v.* cancel
découper, *v.* cut out, "clip"
décrocher, *v.* pick up (telephone); take down
déçu, *adj.* disappointed
dedans, *adv.* within
dégager, *v.* separate from, free from, clear
dégâts, *m.pl.* damages (material)
déguisement, *m.* disguise
dehors, *adv.* outside, out; **en dehors de,** *prep.* outside of
délai, *m.* delay; **dans un délai de dix jours,** within ten days
délaissé, *adj.* deserted, abandoned
demain, *adv.* tomorrow; **après-demain,** the day after tomorrow; **le lendemain,** the day after; **le surlendemain,** two days after
démarche, *f.* step (figv), walk, bearing: **faire une démarche,** approach someone
déménagement, *m.* the process of moving (to a new home)
se démener, *v.* fling about, bestir oneself; strive
démentir, *v.* deny, disown
dénicher, *v.* root out, discover
dépasser, *v.* go beyond, go faster than
se dépêcher, *v.* hurry
dépeindre, *v.* describe, depict
aux dépens de, *prep.* at the expense of
déplacer, *v.* move, change the position of
déposer, *v.* place, put down
déranger, *v.* disturb, bother
dérouter, *v.* throw off the track
désolé, *adj.* very sorry
désagrément, *m.* source of annoyance, difficulty
se détendre, *v.* relax
détruire, *v.* destroy
devancer, *v.* precede, go ahead of
devant, *prep.* in front of
dévier, *v.* detour, go around
deviner, *v.* guess
dicton, *m.* saying
diffamation, *f.* slander; **poursuivre en diffamation,** bring a libel suit against
en dire long sur, say a lot about, indicate much about
disque, *f.* record (phonograph); discus
doigt, *m.* finger
dommage: c'est dommage, it's a shame, pity; it's too bad
dommages, *m.pl.* damages (legal)
don, *m.* gift

dos, *m.* back
doublure, *f.* lining; understudy
doué, *adj.* gifted, endowed, good at
doyen, *m.* dean; oldest (in age or position)
drap, *m.* cloth, sheet
dresser: dresser contravention, give a ticket
droit, *m.* right; **avoir droit à,** have the right to
drôle, *adj.* funny, amusing

éberlué, *adj.* astonished
à l'écart, *adv.* aside, on one side
échec, *m.* fall, failure
échouer, *v.* fail
éclairer, *v.* light up
éclat, *m.* burst, flash
éclater, *v.* burst out; sparkle
éclipser, *v.* eclipse; **éclipser qqn, qqch,** overshadow someone, something; **s'éclipser,** (*fam.*) sneak away
écossais, *adj.* Scotch
écriteau, *m.* placard
écurie, *f.* stable
élan, *m.* surge, thrust, impetus
élevé, *adj.* brought up; high
embêter, *v.* bother, annoy
embrasser, *v.* kiss, embrace; include
émettre, *v.* emit, set forth
emménager, *v.* move in
emmener, *v.* take (along)
émoulu, *adj.* sharpened; **frais émoulu du collège,** fresh out of school
empêcher, *v.* prevent
employé(e): employé de commerce, clerk
emporter, *v.* carry away
emprunter, *v.* borrow
encadré, *adj.* encircled, framed
encore que, *conj.* although
s'endormir, *v.* go to sleep
enfumé, *adj.* smoke-filled
engager, *v.* hire; **s'engager,** enlist; undertake; promise
enlever, *v.* take out (of), drop (from)
ennuyer, *v.* bother, annoy, bore; **s'ennuyer,** be bored
enragé, *adj.* rabid (fan)
enregistrer, *v.* register; record (sound on tape)
enseigner, *v.* teach, show how
ensemble, *adv.* together; *m.* the whole, set
ensuite, *adv.* next
entendre, *v.* hear, understand; expect (someone to do something); insist; **m'entendre,** "hear from me"; **s'entendre,** get along (with each other)
entente, *f.* agreement, understanding
entorse, *f.* sprain, twist; distortion
entraîner, *v.* bring on, cause; **s'entraîner,** train for
entreprendre, *v.* undertake
entretien, *m.* conversation
envie: avoir envie de faire qqch, want to do something
envier, *v.* envy
épanchement, *m.* effusion of feelings, outpourings of sentiment
épargner, *v.* spare, save
épater, *v.* amaze, flabbergast
épaule, *f.* shoulder
épreuve, *f.* test, trial

épuiser, *v.* use up, wear out
équipe, *f.* team
escale, *f.* stop, landing
escalier, *m.* staircase
esquisse, *f.* sketch
essence, *f.* gasoline
essoufflé, *adj.* out of breath
essuyer, *v.* wipe, dry
étage, *m.* floor, storey
étal, *m.* stall (market)
étalage, *m.* shelf, display, window dressing
état, *m.* state, condition; **état d'esprit,** *m.* state of mind
éteindre, *v.* extinguish, turn out (a light)
étiquette, *f.* tag, label
s'étirer, *v.* stretch
(s')étonner, *v.* surprise, stun; be astonished
étouffer, *v.* be smothered, be overcome
étriqué, *adj.* small, puny; too tight
étroit, *adj.* narrow, tight
éventrer, *v.* tear open
éviter, *v.* avoid
(s')exécuter, *v.* to do so, comply
exemplaire, *m.* copy (of a book)
exiger, *v.* insist on, require
exprès, *adv.* intentionally
s'extasier sur, *v.* become ecstatic about, go into ecstasies over

fabriquer, *v.* manufacture, (*fam.*) do
en face de, *prep.* opposite
se fâcher, *v.* become angry
fâcheux, *adj.* annoying, unfortunate
de tout façon, *adv.* in any case
faible: avoir un faible pour, have a weakness for
faïence, *f.* china, porcelain, crockery, earthenware.
faim: avoir faim, be hungry
faire, *v.* make, do; **— un coup d'éclat,** become furious (openly); execute a spectacular action; **— escale,** stop at, land at; **— faux bond,** cancel an appointment without notice; **— la fine bouche,** pick at one's food; **— marche arrière,** go in reverse; **— de la peine,** cause pain; **— signe à qqn,** signal someone; **(en) — à ta tête,** do as you please; **— cette tête,** put on this gloomy face; **en — de toutes les couleurs,** do all sorts of them, every type possible; **— toute une histoire,** make a big fuss; **— du vent,** be windy
fanfaronner, *v.* brag, boast
farine, *f.* flour
fauteuil, *m.* armchair
femme d'intérieur, *f.* housewife
femme de ménage, *f.* maid (part-time), charwoman
fermeture, *f.* closing
feu, *m.* fire; **feu rouge,** traffic light, red light
feuille, *f.* leaf; form
feuilleter, *v.* leaf through, scan
fiançailles, *f.pl.* engagement
figure, *f.* face; **faire figure de personnage,** pass (pose) as an eminent figure
fil, *m.* wire, thread
filer, *v.* (*fam.*) go, move out

flûte, *intj.* (*indicates annoyance*)
foi, *f.* faith
fois, *f.* time; **pour une fois que,** for once
fondre, *v.* melt, disappear
à force de, *prep.* by dint of
fouille, *f.* excavation, "dig"
foule, *f.* crowd
fourchette, *f.* fork
fourré, *adj.* stuffed, filled (with)
foyer, *m.* "hearth," home, family group
frais, *m.pl.* expenses
frais, *adj.* fresh, cool; *adv.* recently
franchise, *f.* frankness
freiner, *v.* brake
friandise, *f.* delicacy, tid-bit
frileux, *adj.* sensitive to cold
fruitière, *f.* fruit vendor
au fur et à mesure, *adv.* as; as . . . proceeds; progressively

gâché, *adj.* spoiled, ruined
gagné, *adj.* "you win," "right you are"
avoir gain de cause, win one's case
de garde, *adv.* on duty
gare, *f.* railroad station
gaver, *v.* stuff
gêner, *v.* bother, disturb
genou, *m.* knee; **à genoux,** on one's knees
genre, *m.* genre, type
gent, *f.* "tribe" (humorous)
gentil, *adj.* nice, pleasant
gifle, *f.* slap
gilet, *m.* vest
glisser, *v.* slide, slip
gond, *m.* hinge; **sortir de ses gonds,** lose control, lose one's temper
(se) gonfler, *v.* swell (with pride)
gourde, *f.* fool, fathead
goûter, *v.* taste, appreciate
gratte-ciel, *m.* skyscraper
gratuit, *adj.* free, gratis
gravure, *f.* engraving, print, etching
gré, *m.* will; **de ton plein gré,** of your own accord; **de bon gré,** willingly; **contre mon gré,** against my will
grêle, *f.* hail
grenier, *m.* attic, loft
grève, *f.* strike
grincheux, *m.* grumbler
griserie, *f.* drunkenness, elation
grommeler, *v.* grumble
guérir, *v.* cure
guichet, *m.* ticket window
guignol, *m.* punch and judy, puppet show
à leur guise, *adv.* as they please

habitude, *f.* habit; **d'habitude,** *adv.* usually
haleine, *f.* breath; **hors d'haleine,** out of breath
au hasard, *adv.* at random, by chance
en hausse, *adv.* rising (barometer)
hausser, *v.* rise; **hausser les épaules,** shrug one's shoulders
hauteur, *f.* height
hériter de qqch, *v.* inherit something; **hériter qqch de qqn,** inherit something from someone

heurter, *v.* strike, hit against
hilarant, *adj.* hilarious
hisser (la voile), *v.* hoist, pull up
honteux, *adj.* shameful
horloge, *f.* clock
hôte, *m. and f.* host; guest
humeur: de mauvaise humeur, in a bad mood; **de bonne humeur,** in a good mood

immeuble, *m.* apartment building
imperméable, *m.* raincoat
importer, *v.* matter, be important; **n'importe qui,** just anyone
imposer, *v.* impose (upon); **s'imposer,** impose itself, be required
impôt, *m.* tax
imprimé, *adj.* printed
inattendu, *adj.* unexpected
incendie, *f.* (a) fire
ingrat, *adj.* ungrateful
initié, *m.* initiate, one who is "in on it"
s'inquiéter, *v.* become anxious, worry
s'inscrire, *v.* enroll, register
insensible (à), *adj.* insensitive (to)
(s')installer, *v.* install, settle (as in a house)
à mon insu, *adv.* without my knowledge
interdire, *v.* prohibit
interpeller, *v.* summon, call upon
intimité: dans l'intimité, in private
inutile, *adj.* useless; *also,* unnecessary

jaloux, *adj.* jealous
jeûner, *v.* fast, go without eating
jouer, *v.* play; **jouer du piano, jouer aux cartes, jouer au tennis, jouer un rôle**
jouet, *m.* toy
jour, *m.* day; **au jour le jour,** from day to day; **quel jour sommes-nous?** what is today's date?; **sous quel jour,** in what light
jumelles, *f.* binoculars

lacune, *f.* lacuna, blank, gap
lainages, *m.pl.* woollen clothing, goods; pull-overs, sweaters
laine, *f.* wool
lancer, *v.* throw; **lancer un nouveau journal,** start a new paper
larme, *f.* tear
las, *m.* tired
léger, *adj.* light; **à la légère,** lightly
légume, *m.* vegetable
lever du jour, *adv.* daybreak
lier, *v.* tie (together)
lieu: au lieu de, *prep.* in place of, instead of
locaux, *m.pl.* premises
loger, *v.* lodge, put up (for the night)
loin, *adv.* far, far away
lointain, *adj.* distant
lors de, *prep.* at the time of
louer, *v.* rent
lune, *f.* moon
lunettes, *f.pl.* eyeglasses

machin, *m.* (*fam.*) a little thing, gimmick, gadget
magasin, *m.* store; **grand magasin,** department store

maigre, *adj.* thin, meager
maigrichon, *m.* "skinny kid"
maigrir, *v.* get thinner
mal, *m.* evil; **mal (maux) de tête,** headache(s); **avair mal à la tête,** have a headache
malgré, *prep.* in spite of
malheureux, *adj.* unhappy, unfortunate
malle, *f.* trunk
mandat, *m.* term, mandate
manège, merry-go-round, etc. (at fairs)
manquer, *v.* miss, lack
maquiller, *v.* put on make-up
marchand, *m.* merchant; shopkeeper
marche, *f.* step (of staircase), walking
marché, *m.* market
marseillais, *adj.* of or from Marseille
matin, *m.* morning; **le petit matin,** "the wee hours of the morning"
matinée, *f.* morning (duration); **en matinée,** afternoon performance
se méfier, *v.* beware of, be careful of, distrust
mélanger, *v.* mix
se mêler (de), *v.* get involved (in, with)
ménager, *v.* put up with, manage, use sparingly
ménagère, *f.* housewife
mener, *v.* take, lead
se méprendre, *v.* make a mistake about
métier, *m.* skill, occupation
mettre, *v.* put, place; — **qqn à la porte,** fire someone; — **qqch sur pied,** get something off to a good start; **se — à,** begin, set down to; **se — en colère,** become angry
meuble, *m.* piece of furniture
minauder, *v.* simper
moins, *adv.* less
moniteur, *m.* camp counselor, instructor (as at ski resort)
monnaie, *f.* change (money); currency
monter, *v.* go up; put on, present (a play)
se moquer de, *v.* make fun of, laugh at
morceau, *m.* piece, bit
mordre, *v.* bite; **mordu pour les sports,** crazy about sports
motard, *m.* motorcycle policeman
mou, *adj.* soft; flabby
mouchoir, *m.* handkerchief
mouiller, *v.* moisten, make wet
mourir, *v.* die
moyenne, *f.* average
mu, *adj. p.p.* moved
muet, *adj.* silent, mute
mur, *m.* wall

nager, *v.* swim
naissance, *f.* birth
négociant, *m.* businessman; wholesale merchant
neige, *f.* snow
net, *adj.* clean; distinct; plain, clear-cut
nettoyer, *v.* clean
neuf, *adj.* brand new; **quoi de neuf?** what's new?

nier, *v.* to deny
niveau, *m.* level
noir, *adj.* black; **faire noir,** be dark
nomination, *f.* appointment (to a post)
note, *f.* grade, mark (in a course)
noter, *v.* note down; give grades
noyau, *m.* stone; fruit pit
noyer, *v.* drown
nuire à qqch, *v.* harm something, be bad for something

obèse, *adj.* obese, fat
occasion, *f.* opportunity; **d'occasion,** second hand
s'occuper, *v.* take care (of)
offrir, *v.* offer, give (a gift)
oignon, *m.* onion
ombre, *f.* shade
ongle, *m.* nail (fingernail)
oreille, *f.* ear
orfèvre, *m.* gold- and silver-smith
orgueil, *m.* pride
orphelin, *m.* orphan
os, *m.* bone (*Note: l'os* [*lɔs*], *les os* [*lezo*].)
oser, *v.* dare
ôter, *v.* take off, take away
ouïe, *f.* gill
ouvrage, *m.* work (of literature; architecture)

paillasson, *m.* doormat
pantoufle, *f.* slipper
paquebot, *m.* passenger liner
paraître, *v.* appear
parcourir, *v.* go across (through), go all around
par-dessous la jambe, without care or exertion; without respect or consideration
pareil, *adj.* similar; such (a)
paresseux, *adj.* lazy
parier, *v.* bet, wager
parquet, *m.* floor covering, wooden floor
partager, *v.* share
particulier, *adj.* private; **en particulier,** particularly, in particular
de passage, *adv.* passing through
passager, *adj.* passing
passant, *m.* passerby
passer, *v.* pass, go by; **se —,** take place; **se — de,** do without; **passe encore,** well and good, that much is OK
passionner, *v.* interest very much
pâté, *m.* *pâté,* meat spread
patte, *f.* paw, foot (of an animal)
se pavaner, *v.* strut
pays, *m.* country
paysage, *m.* countryside, landscape
peau, *f.* skin
pêche, *f.* peach
peigner, *v.* comb
peindre, *v.* paint
peine, *f.* trouble; **à peine,** hardly
peintre, *m.* painter
pelote, *f.* ball (of wool, yarn)
pelouse, *f.* grass, lawn
en pension, as a boarding student
pente, *f.* slope
perdre, *v.* lose
périmé, *adj.* expired
personnage, *m.* character (in a play)

personnalité, *f.* important person
peste, *f.* plague
peuple, *m.* people, the common people
phrase, *f.* sentence
pièce, *f.* play; room (generic term); **pièce de monnaie,** coin
pied, *m.* foot; **à pied,** on foot
piège, *m.* trap
piéton, *m.* pedestrian
piger, *v.* understand, grasp; look at
pince, *f.* grip, hold; pliers, tweezers
pince-sans-rire, *m.* poker-face, man of dry humor
pincer, *v.* pinch, squeeze; **pincé,** *adj.* supercilious, stiff
piocher, *v.* work hard at, "grind"
piqûre, *f.* injection, "shot"
piscine, *f.* pool
piste, *f.* track; **piste de course,** racetrack
place, *f.* square
plafond, *m.* ceiling
plafonnier, *m.* ceiling fixture
se plaindre, *v.* complain
plainte, *f.* complaint; **porter plainte,** bring suit, lodge a complaint
plaire à qqn, *v.* please someone, make a good impression on someone; **cela me plaît,** I like that
planter là, "drop" (*figv*)
plaque, *f.* license plate
plat, *m.* course (in a meal), dish
plateau, *m.* tray
plein, *adj.* full, **faire le plein,** fill the tank (gas)
pleurer, *v.* cry
pluie, *f.* rain
plutôt que, *conj.* rather than
poche, *f.* pocket
poids, *m.* weight
à point, to a turn; just on time, at the right moment
poison, *m.* poison
poisson, *m.* fish; **poisson d'avril,** April Fool
poitrine, *f.* chest
poivre, *m.* pepper
pomme de terre, *f.* potato
pompette, *adj.* tipsy
pont, *m.* bridge
popote, *f.* mess
portefeuille, *m.* wallet
porter, *v.* carry, wear
poste, *f.* post office
pot, *m.* (*fam.*) a beer, a drink
potelé, *adj.* plump
pouffer de rire, *v.* burst out laughing (but stifled)
poulet, *m.* chicken
pourboire, *m.* tip
pourri, *adj.* rotten
poursuivre, *v.* follow, chase
pourtant, *adv.* however, moreover
pourvu que, *conj.* let's hope that (initially); provided that
prendre, *v.* take; **prendre parti contre,** take the other side against; **prendre sur le fait,** catch with the goods, in the act; **s'y prendre,** to go about (something); **s'y laisser prendre,** be taken in by it
près, *adv.* near; **à un jour près,** within twenty-four hours (before or after)

presser, *v.* press, hurry; **être pressé,** be in a hurry
prêt, *adj.* ready
prétendre, *v.* pretend, "try to tell," assert
prêter, *v.* lend
prévenir, *v.* warn, tell in advance
prévoir, *v.* foresee, expect
prier, *v.* pray, request; **je vous en prie,** you're welcome
priver, *v.* deprive; **privé de sortie,** denied a school holiday
procès, *m.* trial
promotion, *f.* class (as in "Class of '72")
propos, *m.pl.* pronouncements, conversation; **à propos (de),** by the way; about
proscrit, *adj.* prohibited
provisoirement, *adv.* temporarily

quai, *m.* dock, train platform
quartier, *m.* quarter, section
quelque chose, *pro.* something; **quelque chose de bizarre,** something strange
quelquefois, *adv.* sometimes
(le) **qu'en dira-t-on,** "what will people say," gossip
quête, *f.* quest, collection (church); **être en quête de,** be in quest of, search for
queue, *f.* tail; line; **faire la queue,** get in line; **finir en queue de poisson,** fizzle out
quinzaine, *f.* fifteen, two-week period

rabâcher, *v.* keep telling
rabais, *m.* rebate, discount
raccrocher, *v.* hang up (phone)
raison, *f.* reason; **avoir raison,** be right; **donner raison à qqn,** say someone was right
ralentir, *v.* slow down
randonnée, *f.* outing; ramble
rang, *m.* row
rappel, *m.* recall; reminder
rapport, *m.* relationship, connection; report
se raser, *v.* shave
raseur, *m.* bore
rassurer, *v.* reassure
rater, *v.* miss, fail
rattraper, *v.* catch up
rature, *f.* erasure
se raviser, *v.* check oneself, reconsider
recaler, *v.* fail (someone in an examination)
recevoir, *v.* receive; **être reçu,** be accepted
rechigner, *v.* act in bad grace, balk at, look sullen
recoller, *v.* glue together, put back together
récolter, *v.* gather, harvest
reconnaissant, *adj.* grateful
rédacteur, *m.* editor
rédaction, *f.* editing; school exercise (composition)
redouter, *v.* fear
se redresser, *v.* get back up, stand up (suddenly)
réduit, *m.* redoubt, retreat, nook
refiler, *v.* slip in, palm off
régime, *m.* diet
règle, *f.* rule
règlement, *m.* ruling, rules and regulations

régner, *v.* reign
à regret, *adv.* regretfully
relâcher, *v.* let go; **sans relâche,** without stopping
relever, *v.* pick out
rembourser, *v.* reimburse
remercier, *v.* thank
remplir, *v.* fill, fill out
rendre, *v.* return, render; **se — compte (de),** realize; **— visite à qqn,** visit someone
rente, *f.* allowance, pension
renverser, *v.* turn over, knock over
renvoyer, *v.* send back, fire (from a job)
repartie, *f.* repartee, rejoinder
repas, *m.* meal
répétition, *f.* rehearsal
réplique, *f.* reply, retort
reprise: à plusieurs reprises, several times, over and over again
résoudre, *v.* resolve
ressentir, *v.* feel (pain, emotion)
ressort, *m.* spring (watch); **de notre ressort,** our affair, within our domain
rester: en rester là, stop at that point (where one leaves off)
rétablir, *v.* reestablish, set up again; **être rétabli,** get better, cured (health)
en retard, *adv.* late; **avoir une heure de retard,** be one hour late
retardataire, *m.* late arrival
retenir, *v.* hold, retain, keep control of, reserve
retenue, *f.* retention (kept after class)
retirer, *v.* take away from, withdraw
se retrouver, *v.* find each other, meet
rétroviseur, *m.* rearview mirror
réussir, *v.* succeed
se réveiller, *v.* wake up
revendication, *f.* claim, demand
revenir, *v.* come back; **en — à,** return to (as a subject of conversation); **— sur ses pas,** retrace his steps
rez-de-chaussée, *m.* ground floor (American first floor)
rhume, *m.* cold
rien: comme si de rien n'était, as if nothing had happened
rigolade, *f.* "ball," "lark"
de rigueur, *adv.* required, indispensable
risible, *adj.* laughable
roman, *m.* novel
romancier, *m.* novelist
rôti de veau, *m.* veal roast
rouspéter, *v.* complain, protest, "kick"
roux, rousse, *adj.* reddish-brown; *m. and f.* redhead
rubrique, *f.* rubric, column (newspaper)
rue: en pleine rue, right in the middle of the street
rustre, *adj.* boorish; *m.* boor

saboter, *v.* sabotage
saillie, *f.* sally, flash of wit
saisonnier, *adj.* seasonal
salir, *v.* dirty, make dirty
santé, *f.* health

sauce, *f.* sauce (not equivalent to "gravy")
sauter, *v.* jump; **faire — qqch,** blow something up; **faire — qqn,** surprise or anger someone
sauvage, *adj.* wild
savon, *m.* soap
séance, *f.* sitting, production, show, performance
sec, *adj.* dry
secourir, *v.* help
séjour, *m.* visit, stay; **permis de séjour,** visa, entry and visit permit
semaine, *f.* week
sentir, *v.* smell, feel
serrurier, *m.* locksmith
se servir, *v.* serve oneself, use
siffler, *v.* blow (a whistle), whistle
smoking, *m.* tuxedo, evening clothes (for men)
soigner, *v.* care for
sol, *m.* ground, soil
sommeil: avoir sommeil, be sleepy
sortie, *f.* exit
souffler, *v.* blow (the wind)
souhait, *m.* wish; **à souhait,** according to one's wishes
souhaitable, desirable
soulagement, *m.* relief
sourcil, *m.* eyebrow; **sourcils froncés,** frowning, the eyebrows knit
sourd, *adj.* deaf
en sourdine, smothered (as if distant)
sourire, *m.* smile
souris, *f.* mouse
soutenir, *v.* hold, claim
se souvenir de, *v.* remember
stade, *m.* level, stage
succéder, *v.* follow, follow upon
succursale, *f.* branch
suite, *f.* what follows, continuation
suivre, *v.* follow
surveiller, *v.* watch over
survivre, *v.* survive

tache, *f.* spot, stain
tâche, *f.* task
taille, *f.* build, size
se taire, *v.* be quiet
tant que, *conj.* so long as
tarder, *v.* be late; **tarder à,** be slow at, take (so) long at
tas, *m.* heap, pile
tâter, *v.* feel, touch
(se) teindre, *v.* dye
tel quel, *adv.* as it is, without change
témoin, *m.* witness
tenir à, *v.* insist on
se tenir, *v.* maintain oneself
s'en tenir à, *v.* confine oneself (to), be satisfied with
tenture, *f.* hanging (tapestry or heavy material)
tenue, *f.* outfit, attire; **la bonne —,** good manners
terrain, *m.* terrain, land, piece of property
tête: ne pas savoir où donner de la tête, not know which way to turn
tiédeur, *f.* warmth (pleasant)
tirer, *v.* draw, pull; shoot; **— sur,** shoot at

se tordre, *v.* twist, bend over; — **de rire,** to be convulsed with laughter
tort: avoir tort, be wrong
toucher, *v.* touch; cash (a check), receive (money)
tour, *m.* turn, trick
tournant, *m.* turn, curve (in the road)
tournée, *f.* round of visits
tousser, *v.* cough
traîner, *v.* drag, hang around, be left around; **se traîner,** *v.* drag on
traiter, *v.* treat; — **qqn de,** treat someone as, call someone . . .
tranche, *f.* slice
transport, *m.* passion
à travers, *prep.* through, via
tremper, *v.* dip, soak
tromper, *v.* deceive; **se** —, be mistaken
trou, *m.* hole
troué, *adj.* having holes
troupeau, *m.* flock, group
trouvaille, *f.* "find," new trick
tutoyer, *v.* use the familiar "tu" form

d'urgence, as an emergency
usage, *m.* custom, usual thing

vaisselle, *f.* dishes; china, table service
valable, *adj.* valid
valoir, *v.* be worth; — **mieux,** be better, preferable
vedette, *f.* star
veille, *f.* eve, day before
velours, *m.* velvet
vent, *m.* wind
vente: mettre en —, put on sale (Note: a "sale" is *solde*)
véridique, *adj.* true
verre, *v.* glass
verser, *v.* pour, pour out
vétille, *f.* trifle
viande, *f.* meat
vide, *adj.* empty
vieillir, *v.* to grow old
vif, *adj.* alive, lively
vivre aux crochets de qqn, "sponge off" someone
vœu, *m.* vow, wish
voile, *f.* sail, veil
voisin, *m.* neighbor
voix, *f.* voice; **à haute** —, aloud; **à — basse,** softly; **de vive** —, personally, by word of mouth
volant, *m.* steering wheel
voler, *v.* steal; fly
voleur, *m.* thief
vouloir, *v.* want, wish; **en — à qqn,** be angry with someone; **tu ne voudrais pas!** you don't mean it!

Index